Une goutte d'eau et l'océan

Thierry de Montbrial
de l'Institut

Une goutte d'eau et l'océan

JOURNAL D'UNE QUÊTE DE SENS

1977-2014

Albin Michel

« Unie à l'océan, la goutte d'eau demeure. »

Proverbe indien

« Nous pensons que ce que nous faisons
n'est qu'une goutte d'eau dans l'océan.
Mais il manquerait quelque chose
à l'océan sans cette goutte. »

Mère Teresa

Prologue

Été 1960. Je viens de passer mon second bac (en ce temps-là, il y en avait deux). De lointains cousins de mon père m'ont invité dans leur maison du Midi. Je ne connais pas cette partie de la France, vaguement paradisiaque dans mon esprit et associée à la tentation de la mondanité que ne dédaignaient pas les gloires littéraires de l'époque. Parvenu sur place, c'est la déception. Sur place, c'est-à-dire Le Plan-de-la-Tour, un austère patelin dans les hauteurs du Var, une lourde maison sans caractère ni confort, un panorama de montagnettes tapissées de conifères, quelques vignes aussi. Un soleil de plomb, une chaleur accablante, la solitude. Je ne quitte mes quatre murs, mes livres et mes rêves que pour des repas quelconques et des conversations petites-bourgeoises. Certains jours, je romps la monotonie en descendant à bicyclette à Sainte-Maxime, pour enfin toucher le sable, contempler la mer, m'y plonger, et au moins imaginer un monde dont j'entendais parler mais dont je ne connaissais rien. Ce soir-là, tandis que je peine à remonter vers ma prison, me voilà soudain saisi, sur ma droite, par le spectacle grandiose comme d'un volcan en éruption. Mais ce volcan s'étend le long d'une ligne de crête dans la direction où je vais. Je n'ignorais pas les incendies du Midi. J'en ai un sous les yeux, dont je me rapproche à mesure que l'altitude augmente. Au village, je tombe sur une petite armée de combattants sous les ordres de pompiers qui préparent des coupe-feu. Voilà que les cousins sont encerclés. Ils s'affairent sur leur lopin, ultime protection avant leur maison. Exalté et inquiet, je joins mes forces aux leurs. La nuit est maintenant tombée. Soudain, le bout du champ s'embrase. Paroxysme de beauté, de danger, d'émotion. Mais les stratagèmes ont réussi et, faute de carburant, les flammes s'évanouissent. La retraite a sonné. La nuit s'étend sur le champ de bataille, les cendres et la désolation noire que l'on découvrira au petit matin. Il faudra des années pour effacer les blessures. Bientôt, de retour à Paris, je fais le récit sans doute enjolivé d'un séjour devenu mémorable. Mon père m'invite à l'écrire. Je visualise encore les grandes pages jaunes sur lesquelles j'ai couché l'aventure.

Été 1965. À la fin de ma scolarité à l'École polytechnique, l'occasion m'est donnée de découvrir le Moyen-Orient. Avec mes comparses (un Allemand, un Anglais et un Autrichien) de la raffinerie de pétrole de Suez où nous faisons ensemble un stage, nous avons décidé de monter une expédition au mont Sinaï. Nous sommes au temps glorieux du colonel Nasser, deux ans avant la guerre des Six Jours, et pareille entreprise n'a rien d'évident. Il faut des autorisations spéciales, un chauffeur capable de conduire sur les pistes les moins carrossables. On doit soulever la voiture au-dessus des troncs d'arbres, dormir à la belle étoile et j'en passe. Parvenir au monastère Sainte-Catherine, près du lieu où Moïse a reçu les tables de la Loi, et s'y trouver dans un état psychologique accessible au mystère suppose le franchissement d'une épreuve. Symboliquement, le passage de la mer Rouge.

Là, tout invite au silence et au respect : le site, les œuvres qui ont échappé à la crise iconoclaste, la salle alors sans protection où sont entassés les crânes des moines qui se sont succédé à travers les siècles et les ossements de la main droite de leurs évêques. Après une nuit brève, chacun dans notre petite cellule, nous partons vers quatre heures du matin pour escalader la montagne, qui domine le monastère. Il n'y a qu'à suivre un chemin sans obstacles. Chacun monte à son rythme. Je suis rapidement distancé par Gangolf Braünlich, l'Autrichien. Assez loin derrière moi, l'Allemand, puis l'Anglais. Tandis que le soleil se lève sur une terre majestueuse, seul dans l'effort, je fais pour la première fois l'expérience du désert et ressens au plus profond de moi ce que la nature, donc la matière, peut faire pour tirer l'homme de son sommeil spirituel. Peut-être vers neuf heures, me voilà au sommet – une terrasse naturelle – face à la géographie et à l'histoire. À mes pieds, le Sinaï et la mer Rouge. À ma droite, l'Égypte. À ma gauche, l'Arabie. Je reste planté là, songeur, jusqu'à ce que mon regard avise une bicoque que je n'avais pas remarquée. J'y entre et me trouve devant la plus inattendue des scènes. Au fond de la pièce, assise en tailleur à côté d'une source, vêtue d'une robe de mariée et la tête couverte d'un voile blanc, une femme qui pourrait avoir quarante ans. À la droite de l'entrée, Gangolf, dans la même position, coiffé comme moi-même d'un keffieh. Ils se font face, silencieux. La dame me fait signe de m'asseoir. J'obéis. Elle me tend un verre d'eau et un morceau de tissu. Il fait chaud et je suis trempé. Je m'essuie le visage et je bois. Nous restons là. Après un moment qui me paraît infini, Gangolf et moi partons, sans un mot. L'Allemand et l'Anglais ont disparu en tout cas de ma mémoire, et c'est avec l'Autrichien que commence ma descente. Je l'interroge enfin. « Tout a commencé comme avec toi ; le verre d'eau, la serviette, un silence sacré... Dieu sait pourquoi j'ai sorti de mon portefeuille un bout de papier sur lequel j'avais écrit un poème de Schiller. Je le lui ai donné. Elle l'a lu, a retourné le papier et écrit dessus un autre poème de Schiller, tout cela en allemand. C'est tout. » Quelques heures plus tard, au monastère, nous interrogeons les moines. Cette femme est la fille du maréchal Rommel[1]. Tous les ans, elle jeûne là-haut pendant quarante jours et quarante nuits en expiation des crimes nazis.

Après quelques mois, je ne distingue plus clairement la part possible du rêve dans cette histoire, jusqu'à ce jour de 1967 où l'Autrichien, de passage à Paris, me fait signe. Entre-temps, je me suis marié. Je propose à Marie-Christine[2] de l'inviter à déjeuner et de lui demander, avant toute autre conversation, de raconter sa version. Son histoire est la même que la mienne.

Quelques années ont passé. Notre regard tombe un jour sur *Paris-Match*. Le numéro titre sur « L'ermite du mont Sinaï ». Nous ne l'avons pas conservé, et n'avons jamais revu Gangolf.

Ces deux anecdotes sont anciennes. Pour l'une, j'ai pris des notes qui ont disparu. J'ai souvent raconté l'autre, mais seulement ici et pour la première fois par écrit. Je me

1. Erwin Rommel (1891-1944). Impliqué dans le complot des généraux contre Hitler, il fut arrêté et dut se suicider sur ordre de ce dernier.

2. Épouse de l'auteur, souvent désignée par « MCh » dans ce livre.

suis trop intéressé à la mémoire pour ne pas savoir qu'elle déforme, ce qui n'a guère d'importance quand il s'agit de littérature mais porte à des conséquences dans la vie pratique. Lorsqu'en 1973 je suis devenu directeur du Centre d'analyse et prévision au ministère des Affaires étrangères, j'ai rapidement compris la nécessité de la prise de notes en temps réel, pour les diplomates comme d'ailleurs pour les journalistes. Cela m'a conduit à tenir des carnets de voyage à partir de 1976, puis à entreprendre un journal quotidien à la fin de 1992, avec des ambitions élargies par rapport à l'objectif utilitaire des débuts. J'ai vite compris aussi que les petits événements de tous les jours peuvent être aussi riches d'enseignements pour la vie qu'un incendie ou une rencontre extraordinaire. Mon père était poète dans sa face cachée, et je sais que son conseil débordait le cadre du Plan-de-la-Tour.

Des quelque huit mille pages accumulées à ce jour, j'ai déjà extrait un *Journal de Roumanie*[1] et un *Journal de Russie*[2], tous deux publiés en 2012. D'autres volumes suivront, à commencer par un *Journal d'Asie*. Mais dans cette masse il y a bien d'autre matière que les voyages ou la politique. Je dois à l'amitié de Marc de Smedt de rassembler dans ce volume quelques pensées et réflexions autour de sujets universels. Nous espérons, Marc et moi, qu'elles entreront en résonance avec des personnes qui, comme nous, cherchent des points de repère dans un monde affolé par le feu et le bruit.

1. Thierry de Montbrial, *Journal de Roumanie*, Éd. RAO, Bucarest, 2012. Édition bilingue en français et en roumain.
2. Thierry de Montbrial, *Journal de Russie*, Éd. du Rocher, 2012.

Fragments d'un journal

25 août 1977

Heureux les hommes que des professeurs ont marqués et qui ont su rester leurs disciples. J'ai trente-quatre ans. Depuis 1973, je dirige le Centre d'analyse et de prévision du ministère des Affaires étrangères, ainsi que le département des Sciences économiques de l'École polytechnique où je fais un grand cours annuel devant chaque promotion. Maintenant, ma notoriété dépasse assurément celle de Jean Ullmo[1]. Mais la notoriété n'a rien à voir ici. Pour moi, Jean est toujours un maître. Chaque été, MCh et moi aimons nous retrouver pour quelques jours dans de beaux paysages avec lui et sa femme Andrée, qui enseigne la philosophie à des jeunes en difficulté. Nous sommes au château de Roumegouse, près de Gramat, dans le Lot. Assis dans une prairie paradisiaque, nous écoutons Jean et Andrée philosopher.

1. Jean Ullmo (1906-1980), philosophe, économiste et mathématicien, joua un rôle important dans l'histoire contemporaine de l'École polytechnique et dans la carrière de l'auteur.

Il y a deux courants chez Platon. Socrate est toujours en scène. Mais alors que dans les discours socratiques la pensée du maître est clairement dominante, dans les discours platoniciens, l'apport propre de Platon est essentiel. Socrate ne donne jamais de réponse aux questions. Il choisit, pour chacune, un interlocuteur « compétent » et l'accule à reconnaître son incapacité à répondre. D'où, souvent, départ de l'interlocuteur en claquant la porte. Pour Socrate, la *conscience* est plus importante que la *connaissance*. Platon, quant à lui, sera le premier philosophe de la métaphysique et bâtira des utopies (*la République*).

La tension entre les deux Platon se retrouve entre la vie du maître et celle de son disciple. Socrate a vécu avec le minimum possible pour un citoyen d'Athènes. Platon était riche et ambitieux. Il a été tenté de jouer un « rôle » (comment ne pas penser à Jean Ullmo lui-même, ou à Raymond Aron ?). Dans son dernier livre, *Nous l'avons tous tué ou « ce juif de Socrate ! »*[1], Maurice Clavel se demande pourquoi Platon a abandonné Socrate au moment de sa mort (d'où le *Phédon* de Platon : c'est Phédon, et non Platon, qui raconte la mort du maître). Réponse de Clavel : Platon a eu peur de se compromettre. Ne risquait-il pas de subir le même sort ? C'est Pierre reniant le Christ.

Cette contradiction interne a poursuivi Platon pendant toute sa vie (il a survécu d'une quarantaine d'années à Socrate). Il se remettra lui-même en cause dans ses textes successifs.

Remarque sur Clavel : dans ses livres (*Ce que je crois*, *Dieu est Dieu, non de Dieu !* et *Nous l'avons tous tué ou « ce*

1. Le Seuil, 1977.

juif de Socrate! »), un fil commun : la nécessité d'une *transcendance*. Clavel est le maître des « nouveaux philosophes », qui veulent un retour à la « vraie » philosophie, et refusent de réduire celle-ci à une synthèse des sciences, notamment humaines.

Remarque sur les « points de passage obligés » : pour Andrée Ullmo, les grands d'entre les grands philosophes sont : Platon, Descartes, Kant, et peut-être Marx ou Hegel.

Remarque sur Nietzsche : il a rejeté Socrate et le Christ comme soutenant des thèses qui encouragent les *faibles*.

Remarque sur la civilisation : pour Ullmo, la supériorité de la civilisation occidentale ne fait aucune espèce de doute ; ailleurs, il y a des cultures, non la civilisation ; les idées à la Roger Garaudy[1] pour le « dialogue des civilisations » sont absurdes. Pour moi, ce n'est pas l'idée qui est absurde. Le problème, c'est sa traduction concrète.

Discussion de la soirée sur Israël et l'antisémitisme. Jean Ullmo dit que l'antisémitisme n'est vraiment né qu'à partir de l'an mil. Dans le premier millénaire, le sentiment de supériorité des juifs était surtout fondé sur une culture qu'ils considéraient largement supérieure à la barbarie environnante. Pendant cette période – et c'est peu connu –, les juifs ont fait du prosélytisme et ont concurrencé le christianisme. À partir de l'an mil, l'antisémitisme apparaît vraiment. Coïncidence avec les croisades. Thème du peuple déicide. En 1306, Philippe le Bel chasse les juifs de France pour donner une compensation au pape contre les couleuvres qu'il lui fait avaler.

---

1. Roger Garaudy (1913-2012), universitaire et homme politique controversé. Marxiste converti à l'islam.

L'antisémitisme sera pendant des siècles un phénomène religieux. On demande aux juifs de se convertir et de s'assimiler. Ce qui est assez remarquable, et fait effectivement problème, c'est qu'ils le feront si peu. À la fin du XIXe siècle, un pays comme la France semblait avoir dépassé l'antisémitisme. L'affaire Dreyfus fut un réveil terrible, dont est issu le sionisme politique sous la houlette de Theodor Herzl.

Mais ce n'est qu'avec le pangermanisme dès le XIXe siècle, et surtout le nazisme, que l'antisémitisme deviendra une doctrine *essentielle*, c'est-à-dire basée sur l'*essence* du caractère juif (il ne s'agit plus, alors, de se convertir). Sartre a donné une interprétation purement structuraliste de l'antisémitisme dans son essai sur la question juive[1].

Israël et de Gaulle : les Israéliens s'attendaient à ce que de Gaulle, par formation, fût antisémite. Ils avaient été surpris de sa politique amicale. Le renversement de 1967 apparut comme un retour à un antisémitisme « inné ». Ceci fut aggravé par Pompidou qui, après avoir été chahuté à Chicago en 1970, ne voulut plus recevoir l'ambassadeur Ben Nathan. Les Israéliens ont effectivement tendance, par réaction contre l'antisémitisme, à considérer que ceux qui ne sont pas cent pour cent avec eux sont contre eux.

Sur les « droits » des Israéliens et des Palestiniens sur la Palestine : c'est un cas typique de « double légitimité », selon Jean Ullmo.

Exposé d'Andrée Ullmo sur Kant (elle a fait un mémoire sur le philosophe de Königsberg). La « révolution

1. J.-P. Sartre, *Réflexions sur la question juive*, Paris, Paul Morihien, 1946.

copernicienne» de Kant, c'est de dire que l'homme n'est pas passif devant le monde, mais qu'il le construit d'une certaine manière. Kant, qui s'intéresse surtout à la métaphysique, se demande ce qui distingue l'interrogation métaphysique de l'interrogation scientifique (la science de son temps, c'est essentiellement la mécanique de Newton). Pourquoi les savants sont-ils d'accord entre eux et pas les philosophes ? Il dégage l'idée que pour accéder à la connaissance (scientifique), il faut à la fois les données du monde sensible (nous dirions l'expérimentation) et le filtre de l'entendement, c'est-à-dire de l'esprit : les *douze catégories de l'entendement*, c'est-à-dire les critères de compréhension du monde sensible, ce qu'il faut pour que le monde sensible nous soit intelligible. Naturellement, ces catégories devraient être refondues à la lumière du progrès scientifique. Kant s'oppose à Descartes en ce qu'il n'estime pas que la Raison permette directement la connaissance. S'agissant de la *métaphysique*, les catégories de l'entendement n'étant pas satisfaites, on ne peut pas se mettre d'accord.

Idée essentielle de Kant : l'homme ne peut accéder à la connaissance que dans un cadre spatio-temporel. Il est donc essentiellement fini. Kant insiste sur la *finitude* de l'homme. Kant énumère des exemples d'*antinomies de la Raison*, c'est-à-dire de contradictions de l'esprit quand il s'agit de questions qui ne relèvent pas de la connaissance du monde sensible (dialectique = contradictoire, péjoratif chez Kant).

Telles sont les questions analysées dans la *Critique de la raison pure.* Dans la *Critique de la raison pratique*, Kant se demande pourquoi l'homme se pose les questions qu'il se pose. Réponse : par exigence morale. L'homme a besoin d'introduire des valeurs morales. Kant réfute la « preuve » de l'existence de Dieu donnée par Descartes. Le point contesté est celui-ci : Dieu est parfait, et comme l'existence est un attribut de la perfection, il existe. Mais l'existence ne peut être prouvée que par une rencontre. Andrée renvoie à Frossard : Dieu existe ; je l'ai rencontré[1]. Kant retrouve l'existence de Dieu à travers un raisonnement où s'introduit la morale. Pour lui, c'est la morale qui fonde la métaphysique.

Andrée Ullmo conseille de lire *Ce que je crois*, où Clavel donne une excellente présentation de Kant. Il est important de savoir que Kant était protestant, profondément croyant. Il a mené une vie austère et régulière à Königsberg.

Les « nouveaux philosophes » redécouvrent la philosophie (Socrate, par opposition à la recherche d'une synthèse par les sciences sociales), réfutent le marxisme et dénoncent la philosophie allemande (en fait du XIXe siècle) qui a sublimé l'État par compensation de ne pas avoir fait la Révolution française.

Juillet 1978

Lu *Belle du Seigneur* d'Albert Cohen. Satire féroce des petits fonctionnaires internationaux (Adrien Deume). Surtout, histoire de la grandeur et de la décadence d'une passion. Dans la partie du livre où la passion est la plus pure, l'accent est placé sur les sentiments de l'héroïne, Ariane, et la montée du sentiment amoureux d'une femme qui sort de sa cage petite-bourgeoise et s'épanouit sous le

1. André Frossard, *Dieu existe, je l'ai rencontré*, Fayard, 1969.

regard d'un homme jusqu'à, croit-elle, découvrir l'amour vrai. Mais Solal est trop pénétré du sens de l'absurde pour transcender les jeux de la séduction, dont il maîtrise si bien les procédés qu'il va même jusqu'à les enrichir. Il est incapable d'aimer. L'érosion de la passion est dès lors inéluctable. Dans le camp retranché où le couple s'est laissé enfermer, le lecteur est surtout le témoin des pensées de Solal qui, pris à son propre piège, passe du cynisme au désespoir. La double méprise conduit à un double suicide. De beaux passages sur le problème juif (le cadre est la Société des nations dans les années trente, la montée de l'antisémitisme). Style fort original. J'apprécie, notamment, les inversions.

26 août 1978

Séjour dans le Lot avec les Ullmo. Discussion avec Andrée Ullmo sur Eschyle et Job à propos du problème du mal. Le mal et sa forme ultime qui est l'angoisse. L'explication « archaïque » du mal, que l'on trouve par exemple dans *L'Odyssée*, est la punition infligée par Dieu (ou par les dieux) pour sanctionner une faute. Eschyle (qui, comme l'auteur du livre de Job – il est intéressant de le noter –, écrivait au Ve siècle) va plus loin. Il reprend le vieux « Connais-toi toi-même » (c'est-à-dire connais tes limites, ne te prends pas pour Dieu) pour dire : c'est par l'expérience du mal que l'homme apprend à connaître ses limites. Dans *Les Perses*, il donne un assez beau rôle à Xerxès. Celui-ci a commis une erreur en voulant attaquer la Grèce (comme le dit le fantôme de Darius, son père), mais les chœurs indiquent bien que c'est ainsi qu'il a pris connaissance de lui-même. Le thème est d'ailleurs traité de façon ambiguë. Eschyle défend Prométhée : s'il a voulu prendre le feu aux dieux, ce n'était pas par esprit de puissance, mais pour le donner aux hommes. *Prométhée enchaîné* est d'ailleurs délivré par Eschyle. Le livre de Job traite le thème différemment. Contrairement à ce que j'avais retenu des cours de théologie, Job s'intéresse, selon Andrée, au « mal pur », déduction faite, si l'on peut dire, de ses retombées positives. Sa réponse : c'est une condition nécessaire pour trouver, ou retrouver, Dieu.

Le soir, discussion à propos de l'élection du pape[1], que Jean Ullmo considère comme un événement inintéressant. Il n'estime pas que l'Église constitue une référence morale. Elle pratique toujours, selon lui, une politique opportuniste, et la voix du pape, à son avis chargée d'archaïsmes, ne s'exprime pratiquement jamais avec authenticité. Jean XXIII a été une exception, comme dans un autre genre le général de Gaulle. Jean Ullmo se fonde sur une morale laïque très proche de la morale kantienne, basée sur la primauté de l'individu et la reconnaissance de l'Autre, conséquence nécessaire des principes d'universalité et d'invariance (traitement identique pour tous les individus), qui caractérisent la Raison. Il croit, sans être teilhardien pour autant, à la montée de la Raison à travers l'Histoire. Pour lui, le propre de « la » Civilisation, avec un grand C, c'est de faire triompher la Raison. Il ne doute pas que la Civilisation soit européenne, et même française.

1. Il s'agit de Jean-Paul Ier, élu le 26 août 1978 et décédé après un mois de règne.

30 novembre 1978

Rome. L'Italie donne toujours le spectacle d'une sorte d'équilibre dans le déséquilibre. Prigogine[1] a montré qu'en thermodynamique cette idée n'est pas un oxymore. En politique non plus !

4 février 1979

L'homme d'action part d'une vision, en déduit des objectifs, une stratégie pour les atteindre, et l'exécute.

26 mai 1979

Rencontre avec André Meyer[2] à New York. Selon lui, les quatre qualités fondamentales pour un homme d'action, par exemple pour un président des États-Unis, sont : le jugement, la volonté, la fermeté et l'imagination.

19 mars 1980

Florence. À toute époque, deux aspects de la culture : la conservation et la création. La nôtre accorde une grande importance à la conservation, ce qui est un phénomène

1. Ilya Prigogine (1917-2003), prix Nobel de chimie en 1977, auteur de *La Nouvelle Alliance*, Gallimard, 1979.

2. André Meyer (1898-1979) fut l'un des plus grands banquiers d'affaires de son temps. Il avait notamment entretenu des liens d'amitié avec John F. Kennedy.

récent. Qu'il s'agisse de l'Égypte ou de l'Italie, l'œuvre de Napoléon est notable à cet égard.

16 mai 1980

Saint-Paul de Vence, déjeuner à La Colombe d'Or. Jacques Lartigue[1] se tient droit comme un if. Visage et cheveux blancs magnifiques. Nous parlons notamment de cette idée, qui m'est chère : seuls les hommes qui sont allés assez loin dans une direction d'ordre scientifique, artistique, philosophique, théologique, ou dans la contemplation, ont une expérience de l'absolu. Lartigue est d'accord, et voit dans son art (la photographie) la manifestation d'un appel de Dieu. Nous parlons du journal qu'il tient, depuis son plus jeune âge, et de ses projets de publication. Ses milliers de photos constituent, aussi, un merveilleux ensemble de souvenirs. Il a eu la chance de ne jamais rien perdre.

13 juillet 1993

« Plus le singe est haut, plus il montre son derrière », a coutume de dire MCh. Sans doute suis-je maintenant parvenu assez haut pour susciter cette « Invidia » dont m'avait parlé Jean Guitton l'an dernier, lors de ma visite de candidature à l'Académie des sciences morales et politiques. Il faut se blinder pour encaisser les coups et, s'il faut les rendre, le faire de façon calculée, et surtout non passionnelle. C'est un aspect important de l'art de la politique.

1. Jacques Henri Lartigue (1894-1986), photographe et peintre.

1er septembre 1993

Josette Alia[1], forte de sa longue expérience de grand reporter, me parle, à propos d'un roman qu'elle vient de publier, de la fragilité des témoignages en histoire. L'immense majorité de ceux qui peuvent dire « j'y étais » passent en réalité à côté des événements, sans les voir et sans les vivre. Ils sont comme Fabrice del Dongo à Waterloo, ne comprenant rien à ce qui se passait autour de lui et continuant à se demander après coup, alors que les alliés envahissaient la France, si ce qu'il avait vu était bien une bataille, si cette bataille était bien Waterloo. Pour voir, il faut une préparation. Sinon, on a au mieux des impressions. Les grands mouvements échappent à la plupart de ceux qui n'y participent pas, et encore les véritables acteurs ne sont-ils forts que de leur point de vue particulier. La « vérité » est celle des visionnaires, des romanciers ou des historiens. Parfois des philosophes, quand ils ne sont pas systématiques.

30 septembre 1993

Je reçois longuement Alexandra Schwartzbrod, journaliste des *Échos* qui enquête sur la FED[2]. Comme Franz-Olivier Giesbert, elle croit que tout se ramène en politique à des questions de personnes.

1. À l'époque, grand reporter au *Nouvel Observateur*, proche de Jean Daniel, très engagée dans la cause palestinienne et plus généralement dans les affaires du Moyen-Orient.

2. La Fondation pour les études de défense, devenue Fondation pour la recherche stratégique, dont l'auteur était le président.

Je suis en désaccord. Les hommes peuvent être des moyens ou des obstacles, mais les buts qui valent dépassent ou transcendent les individus. On fausse tout si l'on en reste exclusivement au niveau des personnes et de leurs jeux psychologiques.

29 janvier 1994

Vatican. Visite au cardinal Gantin. Ce Béninois, né en 1922, évêque en 1956, créé cardinal par Paul VI au consistoire du 27 juin 1977, est aujourd'hui préfet de la Congrégation pour les évêques, l'un des plus importants dicastères de la Curie romaine. Je passe une heure avec ce saint homme. Sa simplicité, sa justesse de ton me touchent profondément, et même me bouleversent. Si le temps était venu pour un pape du tiers-monde, Bernardin Gantin pourrait l'être. Il en a la flamme. Mais ce transplanté, qui considère qu'en servant à Rome il rend un peu de ce que les missionnaires lui ont donné, prie Dieu de lui permettre de finir ses jours dans son pays.

« Que diriez-vous si l'on vous ôtait tout le rouge de votre vêtement, et si vous deviez retourner comme simple prêtre en Afrique ?

– Mais, mon ami, je n'aspire qu'à cela ! »

Cela sonne juste. Le soir des fastes romains consécutifs à son élévation au cardinalat, sa mère lui avait dit : « N'oublie pas notre petit village. » Bernardin Gantin ne l'a pas oublié. Il parle de tout avec bon sens, et explique l'optimisme africain. Aujourd'hui, la foi se développe surtout dans le tiers-monde, mais il est sûr à ses yeux que les racines sont tellement profondes dans le vieux monde chrétien que les fleurs repousseront.

29 janvier 1994

Le cardinal Gantin s'apprête à partir pour Yamoussoukro, où doivent être prochainement célébrées – deux mois après sa mort – de grandioses funérailles pour Félix Houphouët-Boigny[1]. Cette obligation ne semble pas le ravir...

C'est un autre genre de prélat que je rencontre ensuite, en la personne du cardinal Poupard, dans la « cité » mussolinienne de Saint-Callixte. L'ancien recteur de l'Institut catholique de Paris est aujourd'hui président du Conseil pontifical pour la Culture. Discussion de près de deux heures sur toutes sortes de sujets : le fonctionnement de l'Église et ses finances (elles devraient être gérées par des spécialistes laïcs) ; les grands thèmes culturels (le problème de l'« inculturation » : comment faire passer des thèmes universels d'une culture dans une autre) ; comment retrouver la nature humaine dans les grandes questions d'éthique, d'écologie, etc. ; la question des villes et des campagnes (le cardinal rappelle que *paganisme* et *paysan* ont la même racine) et de l'évangélisation des citadins, etc.

Visite à Mgr Jean-Louis Tauran, responsable des rapports entre les États, autrement dit ministre des Affaires étrangères. Je succède à Viktor Tchernomyrdine[2], qui vient de rencontrer le pape...

Homme très ouvert et sympathique. Lecteur de *Ramses*[3],

1. Félix Houphouët-Boigny, né en 1905, mort le 7 décembre 1993. Premier président de la Côte d'Ivoire de 1960 à 1993.

2. Viktor Tchernomyrdine (1938-2010), à l'époque Premier ministre de la Fédération de Russie.

3. *Ramses* est l'ouvrage prospectif de référence de l'Ifri, publié chaque année depuis 1981. Cette publication fournit à un large public les clés et repères indispensables pour décrypter les évolutions du monde.

il dit avoir montré au Saint-Père le sommaire et notre étude sur l'Afrique dans *Ramses 94*. Il me parle de l'esprit de la diplomatie du Saint-Siège, ancrée dans la très longue durée. Nous discutons de la Bosnie (la partition ethnique est contraire au sens de l'Histoire, qui voudrait au contraire que l'on permette aux peuples de vivre ensemble...), du Liban (« depuis hier, je suis pessimiste... » L'ancien nonce à Beyrouth doit avoir reçu des compléments d'information sur le sacrifice probable du Liban dans les négociations avec la Syrie).

Nous décidons de rester en contact. J'essaierai de le faire venir à l'Ifri, s'il en a l'autorisation[1].

Entretien avec le cardinal Roger Etchegaray. Ce Basque à l'accent rocailleux est prodigieusement sympathique. La conversation porte surtout sur les travaux de la commission Justice et paix, qu'il préside, et sur la situation en Bosnie. En quittant le cardinal, je pense que, dans la suite des temps, beaucoup dépendra de la capacité des chrétiens d'abord, des représentants de toutes les grandes religions ensuite, de faire leur unité sur quelques grands thèmes de morale universelle. Seulement alors la morale pourra peser dans les affaires terrestres. Tant que l'on se battra au nom même de la religion, le cynisme prévaudra.

Je me rends au palais du Saint-Office, pour rencontrer le très important cardinal Ratzinger, préfet de la Congrégation pour la doctrine et la foi. L'entretien porte sur la

1. Lors de sa présidence de l'Académie des sciences morales et politiques en 2001, l'auteur l'invitera à présenter une communication intitulée *Les relations Église-État en France : de la séparation imposée à l'apaisement négocié.*

notion d'universalité de l'Église catholique, la théologie de la libération, l'intégrisme (le « lefèbrisme »), Drewermann, le nouveau catéchisme et ses problèmes de traduction, l'état actuel de la science théologique, les problèmes « anthropologiques » de la morale (sexualité, sida...). Le cardinal admet que sur ce dernier point, l'Église n'a pas encore trouvé le juste langage. Elle s'est trop contentée de répondre au coup par coup, sans prendre assez de hauteur pour situer la réflexion au niveau fondamental, celui de la nature humaine. J'observe que à chaque fois que j'évoque une question qui l'intéresse, le regard du prélat s'éclaire d'une singulière intensité. Je quitte à regret mon illustre confrère[1] en pensant que, décidément, l'Église a beaucoup, beaucoup de pain sur la planche !

31 janvier 1994

Communication intéressante de Roger Arnaldez[2], à l'Académie, qui cherche à démontrer que la dimension conquérante de l'islam est inscrite dans le Coran, alors qu'on ne trouve rien de tel dans les Évangiles. La nature même du texte coranique (préceptes détaillés relatifs à la vie ordinaire) et l'absence d'unité de l'Oumma n'expliquent-elles pas la difficulté de l'islam à se moderniser ?

---

1. Le cardinal Ratzinger (futur pape Benoît XVI) a été élu membre de l'Académie des sciences morales et politiques la même année que l'auteur, en 1992.

2. Un des grands spécialistes de l'islam en son temps, il était membre de l'Académie des sciences morales et politiques.

13 mai 1994

Lecture d'une biographie de Jean-Luc Barré sur Philippe Berthelot (1866-1934). Un des ténors du Quai d'Orsay en son temps, il était le fils du chimiste Marcellin Berthelot, l'homme de la synthèse organique et gloire de la science française à la fin du XIXe siècle. Je ne suis pas particulièrement fasciné par le personnage, entraîné par les tourbillons, soumis à toutes les excitations, emporté par les mondanités et pas nécessairement très inspiré sur le fond de la politique étrangère. L'image d'Alexis Léger (en littérature Saint-John Perse) qui ressort de l'ouvrage est également décapante, celle d'un courtisan et d'un ambitieux sans scrupules. Grand poète sans doute, et qui a dû préparer son prix Nobel avec autant de soin et d'efficacité que sa carrière au Quai d'Orsay. Sans doute aussi Paul Claudel a-t-il bien « exploité » l'amitié de Berthelot, une amitié qui devait flatter le fils de l'illustrissime chimiste. Tout cela donne une impression moyennement flatteuse du Quai d'Orsay de la Belle Époque et de la tasse de thé.

Berthelot aimait les aphorismes. Certains sont bons, comme celui-ci que je cite approximativement : « Il ne faut jamais dire du mal de quelqu'un en termes généraux, mais seulement à propos de faits particuliers. »

26 novembre 1994

Une idée fait surface (Alfred Grosser[1], etc.) : pour parler franc, il faut être franc sur le passé. Cela vaut pour l'entente

1. Spécialiste universitaire de l'Allemagne, né le 1er février 1925.

entre les personnes physiques comme pour l'entente entre les peuples.

5 décembre 1994

Peut-être sont-ils là, les « grands » destins : une capacité de s'engager à fond dans une direction, peut-être mauvaise, et de se retourner. Les gens trop raisonnables n'enfoncent jamais que des portes ouvertes...

16 janvier 1995

Communication d'André Chouraqui à l'Académie. Le thème de l'année, choisi par Jean Foyer[1], est « le contrat ». Le cycle débute par le thème de « L'Alliance entre Dieu et le peuple juif », que l'orateur interprète comme le lieu privilégié de la rencontre de l'Être créateur, Elohim, et de ses créatures. André Chouraqui est un militant de la « réconciliation » entre les trois monothéismes, d'où devrait sortir, selon lui, une sorte de paix universelle. Cela me donne l'occasion d'intervenir sur mon thème du matin, celui de la coupure entre les finalités et la réalité. R.-J. Dupuy distingue entre la bonne utopie, celle des fins, et la mauvaise, celle des moyens. Cela ne me suffit pas. Prendre les moyens pour les fins peut certes conduire aux pires catastrophes, comme l'URSS. Mais l'utopie des fins n'est pas innocente. Elle entretient frustrations et

1. Jean Foyer (1921-2008), professeur de droit, membre de l'Institut, fut notamment ministre de Georges Pompidou.

culpabilité. Maurice Allais[1] prend la parole sur la question, qui semble l'obséder, de l'interdiction des mariages mixtes, tout à fait hors sujet. Il obtient la réponse qu'il avait déjà reçue d'un intervenant antérieur, à savoir que cette interdiction n'existe pas. Allais avait commencé son propos en se déclarant agnostique. Chouraqui l'assure que le Dieu sans visage l'habite à son insu… Mon cher professeur semble un peu désarçonné…

30 janvier 1995

Communication de Roger Arnaldez sur « L'Alliance selon le Coran ». Tonalités rawlsiennes à la fin de l'exposé : le pacte avec Dieu engage les hommes avant qu'ils ne soient nés.

Quelques notes :

– Unilatéralité du *berît'* (alliance, en hébreu), lié à la transcendance (distance infinie entre Lui et nous)… Le cardinal Ratzinger a, paraît-il, beaucoup insisté là-dessus à la séance de la semaine dernière, où je n'étais pas. Mais, demande Pierre Chaunu, ne peut-il pas y avoir bilatéralité, comme un don de Dieu ?

– Une remarque d'Arnaldez : au départ, la situation du Coran est bloquée, puisque c'est la parole même de Dieu. Mais les grands commentateurs sont extraordinaires. Ils

1. Maurice Allais (1911-2011), professeur de l'auteur à l'École des mines puis son confrère à l'Académie des sciences morales et politiques, prix Nobel d'économie en 1988. Voir les chapitres sur Maurice Allais dans Thierry de Montbrial, *Il est nécessaire d'espérer pour entreprendre. Penseurs et bâtisseurs*, Éd. Les Syrtes, 2006.

ouvrent les passages apparemment les plus *fermés*. Ce qu'il y a de mieux dans l'islam, ce sont les mystiques[1].

– Abraham n'est ni juif ni chrétien, dit le Coran. C'est-à-dire : il est antérieur. C'est un sens différent de l'observation de saint Paul, qui dit que le Christ n'est ni juif ni grec.

– Khalil Allah = ami de Dieu.

Je repense à une observation de Chouraqui : chacun peut avoir son Dieu. C'est compatible avec le Dieu des juifs.

13 février 1995

À l'Académie, j'écoute le père Armogathe, normalien, protégé d'Alain Peyrefitte. Son thème est intéressant : « Contrat social et régicide ». Distinction entre les « tyrans d'usurpation » et les « tyrans d'exercice ». Belle citation de Spinoza : « La confiance vient d'en bas, le pouvoir vient d'en haut. »

2 avril 1995

Prague. Je suis subjugué par la rapidité avec laquelle cette ville a retrouvé sa beauté et, en apparence, sa richesse. Dans toute situation, je cherche à comprendre les mille et un canaux par lesquels le passé peut se transmettre, grâce à quoi, dans le cas d'espèce, la grisaille de ces quarante

1. Il s'agit essentiellement du soufisme. Voir par exemple *La Voie soufie* de Faouzi Skali (Albin Michel, 1985). Cf. aussi le petit livre classique de R.A. Nicholson sur le sujet, publié initialement en 1914, *The Mystics of Islam*.

années de communisme se dissipera sans finalement laisser trop de traces. C'est parfois dans des souvenirs d'enfance réactivés que l'esprit d'entreprise a pu s'enclencher. Je pense aussi aux spermatozoïdes, au pollen, aux paroles de l'orateur qui en apparence s'échappent vers le néant mais qui, peut-être, se fixeront, beaucoup plus tard, dans le cerveau d'un auditeur plus ou moins attentif au moment de leur envol.

Au-delà de ces réflexions, je suis toujours aussi admiratif devant la capacité d'adaptation des hommes, dans les circonstances les plus invraisemblables, qu'ils les aient provoquées eux-mêmes ou pas.

10 avril 1995

Otto de Habsbourg à l'Académie. Né en 1912, il paraît soixante-dix ans tout au plus[1]. L'héritier du trône impérial fait un bel exposé sur le problème des nationalités. Sur certains points, il me paraît cependant « décalé », par exemple lorsqu'il voit dans la question de Kaliningrad le germe d'un futur drame européen[2]. Je me sens plus en phase avec Pierre George[3]. Pour lui, les guerres du XXe siècle furent des guerres « de paysans » ; les rapports entre les populations et les territoires ont changé de nature.

1. Otto de Habsbourg est mort en 2011.

2. Avec la chute de l'URSS en 1991, Kaliningrad, l'ancienne ville prussienne de Königsberg, s'est trouvée séparée du reste de la Russie.

3. Pierre George (1909-2006), l'un des plus grands géographes français de sa génération.

12-18 avril 1995

Lecture du livre de Zweig sur Balzac, Dickens et Dostoïevski. Quoi de plus fascinant qu'un grand écrivain parlant de ceux qu'il admire. Le choix de Zweig s'est porté sur ces trois-là car ils ont, selon lui, construit de véritables univers, grâce à l'énergie issue de leur imagination et de leur sensibilité, ou de leur intuition.

Intéressante conversation avec Sabine Jansen[1], experte en biographie et qui vient de lire le *Marie-Antoinette* de Zweig. Maupassant écrit quelque part, en se référant à Flaubert, que pour être un *très* grand romancier, il faut à la fois de l'imagination et de la sensibilité. On peut être grand – ce qui n'est déjà pas mal – si l'on a l'un des deux. Pour Sabine, le drame de Zweig était qu'il avait de la sensibilité, mais pas d'imagination. Il le savait. Sans doute en souffrait-il et peut-être même faut-il voir là une cause profonde de son caractère dépressif et finalement de son suicide. Selon cette analyse, la biographie aurait été chez lui un mode de substitution. L'explication vaudrait pour ses voyages incessants.

26 juin 1995

Au cours d'une table ronde à laquelle nous participons tous les deux, Javier Perez de Cuellar, ancien secrétaire général des Nations unies, développe une conception à

---

1. Maître de conférences au Conservatoire national des arts et métiers, rattachée à la chaire « Économie et analyse des relations internationales » de l'auteur.

mon avis beaucoup trop abstraite des droits de l'homme. Je fais observer que si les principes étaient simples à appliquer, les religions ne s'entre-déchireraient pas. Je pense notamment aux luttes fratricides entre les trois monothéismes.

8 juillet 1995

Lecture de *De l'amour et autres démons* de García Marquez. Envoûtant. Il y a quelques années, j'avais lu *L'Amour au temps du choléra* avec le même enchantement. L'univers de l'écrivain colombien est foisonnant comme une forêt vierge, à l'image de son imagination. Il y a dans cette œuvre à la fois une désespérance bien tempérée, surtout beaucoup de dérision et d'humour froid. Beaucoup de magie aussi. Les héros, esquissés, conservent leur mystère. La traduction française est superbe. Le texte espagnol doit être sublime.

9 juillet 1995

Je parcours un ouvrage de Paul Lévy[1], publié en 1970, quand il avait quatre-vingt-quatre ans : *Quelques aspects de la pensée d'un mathématicien*. Nombreuses notations intéressantes du point de vue de la psychologie de l'invention. Très jeune, le futur savant découvrait ou plutôt redécouvrait des pans entiers des maths, et son esprit, tel qu'il le décrit, fonctionnait de façon très concrète et intuitive. Ses

1. Un des fondateurs de la théorie moderne des probabilités. Longtemps professeur à l'École polytechnique, où il a enseigné l'analyse mathématique.

remarques sur toute une série de problèmes aujourd'hui classiques sont lumineuses. Il est toujours passionnant de voir d'où sortent les questions que l'on se pose, et par quels cheminements les découvreurs ont trouvé des réponses ainsi que, bien entendu, de nouvelles questions. Paul Lévy avait le plus grand mal à se mouler dans la pensée d'autrui, comme son futur gendre Laurent Schwartz[1]. Celui-ci distinguait, de ce point de vue, entre les esprits éponges (Dieudonné[2]) et les esprits rebelles, pour qui toute pensée extérieure est une sorte d'agression (dans cette catégorie, je mettrais sûrement Allais). Lévy montre bien que sa culture mathématique – acquise à l'X alors qu'il avait été reçu major à Normale – était limitée, ce qui l'a parfois handicapé. Même dans son propre domaine de spécialité, on est incroyablement dépendant de l'acquis initial. On retrouve, dans les mathématiques aussi, l'importance du « coup d'œil », si grande dans toute œuvre humaine.

16 août 1995

Lecture de *Cent ans de solitude*. Décidément, le style de García Marquez s'accorde étonnamment bien avec ma propre forme de sensibilité, d'humour, d'imagination, de dérision. Plus on avance dans le livre, plus il est délirant.

---

1. Couronné par la médaille Fields pour la théorie des distributions, il fut professeur puis collègue de l'auteur à l'École polytechnique. Voir le chapitre sur Laurent Schwartz dans Thierry de Montbrial, *Il est nécessaire d'espérer pour entreprendre. Penseurs et bâtisseurs*, *op. cit.*

2. Jean Dieudonné (1906-1992), l'un des fondateurs du bourbakisme.

4 octobre 1995

Vol pour Washington. Arrivée avec une bonne demi-heure de retard, pour cause de cyclones pas très loin d'ici. Installation au Four Seasons. Dîner seul dans le restaurant de l'hôtel. Je n'aime pas l'obséquiosité de certains employés qui servent, desservent, raclent, vous font des courbettes par-devant et donnent l'impression de vous cracher au visage par-derrière. Je regarde la salle. Extraordinaire impression d'une accumulation de mimes, de poupées mécaniques, de personnages prisonniers de leurs rôles. Je ne sais pourquoi, je pense aux artistes et aux créateurs qui, jamais, ne sont satisfaits de leur œuvre car ils en connaissent les imperfections. Alors que les gens autour de moi ont l'air bien satisfaits. Mais tout cela est parfaitement subjectif et fort peu généreux.

28 octobre 1995

Reçu le livre d'Andrée Ullmo sur Jean : *En ton absence*[1]. Je suis heureux de trouver enfin terminé ce texte dont elle a mis quinze ans à accoucher. Quelques photos représentent mon maître dans des mouvements qui étaient vraiment les siens. Jeune, il semble plein de morgue et de vanité. Comment est-il passé de ce stade à celui du sage que j'ai connu ? Sans doute a-t-il surmonté des étapes de grand doute sur lui-même.

1. Éd. de l'Envol, 1995.

26 décembre 1995

Lu dans *Le Figaro* des articles sur Emmanuel Levinas, qui vient de mourir à l'âge de quatre-vingt-dix ans. « Levinas [...], toute sa vie durant, tenta de situer les fondements d'une éthique hors de toute croyance religieuse préconçue, hors de toute "programmation". L'essentiel était la rencontre avec le "visage d'autrui", avec l'autre, fondement préphilosophique précédant toute rationalisation. Pour lui, comme pour Pascal, le "moi" était haïssable dans son "expansion triomphale à être et à dominer". Rompre cette tendance du "moi" à occuper cette place au soleil exorbitante était la condition indispensable pour s'éveiller à l'humain. Et c'était d'abord le souci de l'autre, ce lien avec l'autre qui, selon lui, caractérisait la religion, vue non pas comme un système clos, mais comme ouverture de l'homme à la transcendance. La morale elle-même était un sacrifice inséparable d'une inquiétude concernant autrui[1]. » Après Deleuze et l'épistémologue Gandilhem, voilà encore un grand philosophe français qui disparaît. Aucun n'a fait partie de l'Académie des sciences morales et politiques. J'imagine les jalousies derrière cela.

Lu au hasard quelques pages du *Journal* d'André Gide. J'éprouve une attirance croissante pour ce type de littérature au fil des jours, en forme de matière brute. Certains hommes, ne pouvant vivre pleinement leur vie sans leur plume, entretiennent ainsi, d'ailleurs plus ou moins artificiellement, un dialogue avec eux-mêmes (Julien Green, etc.). J'aime aussi

---

1. Article de Frédéric de Towarnicki, citant Salomon Malka : *Lire Levinas*, Éd. du Cerf.

les « correspondances », ou encore les regards que les auteurs portent les uns sur les autres. Intéressant de voir comment les événements extérieurs atteignent les écrivains.

27 décembre 1995

Lu *Adolphe*, dans un magnifique exemplaire de l'édition originale. Le support ajoute au plaisir de la lecture. J'admire aussi bien la concision, la précision et la sobriété du style que l'implacable lucidité de la cristallographie de sentiments aussi volatils qu'un ciel changeant. Aucun écrivain n'a sans doute mieux maîtrisé par sa plume les sinuosités capricieuses d'un caractère. Je relis dans la foulée *La Vie de Benjamin Constant* de Dumont-Wilden, publié en 1930, un siècle après la mort du « génie raté ». On dirait que la sympathie du biographe pour son sujet augmente à mesure que le livre avance. Étrange destin de cet homme à la fois faible et fort, misérable et grand, cynique et fervent, qui a vécu à l'une de ces périodes de « transition de phase », où l'histoire se décompose et se recompose comme ces formes instables chères aux romantiques d'alors ou aux physiciens d'aujourd'hui.

30 décembre 1995

Lu *La Mort intime* de Marie de Hennezel (publié avec une préface de Mitterrand), qui donne du grand passage une vision singulièrement différente de celle d'un Lucien Israël[1]. Témoignages impressionnants. Réminiscence de

1. Cancérologue né en 1926, membre de l'Académie des sciences morales et politiques.

ma visite académique au grand rabbin Kaplan en 1992[1], qui avait eu l'expérience d'une lumière inondant ceux qui vont passer de l'autre côté de l'horizon. Il avait interprété le phénomène comme un miracle. Pour le professeur François Lhermitte[2], à qui j'en avais parlé plus tard, tout cela n'est que la physico-chimie du cerveau. Chacun voit midi à son heure. En fait, les médecins ne connaissent rien à la mort.

24 août 1996

Journée de chagrin. MCh a justement jugé que l'heure est venue de se séparer de Pénélope, dont la tumeur s'est beaucoup développée au cours des dernières semaines. Il pleut à verse pour son dernier matin. Sa maîtresse lui fait avaler une poignée de pilules qui auraient normalement assommé un régiment de chiens bien portants, mais ne font que l'abrutir. Plusieurs heures paisibles à nos côtés, souvent dans nos bras. Un moment, elle vient tendrement se réfugier sur mes genoux, alors que j'essaie de travailler un peu dans mon bureau. Quelques tentatives ultimes pour sortir, pour marcher. Mais ses pattes ne la portent plus. Hier soir encore, elle traversait en sautillant le boulodrome pendant qu'on jouait à la pétanque avec Thibault[3],

1. Né en 1895. Grand rabbin de France de 1955 à 1980. Il est mort en 1994.

2. François Lhermitte (1921-1998). Neurologue et psychiatre, il était également membre de l'Académie des sciences morales et politiques.

3. Fils de l'auteur.

tenant fermement et fièrement dans sa gueule une belle bûche comme elle l'aimait tant. Juste après un déjeuner absorbé sans appétit, nous décidons de ne plus tarder. Nous conduisons notre petit compagnon, installé dans son sac de voyage bleu, tant de fois utilisé entre Paris et Gordes. Le très délicat vétérinaire de Robion (d'une grande gentillesse pour les animaux comme pour leurs maîtres, et qui refusera toute rémunération car « on ne fait pas payer pour une euthanasie », dit-il) ne la sortira pas de son sac pour lui administrer une première piqûre destinée à l'endormir complètement, cette fois, puis une deuxième qui l'enverra, en une seconde dit-il, dans cet inconcevable paradis – hors de l'espace-temps-matière tel que nous le percevons – où, peut-être, la synthèse de toute la création s'effectue. Tout se passe dans un calme parfait. Pour l'heure, la vie terrestre de l'adorable petite chienne, née le 27 juin 1985, nous dit Thibault – le fils a un point de repère par le football –, que j'étais allé chercher avec MCh un soir d'été chez Françoise Sagan, le foyer de ses premiers jours, est achevée. Après la mort de Youki et celle de mon père, puis la parenthèse courte et effrayante du bobtail Achille qui avait planté ses crocs dans le bras de MCh, nous avions décidé – en fait j'avais décidé – de refaire une expérience avec un animal d'un gabarit plus modeste. Ce fut donc un fox, que le jeune Thibault (il n'avait pas dix-sept ans) promena d'abord avec une certaine honte, tant il le trouvait petit, en quelque sorte indigne de lui. Ainsi commença cette tranche de vie riche de beaux souvenirs. Finis ces petits bruits du jour et de la nuit, ces aboiements après un coup de sonnette qui empêchaient de s'entendre ou de se parler, ces câlins fondants, cette étonnante affection d'un être qui ne mentait pas et qui, bien évidemment, avait une conscience.

Le très touchant pépiniériste Denis a eu la gentillesse de venir creuser une tombe pour Penny, dans le petit jardin face à la cuisine. Nous avons choisi un coin qu'elle aimait. Les jardiniers ont trouvé une jolie pierre. Nous allons planter un arbuste. J'ai formulé l'idée. Denis y avait déjà songé. Il connaît une belle variété de rosier, qui fleurit au printemps et à la fin de l'été. Le coin que nous avons choisi devrait être propice à la floraison de cette espèce qui s'appelle... Pénélope ! On en plantera donc sur la tombe où repose notre petit animal, notre amie. Elle dort dans son sac de voyage, comme il se devait. Claire vient déposer une coupe avec de l'eau. Pour qu'elle n'ait pas soif. C'est, dit-elle, une coutume indienne.

Au moment où l'on comblait la fosse et où les pelletées recouvraient les jolis poils blancs, gris et noirs, le beau temps se rétablissait. Pour moi, c'est la deuxième fois que j'enterre un animal. Le précédent s'appelait Mowgli, enseveli dans le jardin de nos parents à Asnières. C'était mon chat. Quel âge pouvais-je avoir ? Peut-être dix ans, peut-être moins. Mais je me souviens du lieu précis, et de ma tristesse. Pour Youki, terrassé par une crise cardiaque à Paris, nous n'avons eu d'autre choix que de faire enlever son corps par un service de ramassage. Horrible souvenir.

30 août 1996

J'achève la lecture d'un très beau roman de Yasushi Inoué : *Le Maître de thé*. Je relève quelques citations, qui reflètent bien ce que j'aime dans ce livre et dans la quintessence de la civilisation japonaise. Et d'abord, le « secret du thé », que le grand maître Rikyu avait défini par ces mots : *Wabisuki-joju, chanoyu-kanyo.* « *Wabisuki-joju*, cela signifie qu'il faut toujours garder en son cœur l'esprit du thé, simple et sain, même en dormant, et *chanoyu-kanyo*, c'est la pratique de la cérémonie du thé, qui est aussi très importante. » Autrement dit, la combinaison d'une philosophie très dépouillée et d'un rite associé à des formes belles et précises (cela, les orthodoxes le comprennent peut-être mieux que les catholiques).

Deuxième phrase : « Savoir reconnaître ses limites, c'est la marque d'un Grand Maître parmi les Grands Maîtres. » Idée classique (Maurice Allais l'avait utilisée dans son discours pour mon épée d'académicien), mais tellement fondamentale !

Troisième extrait, superbe : « J'ai un bol, un pot et une spatule. Rien d'autre. Depuis la construction de Myokian, j'avais résolu de jeter, un à un, les objets superflus. Mais on a beau jeter, à la fin, il reste soi-même. Et l'heure de m'abandonner moi-même est enfin venue. »

Puis, la dernière phrase du livre, ou presque : « Ils découvrirent ce qui est le plus important pour l'homme de thé : préparer sereinement le thé, laisser faire le destin et ne pas tenter d'y échapper. »

Enfin, cette remarque : « Monsieur Rikyu a assisté à la mort de nombreux samouraïs, m'avait-il dit un jour. Combien d'entre eux ont dégusté le thé préparé par Monsieur Rikyu avant d'aller trouver la mort sur le champ de bataille ? Quand on a assisté à la mort de tant de guerriers, on ne peut pas se permettre de mourir dans son lit ! »

6 septembre 1996

Paris-Montréal. Lu dans l'avion le fascinant petit livre : … *Le moyne noir en gris dedans Varennes*[1]. Georges Dumézil a recours à tout son art philologique pour décortiquer certaines prophéties de Nostradamus, notamment le fameux vingtième quatrain de la neuvième centurie qui paraît annoncer la fuite à Varennes, l'emprisonnement de Louis XVI et la chute de la monarchie. L'étude est époustouflante. La forme de son livre (les rôles tenus par le séduisant M. Espopondie, les jeunes messieurs de Momordy et Leslucas) lui confère une enveloppe un peu mystérieuse (je ne sais pourquoi, je pense à René Leys) qui sied bien au sujet et surtout qui permet à l'auteur de se retrancher derrière des reflets de lui-même pour dissimuler ses véritables pensées sur les phénomènes de voyance, d'astrologie, etc. Mais il est évident que le grand indo-européaniste y croit. Quand M. Espopondie est supposé lui tenir ce langage, dans un dialogue censé avoir eu lieu au début des années vingt, « Moi aussi, vois-tu, je me laisse parfois aller à rêver et, surtout, je me garde d'effacer, de nier ce que je n'explique pas. Pour tout te dire, je croirais volontiers, sans l'expliquer, à la transmission de pensée », on sent bien que c'est en fait Dumézil qui s'exprime. C'est encore lui qui parle ainsi : « Un fait correctement observé est un fait à enregistrer et à mettre en réserve, même s'il est quantitativement unique et qualitativement singulier, pour toujours ou à titre provisoire, soit par nature, soit parce qu'il

1. Éd. Gallimard, 1984.

échappe à la prise de nos instruments. » On le sent disposé à imaginer des branchements – actuellement inexplicables – entre cerveaux, et ce dans l'espace-temps. Le « cerveau » de Nostradamus ou de « sa source » n'a-t-il pas été « branché » sur celui de Louis XVI dans sa prison du Temple ? Dumézil n'est pas fermé à l'astrologie, dont il a un jour débattu avec Jean-Claude Pecker[1], lequel n'a d'ailleurs sur ce sujet que des choses fort banales à dire (voir ses *Clefs pour l'astronomie*[2]). Tout cela n'empêche pas notre auteur de ne pas croire en Dieu. Parlant de M. Espopondie, Georges Dumézil écrit au début de l'ouvrage : « Son portrait serait bien incomplet si je ne témoignais qu'il n'avait aucune peur, aucune curiosité de la mort, le plus compréhensible des phénomènes. Il ne concevait pas que rien de lui pût survivre à la décomposition de son cerveau. » Encore ici, l'auteur se parle à lui-même. M. Espopondie se sent proche de la mort, comme Dumézil quand il écrit sa « sotie nostradamique ». Il s'exprime à peu près dans les mêmes termes, cette fois sans artifice, dans ses entretiens avec Didier Eribon. Mais pourquoi notre héros, aux idées si libérales et à peine masquées sur des sujets aussi sulfureux, n'admet-il pas que quelque chose puisse subsister de nous sans le support matériel du cerveau ? Pourquoi n'étend-il pas ses audaces jusqu'à ne pas exclure la possibilité de la « résurrection de la chair » ? Sans doute parce que nous ne disposons à ce sujet d'aucune observation incontestable. Pour lui, la résurrection du Christ relatée dans les Évangiles ne constitue évidemment pas un « fait », mais plutôt, je suppose,

1. Astrophysicien, il fut professeur au Collège de France.
2. Éd. Seghers.

un mythe. Et le christianisme n'est qu'une religion parmi d'autres.

4 octobre 1996

Visite académique (fauteuil du grand rabbin Kaplan) d'Émile Poulat. Il ne paie pas de mine, mais ne manque pas d'intérêt. À ma question habituelle : « Avez-vous la foi ? », ce grand spécialiste du christianisme fait la bonne réponse, qui n'est pas oui ou non, mais l'expression d'une tension, d'une recherche avec ses hauts et ses bas. D'accord avec moi sur l'importance des témoins de la foi, autrement plus grande que celle de l'institution ecclésiastique. À propos d'une question que j'avais abordée avec Lucien Israël, il fait état de statistiques (en France) d'où il ressortirait que seulement dix pour cent des personnes « condamnées » seraient sereines devant la mort, se répartissant à égalité entre croyants et athées. Pas moyen, là, de départager. Comme si la grâce n'était pas opérante en moyenne. Nous parlons des notions de preuves, d'interprétations. Poulat me rappelle que les Évangiles ne « montrent » jamais le Christ ressuscitant.

8 octobre 1996

Déjeuner seul dans mon bureau. Je regarde une cassette, enregistrée à l'X, où Laurent Schwartz raconte la révélation de sa vocation de mathématicien, sa découverte en une nuit « fertile » de 1944 ou 1945 de la théorie des distributions (mais que de préparation latente, avant, et de travail de mise au point et de redressement, après – en l'occurrence, il a perdu beaucoup de temps parce qu'il était parti sur une mauvaise définition des distributions), l'importance de savoir sécher sur des problèmes, etc. Laurent Schwartz parle aussi de ses engagements politiques. J'ai moi-même connu, à la fin de l'année 1963, cet extraordinaire plaisir de la cristallisation en une fraction de seconde : compréhension soudaine d'une théorie qui avait tout l'air d'un puzzle insoluble. C'était la théorie de la mesure. C'était le cours de Laurent Schwartz. Je n'ai, ce jour-là, rien découvert. Mais le souvenir reste l'un des plus beaux de ma vie intellectuelle. Infiniment de plaisir à regarder ainsi mon vieux maître et ami, qui a si peu changé en un tiers de siècle.

22 novembre 1996

Terminé la lecture du *Fusil de chasse*, considéré comme le chef-d'œuvre de Yasushi Inoué. Extraordinaire sobriété et concision, toujours. Indépassable finesse psychologique. Trois femmes par rapport à elles-mêmes et par rapport à un homme. Trois lettres adressées à cet homme quand le drame se dénoue. La fille de la maîtresse ; l'épouse, amie de la maîtresse, qui a toujours su sans que celle-ci ait su qu'elle savait ; la maîtresse sur le point de se suicider – elle se sait condamnée par la maladie. Une jeune fille bouleversée par ce qu'elle apprend en lisant le journal intime de sa mère. Admirable phrase de révolte contenue qui termine sa lettre :

« Mère m'a conseillé, dans son testament, de recourir à vous en toutes choses, mais, si elle avait vu dans quel état d'esprit je me trouve actuellement, elle n'aurait jamais fait cette suggestion.

« J'ai brûlé le Journal dans le jardin, aujourd'hui. Le grand cahier est devenu une poignée de cendres et, tandis que j'allais chercher un peu d'eau pour noyer le feu, un léger tourbillon a tout dispersé, en même temps que les feuilles mortes. »

Fausse légèreté de l'épouse, qui a attendu la mort de la maîtresse pour quitter son mari. Conclusion glaciale et dérisoire de sa lettre d'adieu, qu'elle a rédigée sur le propre bureau du destinataire : « J'ai ensuite rangé ton armoire, j'y ai serré tes trois complets d'hiver, et en les choisissant suivant mon goût, j'ai ajouté à chacun une cravate convenable. J'espère que tu les aimeras. »

Étrange certitude de la maîtresse, persuadée d'avoir toujours été passionnément aimée par son amant, et qui avant de mourir avoue à celui-ci qu'elle n'a jamais su « aimer ». Admirable jalousie aussi de cette maîtresse à l'égard de l'épouse, une camarade de classe qui, seule de son groupe, désirait « aimer » plus ardemment que d'« être aimée » : « Comme je la hais ! Comme je voudrais oublier son image ! » Et, pourtant, cette camarade n'a pas pardonné à son mari qui l'avait « trompée », et l'a chassé. Ne regrette-t-elle pas de ne pas avoir su l'aimer ?

Génie de cet écrivain dans sa symbiose avec la nature, dans l'art de monter sa pièce, où l'on retrouve d'ailleurs la même technique que dans *Le Maître de thé*.

7 décembre 1996

Lu, dans *Le Monde* du 7 décembre, un article sur le plagiat. On cite André Gide : « L'esprit n'avance que sur des cadavres d'idées » et Voltaire (dans le *Dictionnaire philosophique*) : « Quand un auteur vend les pensées d'un autre pour les siennes, ce larcin s'appelle plagiat. » Ni l'une ni l'autre de ces formules ne correspond au vrai problème : plagier, c'est incruster sans le dire des textes rédigés par autrui, en les présentant comme siens. Quant à la recherche en paternité des idées, c'est autre chose. Pour les découvertes scientifiques aussi : Boyle et Mariotte, Langevin, Poincaré et Einstein, etc. Voir aussi les controverses sur le rôle des uns et des autres dans la mise au point de la bombe H française. Et que dire de la genèse des idées politiques : combien de « pères » de « l'Europe » ?

15 décembre 1996

Terminé le grand livre de Jorge Semprun, *L'Écriture ou la vie*. Composé comme une peinture cubiste (du moins c'est ainsi que je ressens sa technique des récits brisés, repris, des renvois et rappels, etc., qui sert peut-être aussi à le protéger contre la dureté de son sujet), superbement écrit en français (cet Espagnol aime les langues et multiplie les citations en allemand, espagnol, italien et plus rarement anglais, citations que souvent il ne traduit pas ou progressivement, à l'occasion de répétitions). J'aime cette idée que c'est par l'écriture, et même par le roman, que la mémoire subsiste. Il s'agit ici de la mémoire des camps de concentration, de ce qui subsistera quand plus personne n'aura la « mémoire charnelle », le souvenir réel de l'odeur de chair brûlée sur la colline de l'Ettersberg. « Ce ne sera plus qu'une phrase, une référence littéraire, une idée d'odeur. Inodore, donc. » Inodore sans doute, mais cette idée d'odeur, l'idée des camps, ne pourra se transmettre qu'à travers des œuvres littéraires. Comme Dostoïevski dans le *Souvenirs de la maison des morts* ou Soljenitsyne dans *L'Archipel du goulag*. Sur la question de l'œuvre littéraire, de la poésie ou du roman, j'ai évolué du tout au tout depuis mes vingt ans. Je pensais alors que la philosophie, au sens large, était la voie royale pour exprimer la pensée. Je n'avais pas compris que l'universel ne se frôle que dans le particulier, vécu directement, ou à travers le talent de l'écrivain et donc par procuration.

Beau personnage de Claude-Edmonde Magny avec sa *Lettre sur le pouvoir d'écrire.* Une remarque superbe : « Je dirais volontiers : nul ne peut écrire s'il n'a le cœur pur, c'est-à-dire s'il n'est pas assez dépris de soi. » « L'écriture, commente Semprun, si elle prétend être davantage qu'un jeu, ou un enjeu, n'est qu'un long, interminable travail d'ascèse, une façon de se déprendre de soi en prenant sur soi : en devenant soi-même parce qu'on aura reconnu, mis au monde l'autre qu'on est toujours. » L'idée est magnifique.

Le livre de Semprun me permet aussi de comprendre pourquoi les survivants des camps se refusent à engager la conversation sur leur expérience du mal absolu, radical, *das radikal Böse.* À cause, notamment, de la distance infinie qui les sépare de leurs interlocuteurs et de leurs questions déplacées. Je me souviens ainsi, une fois, du blocage de Denise, épouse d'Alain Vernay[1] et sœur de Simone Veil. Un mur. On comprend de même, en lisant *L'Écriture ou la vie*, la difficulté des survivants à rétablir la communication avec les vivants. Après Buchenwald, Semprun est attiré par l'amour et le fuit. Pour parvenir à s'exprimer complètement, par écrit, il lui aura fallu près d'un demi-siècle. Comme Primo Levi qui, lui, s'est suicidé peu après avoir « accouché ».

Passages déchirants. La mort du professeur Maurice

1. Alain Vernay, journaliste économique au *Figaro*.

Halbwachs[1]. « Il se vidait lentement de sa substance, arrivé au stade ultime de la dysenterie qui l'emportait dans la puanteur. » Semprun l'accompagne avec Baudelaire : « Ô Mort, vieux capitaine, il est temps, levons l'ancre... »

Mort stupide du militant Diego Morales, qui avait survécu à des épreuves inouïes, et qui se vide, lui aussi, après la libération du camp.

« *Moirse asi, de cagalera, no hay derecho*... Il a raison : ce n'est pas juste de mourir bêtement de chiasse après tant d'occasions de mourir les armes à la main. » Le mal, la mort. Cette phrase du *Tractacus* de Wittgenstein : *Der Tod ist kein Ereignis des Lebens. Den Tod erlebt man nicht*... Traduction habituelle : « La mort n'est pas un événement de la vie. La mort ne peut être vécue. » On ne peut vivre la mort. Les survivants des camps ont-ils vécu la mort ?

La mort et la vie. La survie et la chance. Pour survivre, il fallait : être en bonne santé, curieux du monde, connaître l'allemand, avoir de la chance. Pour Semprun, la chance, ce fut le geste de ce « camarade allemand inconnu » qui avait inscrit, sur sa fiche d'entrée : « *Stukkateur*, stucateur. » S'il avait écrit « *Student*, étudiant », il serait mort. Stucateur, ouvrier ou artiste qui travaille le stuc, ça pouvait être utile...

La mémoire et le rêve. Un jour, Semprun voit pour la première fois, sur un écran, des images de Buchenwald. Admirable observation : « En devenant, grâce aux opérateurs des services cinématographiques des armées alliées, spectateur de ma propre vie, voyeur de mon propre vécu,

---

1. Maurice Halbwachs (1877-1945), sociologue, élève d'Émile Durkheim. Une chaire intitulée « Psychologie collective » avait été créée pour lui au Collège de France, en 1944.

il me semblait échapper aux incertitudes déchirantes de la mémoire. Comme si, paradoxalement à première vue, la dimension d'irréel, le contenu de fiction inhérent à toute image cinématographique, même la plus documentaire, lestaient d'un poids de réalité incontestable mes souvenirs les plus intimes. D'un côté, certes, je m'en voyais dépossédé, de l'autre, je voyais confirmée leur réalité : je n'avais pas rêvé Buchenwald. Ma vie, donc, n'était pas qu'un rêve. »

Les incertitudes déchirantes de la mémoire... Qui n'en a fait l'expérience ? Pour moi, la première fois, ce fut l'été 1965, au mont Sinaï...

Quelques développements aussi, dans ce livre, sur les grandes illusions de notre siècle.

« Une sorte de malaise un peu dégoûté me saisit aujourd'hui à évoquer ce passé. Les voyages clandestins, l'illusion d'un avenir, l'engagement politique, la vraie fraternité des militants communistes, la fausse monnaie de notre discours idéologique, tout cela, qui fut ma vie, qui aura été aussi l'horizon tragique de ce siècle, tout cela semble aujourd'hui poussiéreux : vétuste et dérisoire. »

Hélas ! Mais vaut-il mieux, individuellement, avoir été un enfant sage, à qui rien n'arrive ?

« L'histoire de ce siècle aura donc été marquée à feu et à sang par l'illusion meurtrière de l'aventure communiste, qui aura suscité les sentiments les plus purs, les engagements les plus désintéressés, les élans les plus fraternels, pour aboutir au plus sanglant échec, à l'injustice sociale la plus abjecte et opaque de l'Histoire. »

« Hélas. Les hommes sont-ils condamnés à être enthousiastes dans l'erreur, ou salauds dans la bourgeoisie » (Sartre) ?

27 décembre 1996

Achevé, il y a quelques jours, la lecture du livre d'entretiens d'Eugène Ionesco avec Claude Bonnefoy[1]. Profond, riche, impressionnant, drôle, cocasse. Je tente (sûrement avec trop de sérieux car j'ai souvent beaucoup ri en lisant le livre) d'en résumer quelques points forts à mes yeux, en commençant par la mort. C'est, évidemment, le thème de sa pièce *Le Roi se meurt,* « un essai d'apprentissage de la mort », dit l'auteur. Mais ici, c'est l'évocation de son expérience personnelle qui m'intéresse surtout. « Il y a quelques mois, écrit-il, j'ai été malade. Quand on m'a opéré, avant qu'on me fasse la piqûre d'anesthésie, je me disais que j'allais peut-être mourir, mais je ne ressentais aucune crainte. Je ne sais pas si, quand je mourrai vraiment, je verrai cela de la même façon, mais là j'avais l'impression très forte que tout ce que j'avais fait, que tout ce qui était derrière moi n'avait absolument aucune importance. Tout le social avait disparu. Tous mes actes, toute l'histoire du monde n'étaient plus qu'un panier de cendres. En même temps, j'avais aussi le sentiment désagréable que devant moi il n'y avait rien. » Je n'ai pas moi-même vécu cette expérience de l'imminence de la mort possible, mais j'ai souvent pensé que je pourrais la vivre de cette manière. Du moins en ce qui concerne « le social », et le sentiment que ce à quoi j'aurais tant travaillé dans ma vie, disons mes « œuvres » (travaux intellectuels, enseignements, constructions institutionnelles), n'ont en effet aucune importance face à l'éternité – et cela est

1. Claude Bonnefoy (1929-1979), critique littéraire.

vrai même pour les grands hommes (et d'ailleurs, qu'est-ce qu'un grand homme ?) –, même si le fait d'avoir vécu implique qu'on leur en a donné. Et ce n'est pas si mal, tout de même, Eugène Ionesco, si ce que l'on a fait ou dit a pu être « utile », c'est-à-dire positif pour d'autres mortels, dans la plus ou moins petite cellule d'espace-temps où l'influence de chaque être humain se fait objectivement sentir. De ce point de vue, des centaines de millions d'hommes et de femmes dont l'humanité sensible a perdu toute trace ne sont-ils pas indépassables ? N'est-il pas infiniment orgueilleux de prétendre à plus ? Mais j'aurais sûrement le désir, je l'ai déjà, d'emporter – avec un nouveau « moi » que je ne puis évidemment pas me représenter – mes constructions affectives, si entravées sur terre, dans l'espoir, au-delà, de les accomplir. L'aspiration, aussi, à la « communion des saints ». Sur le plan intellectuel, j'aurais sûrement le désir, je l'ai déjà aussi, d'abandonner mon maigre bagage de vivant – si rudement constitué – pour accéder – sous une forme certes inimaginable – à cette sorte de compréhension universelle à laquelle l'homme, curieux, aspire en vain. Éprouverais-je, ou éprouverai-je – face au grand passage ou à sa possibilité –, ce « sentiment désagréable que devant moi il n'y a rien » ? Je ne le sais. J'oscille. J'espère ardemment que non. Tomberais-je du côté pile ou du côté face ? Est-ce une question de hasard pur, de disposition, d'environnement, de grâce ?

Ionesco, pour sa part, ajoute un peu plus loin : « … je suis retourné vers la vie pour prendre davantage conscience des autres, de la réalité des autres et peut-être que lorsque j'aurai bien compris tout cela, j'emporterai cette réalité avec moi […] Le désir de Péguy était de tout emporter, de faire monter la terre jusqu'au ciel [...] Chez moi, ici, il y a contradiction entre plusieurs sentiments. Il me semble tantôt qu'il n'y a rien, tantôt que tout existait depuis l'éternité, tantôt qu'il dépend de nous que quelque chose soit. Tantôt ça m'intéresse peu que toutes les choses qui existent, et leur histoire, aient de l'importance, tantôt je voudrais que ces mêmes choses aient une importance transhistorique, éternelle. » Là aussi, je me reconnais, bien que cette formulation soit un peu sèche. Comme encore dans cette remarque : « Il y a deux fois impressionnantes : celle du savant et celle du charbonnier. » J'aime, pour ma part, les hommes de foi, les témoins, les transmetteurs, plutôt, bien sûr, que les fonctionnaires de Dieu. Comme encore dans cette observation, à un autre endroit du livre, mais c'est toujours la même idée qui court : « Depuis que j'ai commencé à écrire, je me suis toujours posé la question de savoir si cela valait la peine d'écrire, et même si cela valait la peine de faire quoi que ce soit. » Quelle est en effet cette force qui nous pousse à agir, quand nous pensons que la vie est peut-être « absurde » ? Cette force qui pousse même ceux qui sont au plus haut point conscients de l'importance de « la question de toutes les questions selon Heidegger : pourquoi y a-t-il quelque chose plutôt que rien ? ». Mon professeur de philosophie à Janson, M. Bonnel, prononçait cette phrase avec délectation, se précipitait au tableau pour écrire en majuscules le nom du philosophe, ponctuait son propos d'un « pas ? » – contraction de « n'est-ce pas ? » – aigu et gourmand, puis ajoutait avec une majestueuse lenteur : « Et peut-être eût-il mieux valu qu'il n'y eût rien, pas ? » Même pour ceux qui raisonnent ainsi, donc, la vie doit être vécue et en tout cas elle l'est, avec ses aspirations, ses désirs et ses plaisirs, ses frustrations, ses peines et ses douleurs, ses passions (« On pense toujours mal parce qu'on est entraîné dans ses passions », affirme Ionesco, qui avoue cependant plus loin : « J'ai connu comme tout le monde des moments où je suis prisonnier de mes passions », et assène quelques dizaines de pages après la sentence « Tout n'est que passion »), ses objectifs intermédiaires. Ionesco n'a pas tort de dénoncer « ce qui se passe tout le temps : les choses secondaires deviennent les principales et ce qui est véritablement principal est oublié ». Mais à l'inverse, si l'on n'est obsédé que par le principal, il n'y a plus qu'à se coucher et à attendre la mort, ou plutôt à se suicider. (À propos de mon obsession d'alors de tout ramener aux dimensions cosmologiques, Jean Ullmo me faisait remarquer qu'il fallait savoir moduler les échelles de temps et d'espace, sous peine d'écrasement total). À moins, venu le troisième âge (après celui de l'éducation puis celui de la procréation et de l'action), de faire ce que recommande, je crois, la sagesse indienne, ce que fait « le solitaire » de Ionesco quand il se retire dans sa banlieue pour rester en tête à tête avec lui-même, fuyant ainsi ce que Pascal appelait « le divertissement », ce que peut-être mon ami Jacques Edin[1] est en train de vivre actuellement. Sans choisir entre les extrêmes, Ionesco rappelle avec force que « les gens ont un besoin profond de solitude. Ce dont souffre le monde moderne, c'est de l'absence de solitude ». Ou encore : « Il y a de la solitude en communauté [...] la vraie solitude est moins isolement que recueillement. » Ou encore : « Ce qui est dramatique [...] c'est le coude à coude. » Ou encore :

1. Collaborateur de l'Ifri, il s'était distingué pendant la Résistance. Il a quitté l'Ifri en 1995, à soixante et onze ans, sans un mot.

« La vie doit vraiment être imprégnée de solitude pour être viable. Chacun a besoin d'un espace vital personnel [...] Mes personnages, justement, ce sont des gens qui ne savent pas être solitaires. Le recueillement, la méditation leur manque. »

Mais on sent bien que ce qui intéresse surtout Ionesco, c'est bien « la question de toutes les questions », la question première de la philosophie : l'étonnement devant le fait de l'existence, qui fonde l'« absurdité » de son théâtre. En fait, « l'absurde est une notion très imprécise. L'absurde est peut-être l'incompréhension de quelque chose, des lois du monde, il naît du conflit de ma volonté avec une volonté universelle, il naît aussi du conflit entre moi et moi-même, entre mes diverses volontés, impulsions contradictoires : à la fois je veux vivre et je veux mourir, ou plutôt, je porte en moi un vers la mort, un vers la vie, éros et thanatos, amour et haine, amour et destruction, c'est une opposition assez importante, n'est-ce pas, pour me donner l'impression d'"absurde", comment bâtir une logique à partir de là, même "dialectique" ? »

Il m'aura fallu, à moi, attendre la trentaine pour accepter l'existence de ces contradictions, et de bien d'autres encore, au fondement même de la condition humaine. « Je me rends compte, écrit plus loin Ionesco, que j'emploie le mot absurde pour exprimer des notions souvent très différentes. Il y a plusieurs sortes de choses ou de faits "absurdes". Parfois, j'appelle absurde ce que je ne comprends pas, parce que c'est moi-même qui ne peux comprendre ou parce que c'est la chose qui est essentiellement incompréhensible, impénétrable, fermée, ainsi ce bloc monolithique du donné, épais, ce mur qui m'apparaît comme une sorte de vide massif, solidifié, ce bloc du mystère, j'appelle aussi absurde ma situation face au mystère, mon état qui est de me trouver en face d'un mur qui monte jusqu'au ciel, qui s'étend jusqu'aux frontière infinies, c'est-à-dire aux non-frontières de l'univers et que je ne puis pourtant pas ne pas m'acharner à escalader ou à percer tout en sachant que cela c'est l'impossibilité même, absurde donc cette situation d'être là que je ne puis reconnaître comme étant la mienne, qui est la mienne pourtant. J'appelle aussi absurde l'homme qui erre sans but, l'oubli du but, l'homme coupé de ses racines essentielles, transcendantales (l'errance sans but, c'est l'absurde de Kafka).

« Tout cela, c'est l'expérience de l'absurde métaphysique, de l'énigme absolue, puis il y a l'absurde qui est la déraison, la contradiction, l'expression de mon désaccord avec le monde, de mon profond désaccord avec moi-même, du désaccord entre le monde et lui-même, l'absurde, c'est encore simplement l'illogique, la déraison, ainsi, l'histoire n'est pas, à proprement parler, absurde, dans le sens que nous venons d'indiquer, elle est déraisonnable. Difficile de s'y reconnaître, il faudrait démêler tout cela. »

Page magnifique, même si Ionesco paraît bien éloigné tant de la mystique que de la science, lesquelles, chacune dans son genre, permettent à l'homme de soulever un coin de voile, et lui donnent par flashes l'intuition d'un contact avec l'au-delà du mur.

Face à la complexité de la notion d'« absurde », Ionesco préfère le mot « insolite ». Il parle du sentiment de l'insolite. Écoutons-le, à propos de *La Cantatrice chauve* : « Qu'est-ce que c'était, pour moi, cette pièce ? C'était l'expression de l'insolite, de l'existence vue comme une chose absolument insolite. Il y a un degré de communication entre les gens. Ils se parlent. Ils se comprennent. C'est cela qui est stupéfiant. Comment se fait-il que nous nous comprenions ? » Cette remarque est en effet l'une des plus profondes qui se puissent. Un peu plus loin : « C'était une mise en lumière de l'être, de l'insolite de l'être en bloc dans mon étonnement devant l'existence. L'insolite est partout : dans le langage, dans le fait de prendre un verre, de le boire d'un seul coup, bref dans le fait d'exister, d'être. » L'exploitation de ce thème conduit Ionesco très loin. Par exemple : « Dans *Tueurs sans gages*, au premier acte, le personnage principal qui est pour la première fois Bérenger s'étonne d'exister, d'être au monde et il trouve cela extraordinaire, merveilleux. Alors, là, il vit l'attitude fondamentale. Ensuite, ce monde merveilleux se disloque, se désarticule. Il y a le problème de la haine, le problème de la mort, etc. Déjà ces problèmes importants, importants non pas tels que je les ai traités mais en eux-mêmes, sont moins importants que l'attitude primordiale, fondamentale. »

Fascination donc de Ionesco devant la question première, « cette présence monolithique, inexplicable du monde et de l'existence », le thème du « déjà là », du *Dasein* de la philosophie allemande de Hegel à Heidegger. Pour Ionesco, des écrivains comme Sartre et Camus « qui sont honorables, importants, discutaient de l'absurde, de la mort, mais [...] ils ne vivaient pas ces thèmes, [...] ils ne les sentaient pas en eux d'une manière presque émotionnelle et viscérale, [...] cela n'était pas inscrit profondément dans leur langage. Chez eux, c'était encore de la rhétorique, encore de l'éloquence ». Une situation en somme comparable à celle des poètes du XIXe siècle : « Il y eut d'abord les romantiques,

Musset, Lamartine, qui discouraient sur la tristesse, la mélancolie, le désespoir, ensuite se produisit un véritable approfondissement avec Lautréamont ou Rimbaud qui ne parlaient plus de désespoir, de tristesse, mais qui vivaient le désespoir, la tristesse. Avec eux, on dépassait le discours, il n'y avait plus de discours. Tout devenait image, vie, vie même au sens viscéral. » Ionesco écrit ces lignes pour parler du « théâtre, aujourd'hui, qui apporte une expression nouvelle » en comparaison du théâtre antérieur. J'aime sa répétition, à distance dans le livre, du mot « viscéral ». Cet auteur abstrait se dit plus affectif que cérébral. Il reproche à Paul Valéry d'être plus cérébral qu'affectif. « Il n'y a pas, chez lui, cette lumière intérieure, seulement une lumière d'orfèvre, dure, froide, une lumière de diamant. » Ionesco vit charnellement la métaphysique, malgré la contradiction des mots. Il est vrai qu'avec lui on n'est pas à une contradiction près !

On n'est pas étonné de découvrir un Ionesco également contradictoire sur le problème de Dieu. Il reconnaît qu'il y a en lui « un côté moraliste ». Il dit son attirance pour le personnalisme et pour Emmanuel Mounier. « Personne n'est remplaçable », écrit-il, ou encore : « Je crois que chaque individu est plus important, plus vrai, plus intéressant que le groupe, plus universel, surtout. L'individu est universel, le groupe n'a qu'une certaine généralité limitée ! » Et, à propos du *Rhinocéros* : « La collectivité ne se sent pas coupable. La foule qui se déchaîne, qui lynche ne se sent pas coupable. L'individu seul réfléchit, peut ou non se sentir coupable. » Dans cette pièce, il avait justement à dire « comment une mutation est possible dans la pensée collective, à montrer comment cela se passe ». Thème fondamental aujourd'hui car « tous les pays maintenant, aussi bien à l'Ouest qu'à l'Est, sont plus ou moins collectivisés. Plus ou moins inconsciemment, j'ai mis la main sur un problème terrible : la dépersonnalisation ». Dans le même ordre d'idée, « chacun peut devenir un monstre, [...] nous avons tous les possibilités de devenir des monstres ». C'est le thème de Kafka dans *La Métamorphose*. Beaucoup de personnages d'Ionesco, d'ailleurs, « appartiennent au monde petit-bourgeois de toutes les sociétés. Ils vivent dans les slogans ». Thème central, au demeurant, de la sociologie. Tout cela renvoie évidemment à la nécessité de la solitude, du recueillement, mais aussi à la question de la responsabilité (un sujet qu'en l'occurrence Ionesco n'approfondit pas), et à une réflexion sur les totalitarismes. La boucle se referme sur Dieu, de la manière suivante : « [dans les totalitarismes] un personnage sacré, vénéré, est comme Dieu. Seulement les idoles parlent aux masses, tandis que Dieu ne parle pas aux masses. Chacun d'entre nous s'adresse personnellement à Dieu. Si on essaie de définir cela théologiquement, c'est la différence qu'il y a entre Dieu et Satan. Dieu est personnel et nous rend personnels, frères les uns des autres et en même temps différents, tandis que Satan nous indifférencie. À l'époque de Hitler, cette indifférenciation, c'étaient l'uniforme militaire, les marches militaires, en Chine, c'est le même costume pour tout le monde. » Dans tout ce discours, Ionesco est chrétien. Mais il ne serait cependant pas lui-même s'il n'était également relativiste : « ... toutes les croyances pour lesquelles nous nous battons sont équivalentes, [...] chacun s'il est mis dans une situation autre peut croire le contraire de ce qu'il a cru. Il y a là une sorte de nivellement des valeurs, de nihilisme. » Et son sens de l'« absurde » prend le dessus quand il s'agit d'évoquer le grand architecte de l'univers.

« J'ai tout de même l'impression que l'histoire, telle qu'elle est, c'est-à-dire terrible, tragique, inadmissible, est une sorte de farce que Dieu joue aux hommes. C'est le sens de la fin, non pas du Solitaire, ni de *Ce formidable bordel*, la pièce que m'a inspirée *Le Solitaire*. Pendant toute la représentation – comme dans le livre pendant tout le récit –, le solitaire est inquiet, les autres lui parlent, il les rencontre, les reçoit, il essaie de comprendre ce qu'on dit, ce qui se passe autour de lui, et tout ça n'est pas clair, tout ça l'angoisse. À la fin il se met à rire, et il dit : j'ai compris. Alors il lève le doigt vers le ciel, il interpelle Dieu et lui dit : "Coquin, je t'ai compris". » Pour Ionesco, l'humour est important. « L'humour, c'est prendre conscience de l'absurdité tout en continuant à vivre dans l'absurdité. » Il permet « d'éprouver des passions de toutes sortes tout en sachant qu'elles n'ont aucun sens ». Et encore : « Par l'humour, il y a une distanciation constante. »

Autre aspect de l'esprit d'Ionesco : l'abstraction. À propos du « retard » du théâtre au début des années cinquante, il écrit : « Toute œuvre est agressive [...] il n'y a pas de mouvement de l'art sans l'agression, sans le nouveau. Oui, l'agression, c'est le nouveau. » On peut rapprocher cela de la fameuse formule du physicien Paul Langevin[1] : « Le concret, c'est de l'abstrait usagé. » Dans le même ordre d'idée, cette remarque : « Au fond, une chose est incommunicable au début parce qu'elle n'a pas encore été communiquée et à la fin parce que les expressions qui lui servent de support sont usées. » On pourrait broder, cependant, sur la nécessité sociale du lieu commun. Mais cela est une autre histoire. Pour les vrais créateurs, en tout cas, le concret, en ce sens,

1. 1872-1946.

ne vaut pas la peine. Inutile de reproduire ce qui a été fait ou dit cent fois. Pour Ionesco, la littérature est dans une impasse. Il voit un nouvel horizon dans la synthèse des deux langages scientifique et humaniste. « Ce sera la conciliation de l'astronome et du poète. » Peut-être y a-t-il là quelque chose de profond.

Une intéressante comparaison avec la peinture : « Byzantios est un peintre abstrait. Il avait fait des peintures abstraites un peu comme moi-même j'avais écrit des pièces abstraites, *La Cantatrice chauve* étant plus ou moins une pièce abstraite. Et, tout à coup, il a inventé quelque chose : il y a dans ses tableaux un fond mouvant, vivant avec des faisceaux de lumière, de vibrations, tout un drame abstrait. Ce fond est en réalité le vrai tableau. Devant ce fond, comme sur le devant d'une scène, il met un artichaut, un arbre, un nénuphar, etc. Alors cet objet réel ou réaliste ou pseudo-réaliste donne sa vérité, sa force au fond abstrait du tableau. Je crois que c'est à peu près ce que j'ai fait spontanément avec *Les Chaises* où il y a ce mouvement, ce tourbillon abstrait des chaises, tandis que les deux vieillards servent de pivot à une construction pure, à cette architecture mouvante qu'est une pièce de théâtre, de même dans *Amédée* où il y a ce cadavre réel et ces deux personnages qui semblent exister. » De fait, le vrai thème des *Chaises* était le néant, et non pas, comme on l'a dit, l'échec.

Ce livre fourmille encore d'indications sur ces procédés, le « mécanique plaqué sur du vivant » à la Bergson, mais avec des effets d'amplification et de dérèglement, de désarticulation (du langage, etc.) qui véhiculent le sentiment de l'insolite ou l'angoisse de l'absurde, le recours aux images oniriques, aux différents niveaux de conscience (« Il y a une conscience diurne, une conscience nocturne, une inconscience diurne, une sorte d'oubli. Il y a des plans parallèles de conscience et de connaissance », et encore : « La logique, c'est la surface de la conscience. Le rêve, c'est la conscience profonde, substantielle »), l'opposition entre, d'une part, la lumière, l'air, l'envol, et d'autre part, l'épaisseur, la lourdeur liées souvent au thème de la boue, de l'envasement, l'appel à l'humour, etc.

Et puis, pour Ionesco, ne peut être écrivain qui veut : « La vocation littéraire, très rare, est innée, congénitale : on peut savoir dès leur plus jeune âge que les enfants seront scientifiques, littéraires, politiques : à cinq ans, Mozart assimilait la musique, la découvrait aussi en lui, la réinventait. » Pour Mozart, il a sûrement raison. Dans l'ensemble, il me semble exagérer le déterminisme. Mais comme il est vrai pour tous qu'« écrire est vraiment une chose pénible ». Surtout quand on n'est pas un écrivain, et qu'on prétend écrire un journal. À ce sujet, d'ailleurs, j'adhère profondément à ce conseil de mon grand homme de ce jour : « Lorsqu'on écrit ses mémoires, lorsqu'on raconte sa vie dans une autobiographie, adopter l'ordre chronologique, ce qu'on fait généralement, n'est pas du tout authentique. Il y a authenticité quand les souvenirs affluent et se groupent d'eux-mêmes, non pas chronologiquement, mais par thèmes ou obsessions. » Et s'il est vrai qu'au théâtre, « s'il faut une fin, c'est parce que les spectateurs doivent aller se coucher », on trouvera sans difficulté ma raison d'en terminer aujourd'hui, enfin, avec Ionesco.

Fin décembre 1996

Lecture de *Pour qui sonne le glas*, que je trouve un peu ennuyeux malgré des passages beaux parce que simples et puissants, comme ce que peuvent dire des paysans peu bavards s'exprimant sur l'essentiel. Ce roman appartient à cette catégorie d'œuvres, typiques d'une époque (le Malraux de *La Condition humaine*...), où il s'agit de faire ressortir l'épaisseur dramatique des aventures et des engagements vécus au niveau tactique. Le besoin de certains hommes de donner leur vie pour des causes qui les dépassent, dans tous les sens du terme. Hemingway le bretteur, obsédé par la mort bien sûr, la peur de l'impuissance. La peur d'avoir peur, qui conduit à l'audace, au-delà du courage.

6 janvier 1997

Séance de rentrée à l'Académie. Présidence de l'année : Roger Arnaldez. Celui-ci ouvre son cycle sur la philosophie par un discours qui exerce un effet soporifique sur une majorité de mes confrères. Emmanuel Le Roy Ladurie de plus en plus lunatique. Alice Saunier-Seïté[1] ne tient pas en place. De l'orateur, je retiens cette idée devenue, à tort ou à raison, banale, mais quand même importante : le XXIe siècle sera religieux.

Premier intervenant du cycle, Jean Lefranc, un universitaire consciencieux, maître de conférences honoraire à Paris-Sorbonne, c'est tout dire, qui a joué, dit Raymond Polin[2],

1. Alice Saunier-Seïté (1925-2003). Géographe, elle fut notamment ministre de l'Enseignement et de la Recherche sous la présidence de Valéry Giscard d'Estaing.

2. Raymond Polin (1910-2001), philosophe, membre de l'Académie des sciences morales et politiques.

un rôle décisif dans la défense à tout prix de la classe de philosophie. Lefranc craint l'avènement d'une société technicienne, l'envahissement de la civilisation matérielle, le vide de la raison critique et, par contrecoup, le développement du « marché mondial pour les croyances irraisonnées ». Il ne précise pas ce qu'il met derrière cette appellation. Le communicant se lamente sur le niveau abêtissant de la presse et de la télévision. Assurément a-t-il raison de souligner que très peu de gens se posent tous les jours des problèmes de nature philosophique (je crois, pour ma part, faire partie de la petite minorité).

La discussion qui suit est décousue, mais de bon niveau. Polin rejette toute philosophie de la fin de l'Histoire et combat, une fois de plus, l'idée de *valeurs universelles*. Il revient sur l'opposition, qu'il exprime fréquemment, entre le domaine de la *culture*, avec la philosophie comme point culminant (recherche de sens, d'ouverture, de valeurs…) et celui de la *civilisation* (la science et les techniques). Hors séance, il me parlera de l'opposition radicale entre la réflexion métaphysique du philosophe, détachée et rationnelle, et la démarche passionnelle, affective, du croyant. Ce qui n'exclut pas qu'un philosophe puisse être croyant et réciproquement.

Je rappelle pour ma part le rôle important de la science dans la formation de certains concepts de la philosophie, le fait que les théories scientifiques ont parfois précédé les applications (espaces de Hilbert, géométrie de Riemann par exemple), la nécessité du détour par « l'inutile ». Quant aux médias, à de nombreux égards encore dans l'enfance, j'observe que nous vivons actuellement le début d'une phase nouvelle dans l'histoire : la culture a cessé d'être l'apanage d'une petite minorité. Il ne faut pas mépriser le travail journalistique ou la « vulgarisation ». Dans le même sens, Henri Amouroux[1] évoque Raymond Aron, qui « faisait monter les escaliers ».

7 janvier 1997

Visite de Jean Chélini, candidat à l'Académie, spécialiste de l'Histoire de l'Église au Moyen Âge et auteur d'une étude sur l'Église du temps de Pie XII. Nous parlons de ces papes médiévaux qui étaient très politiques (Jean-Paul II l'aura été aussi, à propos du monde communiste en général, de la Pologne en particulier) et parfois très pécheurs. Mais ils n'en avaient pas moins la conscience de leurs devoirs vis-à-vis de l'Église. Pour Chélini, Pie XII est le premier pape à comprendre que le programme d'une conversion universelle au catholicisme avait peu de chances d'être jamais atteint. Je repense pour ma part à cette idée capitale et familière aux Asiatiques (hindouisme, bouddhisme), très présente par exemple dans *Le Fleuve sacré* d'Endô, que chacun peut parvenir à « la vérité » avec son propre dieu. Il ne s'agit nullement de panthéisme, mais de pluralité dans les voies d'accès à notre au-delà. Ainsi, pour le Dalaï Lama, la conversion d'une religion à une autre est dépourvue de sens. De ce point de vue, celle de Roger Garaudy est un acte politique et non pas religieux. C'est aussi l'opinion d'un André Chouraqui, ce qui

1. Henri Amouroux (1920-2007), auteur de *La grande histoire des Français sous l'occupation*, dix volumes, Éd. Robert Laffont, 1976-1993.

explique qu'en cultivant « leur Dieu » en circuit fermé, les juifs ne pensent pas commettre une injustice à l'égard du reste de l'humanité. À l'inverse, la prétention universelle du catholicisme romain ou de l'islam peut être interprétée comme une forme d'intolérance.

8 janvier 1997

Séminaire à l'École des ponts et chaussées. Je suis cuisiné pendant deux heures par le philosophe Michel Juffé sur mon parcours, intitulé sur ma proposition « De l'économie mathématique aux relations internationales ». J'essaie de préciser mes idées sur des sujets tels que le rôle de la logique et des mathématiques dans les sciences molles, le progrès de la connaissance par la dialectique des questions et réponses interprétées sous l'éclairage de la « réalité », la nécessité d'acquérir des connaissances objectives pour pouvoir aborder utilement la dimension morale des problèmes (en économie, en politique, en stratégie politique et militaire, etc.), les ressorts de l'action (la nécessité de vivre, l'aspiration téléologique des hommes, l'aspiration au pouvoir, à l'amour, etc.).

Plaisir de recevoir, en début d'après-midi, Jean Mesnard – candidat au fauteuil de Poirier –, le plus grand spécialiste de Blaise Pascal dont Nicolle craignait qu'il n'ait « malheureusement » pas de postérité. Intéressant de relever, au passage, qu'en dehors de la France, c'est au Japon que l'on trouve les meilleurs pascaliens. Mesnard me parle de l'un d'eux, qui considère par ailleurs un auteur comme La Bruyère tout à fait mineur. Amusant. Sur le plan proprement littéraire, l'intérêt de l'auteur des *Pensées* tient à sa position charnière entre un Moyen Âge dont il est encore tout imprégné, et un siècle des Lumières dont il pressent les thèmes. Beauté de son style. Clarté : Pascal voulait être lisible. Son immense capacité à jouer sur plusieurs registres, mais sans les confondre. Mesnard me parle de son édition (à venir) des *Pensées*, assez différente des autres, notamment par le classement, et des *Provinciales* qui, derrière un rideau contingent assez lourd, pose et traite avec une très grande profondeur quelques problèmes toujours aussi fondamentaux. Nous parlons encore du Pascal scientifique (il n'a jamais cessé de s'intéresser à la science, quoi qu'on ait pu dire), du Pascal mystique (c'est-à-dire conscient d'être habité par une force extérieure qui le poussait), du Pascal formé par l'art de la conversation, etc.

Le soir, en regardant l'ouvrage de Mesnard sur les *Pensées*, je tombe sur l'idée augustinienne de la « docte ignorance » et lis cette admirable observation : « Les sciences ont deux extrémités qui se touchent, la première est la pure ignorance naturelle où se trouvent tous les hommes en naissant ; l'autre extrémité est celle où arrivent les grandes âmes qui, ayant parcouru tout ce que les hommes peuvent savoir, trouvent qu'ils ne savent rien, et se rencontrent en cette même ignorance d'où ils étaient partis ; mais c'est une ignorance savante qui se connaît. »

Bien d'autres aspects passionnants dans mon entretien avec Jean Mesnard. Je n'en relève qu'un seul. Pour lui, il faut savoir ne pas trop définir un mot comme « culture », le laisser ouvert. Pour lui, comme pour Raymond Polin si je comprends bien, le concept de civilisation se réfère davantage aux aspects matériels, au sens large. C'est aussi la position de Fernand Braudel[1].

13 janvier 1997

Agréable déjeuner rue Soufflot avec Marc Fumaroli. Nous sommes d'accord que la France a besoin de vivre une phase de modestie. D'accord aussi que le rayonnement culturel d'un pays ne se mesure pas par le pourcentage des habitants de la planète qui en balbutient la langue. Je pense par exemple à la portée de la littérature japonaise. Il est inévitable que dans un monde ouvert, une langue particulière, une *lingua franca*, s'impose pour les besoins courants de communication. Comme le « numéraire » en économie. Aujourd'hui, et pour une durée imprévisible, c'est l'anglais. Il n'en résulte aucunement que tous ceux qui parlent plus ou moins cette langue pénètrent en profondeur dans la culture anglaise ou américaine. À propos du *Journal de Dangeau*[2], que j'évoque au passage, Fumaroli observe : « C'est le degré zéro du journal. » Il n'empêche qu'il n'y aurait pas eu Saint-Simon sans Dangeau, et que celui-ci fourmille d'indications utiles et parfois émouvantes (la mort de Louis XIV).

---

1. Fernand Braudel (1902-1985), historien français. Il a marqué l'historiographie française par la définition de concepts comme : l'étagement des temporalités, la longue durée, ou encore la civilisation matérielle.

2. Philippe de Courcillon, marquis de Dangeau (1638-1720), militaire et diplomate français connu pour son *Journal* où il décrit la vie à la cour de Versailles à la fin du règne de Louis XIV.

19 janvier 1997

Notes sur le livre de Shûsaku Endô : *Le Fleuve sacré*[1]. L'auteur est chrétien, pénétré de la culture française. Cet ouvrage admirable parle de la quête de transcendance par une poignée d'hommes et de femmes japonais. Hormis un couple de tourtereaux, chacun des héros est marqué par un choc, initiateur d'un cheminement qui le conduit à une sorte de pèlerinage en Inde, celui de la détresse de l'humanité. Ainsi se trouvent-ils réunis temporairement par le destin. Dieu se manifeste à travers les personnages les plus humbles, qu'il pousse parfois avec une force invisible et invincible. Le garde-malade Gaston, un Français qui baragouine à peine le japonais, aide Tsukada – survivant de « l'autoroute de la mort » en Birmanie, rongé par un terrible remords – à mourir. « *"Monsieur Tsukada, je prie. Je prie beaucoup pour vous*", dit-il les deux mains jointes en signe de prière, avec une expression de compassion sur son visage chevalin. On aurait dit qu'il comprenait l'inutilité de prendre un ton léger avec le mourant. Où ce pataud avait-il donc appris que ménager les malades avec des paroles mielleuses ne faisait, au contraire, que les isoler davantage ? Il s'agenouilla près du lit, sans se soucier de froisser son costume. » Gaston trouve les paroles qui lavent le moribond de son remords. « Deux jours après, le malade rendit son dernier soupir. Il n'avait jamais semblé aussi paisible ; en fait, les morts portent toujours la sérénité inscrite sur leur visage [...]. Gaston avait effacé toute la souffrance du cœur du disparu. » Longtemps après, son compagnon

1. Éd. Gallimard.

d'armes Kiguchi médite : « Voilà à quoi j'ai réfléchi. Dans le bouddhisme, le bien et le mal ne font qu'un et on ne peut pas qualifier une action accomplie par un être humain d'absolument juste. Au contraire, dans toute mauvaise action, se trouve un élément rédempteur. Dans toute chose, le bien et le mal sont côte à côte et il est impossible de les séparer de la même façon qu'un couteau coupe les choses en deux. À son camarade, vaincu par la faim insupportable, qui consomma de la chair humaine et fut anéanti par cet acte, Gaston lui dit que, même au milieu d'un tel enfer, il était possible de rencontrer l'amour de Dieu. » Gaston, qui d'ailleurs disparaît de la scène après la mort de Tsukada, a été Dieu, le temps d'une agonie. Endô fait à propos de la guerre en Birmanie des observations qui rappellent celles de Semprun ou de Primo Levi : « Une fois de retour au Japon, Kiguchi ne voulut plus repenser à cet enfer. Il n'en parla à personne, d'ailleurs, même s'il l'avait fait, les femmes et les enfants restés au pays n'auraient rien compris. » Toutefois, sur son lit de mort, Tsukada en a parlé à Gaston, Gaston a compris, et l'âme de Tsukada a été guérie.

Dieu se manifeste avec une force merveilleuse dans Otsu, un homme gauche et complexé que Mitsuko – une femme à la passion étouffée, qui joue à être méchante et en souffre, en fait elle est « aveugle », une sorte de Thérèse Desqueyroux japonaise – humilie et qui en même temps ne cesse de la fasciner. Otsu finit par être consacré prêtre, malgré le rejet des clercs occidentaux qui l'accusent de panthéisme, sinon d'hérésie, parce qu'il refuse toute hiérarchie entre les êtres vivants (les personnages d'Endô dialoguent avec des arbres – un ginkgo – ou des animaux – un mainate), et parce qu'il est persuadé « que l'homme élit son Dieu en fonction de son lieu de naissance, de sa culture, de ses traditions et de son environnement». On le retrouve, finalement «défroqué», dans un ashram de Vanarasi, consacrant ses journées à porter les mourants sur son dos, comme une croix, pour les amener dans le fleuve sacré. «Si Oignon était dans cette ville, dit-il à Mitsuko – c'est ainsi qu'ils avaient pris l'habitude de parler de Dieu entre eux –, je pense qu'Il porterait sur son dos ces hommes incapables de marcher jusqu'au lieu de leur crémation. Exactement comme Il l'avait fait de son vivant avec la croix [...]. En fait, Oignon se trouve maintenant devant vous, car il est en moi.» Nous sommes là à la fin du livre. Peu après ces paroles, Otsu va mourir «stupidement» (mais qu'est-ce qu'une mort stupide?) en tentant de sauver de la vindicte populaire le grotesque Sunjô qui ne vit que par son appareil photographique, cependant que la «méchante» Mitsuko avait revêtu un sari pour se plonger dans le Gange... «L'amour, avait à un autre moment dit Otsu, se trouve au centre de l'univers et tout au long de notre histoire, c'est la seule chose qu'Oignon nous montre.» Oignon, Dieu, est seul capable de comprendre notre souffrance et notre solitude. Et toutes les religions permettent d'y accéder. Le prêtre «défroqué» aimait cette pensée du Mahatma Gandhi : «En tant qu'hindou, je pense instinctivement qu'il existe plusieurs vérités dans toutes les religions. Toutes les croyances proviennent du même dieu, mais aucune d'entre elles n'est parfaite. La raison en est qu'elles nous ont été transmises par les hommes, eux-mêmes imparfaits. Les religions sont variées, mais il s'agit en fait de différents chemins menant au même endroit. Quelle importance si nous empruntons diverses voies alors que la destination voulue est la même?» J'aime profondément cette façon de voir les choses (le Dalaï Lama, par exemple, ne comprend pas que des Occidentaux veuillent se convertir au bouddhisme), aux antipodes de l'intolérance des musulmans qui proclament que le Coran a été directement dicté par Allah, ou même du prosélytisme chrétien. Chélini me disait l'autre jour que Pie XII fut le premier pape à avoir eu des doutes sur la mission universelle de l'Église catholique. Je pense aussi à ce qu'un juif m'a expliqué un jour : la proclamation d'un « Dieu des juifs » ne porte en rien préjudice aux autres peuples, dans leur relation avec l'Être suprême.

Pour Serge Feneuille[1], qui m'a fait connaître Endô, l'hindouisme est en fait un monothéisme, mais à usage multiple. Magnifique exemple de la déesse Châmundâ, à Vanarasi, que le guide Enami présente à son groupe, au fond d'un caveau étouffant : « Ses seins sont affaissés comme ceux d'une vieille femme et pourtant elle nourrit les enfants faisant la queue devant elle. Vous remarquerez son pied droit rongé par la lèpre, son estomac creusé par la faim et piqué par les scorpions. Malgré la maladie et la souffrance, elle offre à l'humanité son lait provenant de sa poitrine flétrie [...].

« Elle personnifie les souffrances du peuple indien. Tout ce qu'ils ont subi : la maladie, la mort et la famine pendant de longues années, apparaît dans cette sculpture. Elle a enduré la morsure des cobras et des scorpions, et malgré son épuisement, elle donne son lait aux autres. Voici l'Inde, l'Inde que je voulais vous montrer. » La Mère de l'Inde. Une image bien différente de la Vierge Marie. On pense encore à l'agonie du Christ.

---

1. Né en 1940, physicien, il a été directeur général du CNRS (1986-1988) et l'un des directeurs généraux de Lafarge.

Beaux passages, aussi, sur l'amour humain. L'horreur des rapports entre les hommes et les femmes dans la société japonaise. Isobe n'a jamais pris le temps de dialoguer avec son épouse, ni même de se poser des questions sur la nature de ses relations avec elle. La voilà qui meurt – c'est le début du roman – de belle manière, avec un arbre pour seul interlocuteur. Dans son extrême simplicité, on comprend qu'elle a compris l'essentiel. Sa mort est l'événement déclencheur, pour au moins deux des personnages, d'une vague de rachat et de rédemption. En rendant l'âme, elle rassemble ses dernières forces et supplie le mari qu'elle a aimé silencieusement : « En mourant, j'en suis sûre, je vais renaître dans ce monde. Cherche-moi. Trouve-moi… Promets-moi. Promets… » Il n'en trouvera pas de réincarnation à Vanarasi, malgré les charlatans. Mais il découvrira le sens des « attaches irremplaçables entre les êtres humains ».

« Ce fut après la disparition de son épouse qu'Isobe comprit enfin le lien existant entre conjoints, cette affinité qui fait de deux êtres, parmi les innombrables hommes et femmes, des compagnons pour la vie. Ces rencontres étaient incontestablement le fruit du hasard, pourtant il lui semblait que cette attache existât avant la naissance. »

Le Fleuve de la vie et de la mort. Le cycle des renaissances et le nirvana. La résurrection des morts et la vie éternelle. La grâce et la liberté. Le hasard et la nécessité.

20 janvier 1997

Séance à l'Académie sur l'intelligence artificielle (exposé de Jean Lassègue, un jeune philosophe). Beau panorama à partir de l'image platonicienne du colombier (la pensée saisit au vol des idées par nature fugaces et volatiles) jusqu'à la méthode des « raccourcis » dans l'intelligence artificielle (c'est le principe des *Systèmes experts*) en passant par le problème de la « calculabilité » (Gödel, Turing, etc.). Au-delà, le vieux problème : peut-on penser la pensée en étant à l'intérieur de la pensée ? Le cerveau fonctionne-t-il comme un ordinateur ? Qu'est-ce que la conscience ? Faut-il envisager ces phénomènes – c'est le point de vue de Roger Penrose[1] – comme obéissant à des lois tout à fait différentes, aussi différentes que peut l'être la mécanique quantique par rapport à la mécanique classique (les « sauts quantiques du cerveau ») ?

25 janvier 1997

Un joli petit dialogue composé par André Frossard dans un ouvrage inachevé, cité par Hector Bianciotti, son successeur quai de Conti : « Ne pas oublier l'humour du rabbin. Notre jeune homme demande : "Mais après tout, Dieu existe-t-il ?" Le rabbin, alors, lui répond : "Mon ami, ce qui est le plus essentiel dans le monde, c'est Dieu : qu'il existe, ou qu'il n'existe pas." »

14 février 1997

Déjeuner avec Maurice Druon, chez Cagna. Conversation plus qu'agréable, presque intime. Il sait écouter aussi bien que parler, et prend plaisir à se laisser charmer. Nous

1. Roger Penrose (né en 1931) est l'un des plus grands théoriciens contemporains de la cosmologie, à l'égal de Stephen Hawking. Il a également beaucoup contribué à la philosophie des sciences.

évoquons ainsi le rôle de l'astrologue André Barbault dans sa vie. Avant même qu'il n'eût écrit *Les Rois maudits*, celui-ci lui a prédit que ce serait l'œuvre maîtresse de sa vie. Il a anticipé la date de l'événement majeur pour lui que fut l'attribution du prix Goncourt, bien avant que, pour des raisons de circonstances, la calendrier initialement prévu par le jury ait été modifié. Barbault a également visé juste pour son élection à l'Académie française et, je le comprends, pour d'autres moments déterminants dans sa vie. Il est convaincu que l'astrologie redeviendra une « science » importante au siècle prochain. Nous parlons, bien sûr, du livre de Dumézil, mais aussi du cardinal Duèze (l'un des personnages les plus attachants des *Rois maudits*), que l'écrivain a décrit dans son roman comme passionné d'alchimie et de sciences occultes. Le cardinal Roncalli, futur Jean XXIII, avait, comme je le pensais, lu le livre de mon éminent ami, et peut-être bien en effet a-t-il repris le nom de Jean parce que son remarquable prédécesseur avait été, lui aussi, élu pour être un « pape de transition ». Druon n'exclut pas que Roncalli ait également recouru aux services d'un astrologue. À propos de mon histoire du mont Sinaï, le secrétaire perpétuel de l'Académie française commente : « Cette histoire vous ressemble. Regardez bien. Il a dû vous arriver d'autres choses semblables dans votre vie. Les histoires qui arrivent aux hommes sont à leur image. » Belle idée, comme celle de Cicéron quand il dit qu'à partir d'un certain âge les hommes ont le visage de ce qu'ils sont.

Nous parlons aussi des institutions, de leur importance et de l'importance de s'en montrer digne, de l'importance dans la vie de la faculté d'admirer et de se montrer reconnaissant, de bien d'autres sujets enfin. Finalement, nous

nous quittons fort satisfaits l'un de l'autre. Sur le trottoir, au moment de nous séparer et presque de nous embrasser, je lui dis de ne pas s'étonner si un jour je l'appelle *Monseigneur*, un titre qui à mon sens lui irait fort bien. « Ce ne serait pas pour me déplaire », me dit-il en éclatant de son rire chaleureux. Il me donne encore l'adresse de son chapelier, pour le cas où je voudrais acheter des couvre-chefs.

3 mars 1997

Achevé le *De profundis* d'Oscar Wilde, que j'avais commencé et longtemps mis de côté. C'est une longue lettre adressée en mars 1897, de la prison où il était incarcéré, à son amant Alfred Douglas – par qui le scandale et le procès de 1895 étaient venus. Ce texte, publié après la mort d'Oscar Wilde, est un extraordinaire mélange : révolte exaltée, spiritualité inaboutie ; mais aussi poème d'amour, l'un des plus beaux, peut-être, de la littérature universelle ; dissertation sur la philosophie de l'art.

4 mars 1997

Retour à l'Institut. Très beau discours de Lucien Israël sur son prédécesseur, Jérôme Lejeune, « image même de la sainteté ». Je suis sensible à l'éloquence du cancérologue, qui parle avec lenteur et une majestueuse monotonie. C'est la grandeur des litanies. Le professeur Lejeune fut un défenseur « intraitable » du droit à la vie de chaque personne. Il fut très attaqué pour cela, et même ses découvertes scientifiques (le défaut génétique à l'origine du mongolisme) lui furent contestées alors que, selon certains, il aurait dû recevoir le prix Nobel. Ce savant très humain mettait ses disciples et collaborateurs sous son charme. Israël parle de sa « geste », de sa « transparence cristalline », de l'adéquation à sa vie de la formule « Noblesse oblige ». Pour lui, la vraie finalité de la médecine était la thérapeutique. Il avait une vision « quantique » (sauts, plutôt que continuité) de l'évolution. Nous en avions parlé ensemble, le professeur Lejeune et moi, le jour où nous avions déjeuné au Relais Louis XIII, suite à mon élection.

Lucien Israël a accompagné Jérôme Lejeune dans la mort. Sachant le mal dont il était frappé, il lui a simplement dit : « Je suis entre les mains de Dieu. Fais ce que tu pourras. » Ce « croyant enflammé » est mort le jour de Pâques 1994. Aujourd'hui, ceux qui lui rendent un vibrant hommage s'appellent Pierre Chaunu, protestant, et Lucien Israël, juif.

Mme Lejeune me dit sobrement que son mari fut dans sa vie privée comme son successeur vient de le décrire dans sa vie publique.

21 avril 1997

À l'Académie, Bernard d'Espagnat présente un livre sur Gaston Bachelard[1]. Il rappelle que son concept de « rupture méthodologique » n'était pas très différent de celui, postérieur, de « paradigme » (Kuhn). Excellente communication de Lucien Israël. Toujours cette froide éloquence. Jean-Claude Casanova observe justement qu'il parle avec des accents un peu gavroches. Autrefois tenté par le communisme, il est aujourd'hui presque religieux.

---

1. Philosophe des sciences (1884-1962).

21 avril 1997

Parle longuement de la mort et de ses causes ultimes. Le nombre de générations cellulaires nous est compté. Le but de la médecine, cet art si difficile puisqu'il s'agit de « réparer les pannes d'une machine dont on ne nous a pas communiqué les plans » (toujours des problèmes de décision en incertitude). Il s'agit de « commuer la peine ». Ainsi disait Jérôme Lejeune. Lucien Israël s'insurge contre l'euthanasie. Il faut apaiser la douleur et les angoisses (il parle des souffrances physiques mal traitées par des médecins pressés) et tout faire pour préserver la dignité des gens à la fin de leur vie. Importance, à cet égard, des soins palliatifs. Les saints et les héros qui s'en occupent. Aux États-Unis notamment, la médecine est déshumanisée. Ce courant lamentable a atteint la France. Critique du laxisme général. Non pas seulement l'euthanasie, mais les avortements « de convenance », etc. Raymond Polin interroge l'orateur sur la liberté. Réponse : elle se situe peut-être au niveau de « l'incertitude quantique ». Allusion, sans doute, à Penrose. Pour ma part, je tends à dénoncer la tendance matérialiste actuelle (l'esprit et ses états ne seraient que des aspects du corps, sans même parler de l'âme). Israël nous dit croire que l'homme est l'espèce finale sur cette terre. Je l'interroge sur sa vision de la fin de l'humanité. Mais il n'a visiblement pas réfléchi à cette question.

Relevé au passage : le temps du doublement des connaissances en biologie est actuellement de quatre ans ! À propos de l'idée que l'homme participera à sa propre évolution, l'orateur pense qu'on saura peut-être « bientôt » augmenter la stabilité émotionnelle, ou encore le QI moyen d'une population. Viendra le temps de l'eugénisme.

28 avril 1997

Académie, où l'on accueille Gérald Antoine[1]. Notre nouveau confrère fait une fort intéressante communication sur la poésie moderne. « Il me faut du nouveau, n'en fût-il pas au monde », fait dire La Fontaine à l'un de ses personnages. C'est ainsi pour l'art en général, pour la poésie en particulier. Voilà pourquoi les suiveurs qui se contentent d'imiter les grands du passé ne laissent rien derrière eux. Mon père, par exemple, en poésie. « Faire de la poésie, c'est écrire dangereusement. » Joli. Il y aura toujours de « nouveaux jeunes » (Apollinaire, le grand novateur de 1917, qui a voulu abolir la distinction forme-fond...) appelés à façonner l'inépuisable modernité. Être moderne, c'est être déjà postmoderne. Défilé de Nerval et son double miroir ensorcelé, Baudelaire, Lautréamont (le plus révolutionnaire, celui qui a le plus pratiqué tous les excès, un homme aussi d'une « lucidité implacable »), Mallarmé, Rimbaud...

Gérald Antoine évoque les entreprises qui dépassent les bornes de la saine raison. J'observe Raymond Polin qui opine du chef. L'orateur évoque des mots « tangents » à d'autres mots. L'image me plaît. Poésie et musique, poésie et peinture, estampes et partitions, lyrisme visuel, envolées géométriques (je pense évidemment aux « drames abstraits » évoqués par Ionesco), clarté et obscurité... Jusqu'où pousser l'obscur ? Voir les *Entretiens* d'Yves Bonnefoy.

---

1. Gérald Antoine (1915-2014), historien de la langue française et spécialiste de Paul Claudel, a été collaborateur d'Edgar Faure en 1968 et recteur d'académie.

9 juin 1997

Maurice Allais ravi par tout cela. Se dit rajeuni de soixante-dix ans et se souvient d'un conseil de l'économiste Franck Knight : « Dites quelque chose de très simple, et de la manière la plus obscure possible. Chacun y trouvera son compte. »

9 juin 1997

Académie. Fort intéressante conversation d'Antoine Faivre, directeur d'études à l'École pratique des hautes études (section sciences religieuses) sur « la nouvelle religiosité depuis la Seconde Guerre mondiale ». Il présente le phénomène comme une pyramide à trois étages. À la base, le « Nouvel Âge » (*New Age*) ; au-dessus, les « nouveaux mouvements religieux » ou NMR (décidément, il n'y a pas que les militaires qui abusent des sigles et acronymes) ; à la pointe, les « NMR à forte emprise organisationnelle sur l'individu », celles qu'on a l'habitude d'appeler les « sectes ».

S'agissant du « nouvel âge » (cette expression vient des *hippies* des années soixante), Faivre distingue d'abord le *holisme* (« tout est lié à tout », pensée non dualiste de l'univers), avec notamment l'astrologie, les médecines parallèles, le « *channeling* » (transmission de « messages » en présence de l'au-delà...). Traditions de l'ésotérisme et de l'occultisme. Puis l'*évolutionnisme créateur* : idée que le monde suit un processus « d'amélioration ». Teilhard bien sûr, mais aussi diverses formes de millénarismes. Enfin le *psychologisme* (yoga, par exemple). Allusions à Jung.

En ce qui concerne les NMR (en anglais NRM, *New Religious Movements*), tels que la Sokka Gakaï au Japon, l'orateur distingue également trois aspects : l'adhésion à une tradition et à un chef; la référence à l'espace (par exemple extraterrestre) ; l'incitation à effectuer un travail sur soi-même.

Enfin, s'agissant de juger les sectes, Antoine Faivre recommande la prudence. Les historiens des religions sont très circonspects dans leur vocabulaire. On ne consulte pas suffisamment les universitaires sur ces sujets, estime-t-il. Le vrai problème concerne celles des « sectes » qu'il est très difficile de quitter une fois qu'on y est entré.

Le conférencier parle d'un syncrétisme spiritualiste aux formes multiples et mobiles. Courants verticaux entre les trois niveaux. On y est attiré typiquement à la suite d'une rencontre avec une personne, avec un livre. Lieux de circulation, d'échanges, d'influence. Passage d'un NMR à un autre. Tout cela est favorisé par l'existence de réseaux, colloques, revues, etc.

Selon le communicant, vingt pour cent de la population française, dont beaucoup de catholiques, « croient » à la réincarnation, mais au bout du compte, tout cela a trait au fonctionnement de l'imaginaire humain. En ce sens, il s'agit de plus que de survivances. Notre homme ne se mouille donc pas sur le contenu des « croyances » ou des « disciplines » telles que l'astrologie. Quant à mes confrères, la plupart roulent des yeux effarés pendant la séance, en particulier Raymond Polin, qui ne croit qu'à la Raison. Certains (René Pomeau[1], Pierre Chaunu) évoquent l'histoire de l'occultisme (voir Auguste Viatte, *Les Sources occultes du romantisme*, 1928). Aucun n'ose pénétrer à l'intérieur du système (je soulève cependant un aspect de la question) ou

1. René Pomeau (1917-2000), grand spécialiste de Voltaire.

s'interroger sur les raisons de sa résistance dans la durée. Sujets trop sulfureux.

25 juin 1997

À la table que je préside, un cardinal, un ancien ministre, un publicitaire, un banquier, ainsi qu'Édouard Lacroix, un collaborateur de Pasqua aux Hauts-de-Seine, une productrice de cinéma. J'évoque les « nouvelles religions », l'attrait pour le bouddhisme, le lien entre le phénomène religieux et la psychologie des profondeurs, etc. La fermeture totale du prélat sur ces sujets m'afflige mais ne me surprend pas. Les chrétiens disent croire aux anges, aux prophètes, aux miracles, à la résurrection des morts (et d'abord à la réincarnation du Christ), au mysticisme, etc. Mais, en tout cas à l'extérieur, l'institution ecclésiastique se montre hermétique et hostile à l'égard de toutes les expériences ésotériques (la kabbale, par exemple), métapsychiques (les voyants, médiums, etc.), à toute référence au gnosticisme ou à la théosophie. L'accusation d'hérésie n'est jamais très loin. Et pourtant, on peut voir dans le Christ un initié, de surcroît doué d'un exceptionnel pouvoir de communication avec l'« au-delà » et d'une capacité unique de discernement de la nature profonde de l'homme. En répandant son message d'amour, le Christ a brisé les barrières dont les sectaires se protègent orgueilleusement, y compris, paradoxalement, ceux qui se réclament de son enseignement !

On peut imaginer que toutes les religions *éprouvées* génération après génération dans la chair et l'esprit d'hommes et de femmes « élus » ou « témoins » (par opposition à la majorité des adeptes ou « croyants » qui n'ont jamais vécu ce type d'expérience, y compris je suppose la plupart des « clercs »), se rejoignent finalement. Y a-t-il, après tout, une distance infranchissable entre la réincarnation d'un lama, telle qu'en parle un Matthieu Ricard, et la résurrection des morts, annoncée par le christianisme ? Derrière cela, il y a le problème de l'espace-temps. J'ai parfois tendance à renvoyer dos à dos les juifs, avec la difficile notion de peuple élu, et les chrétiens qui s'estiment détenteurs de l'unique langage de la vérité.

30 juin 1997

Séance à l'Académie sur « Nouvelles formes et nouvelles fonctions de l'art aujourd'hui ». Quelques propos recueillis au passage : l'œuvre moderne tend à toutes les audaces, y compris à se dissoudre elle-même ; l'art contemporain vise à l'extrême ; l'art contemporain se veut non différent de la vie, d'où l'expression de « sculpture sociale ». Avant de s'échauffer, Raymond Polin rappelle que « Du goût et des couleurs, ne discute pas ». Marcel Boiteux[1] demande « quelles sont les contraintes pour l'art moderne », puisque, pour l'éducation des enfants aussi, il faut des contraintes. La formule plaît au recteur Antoine, qui la note. Moi aussi. Yvon Gattaz[2] dénonce le charlatanisme…

1. Marcel Boiteux (né en 1922) a dirigé l'EDF de 1967 à 1987. Membre de l'Académie des sciences morales et politiques.

2. Yvon Gattaz (né en 1925), président du Conseil national du patronat français de 1981 à 1986, membre de l'Académie des sciences morales et politiques.

7 juillet 1997

Académie. Exposé de David Allen, un psychothérapeute, universitaire à Paris-XIII, sur « Temps, espace, psychose », à partir notamment des travaux d'Anton T. Boisen, qui fut enseignant, thérapeute et… épisodiquement « fou ». On devait chaque année l'enfermer aux alentours de Pâques. Avec cela très respecté de ses collègues. L'orateur parle des expériences hallucinatoires et mystiques de Boisen. Mais il se garde bien de considérer tous les mystiques comme des fous. Pierre Chaunu ne manquera d'ailleurs pas de faire remarquer que « dans la synagogue et dans l'Église » il y a toujours eu beaucoup de précautions contre les « déviations de type psychotique ». Raymond Triboulet[1], lui, parle de l'exorcisme. David Allen s'intéresse plus généralement au problème de l'expérience du temps et de l'espace quand on a perdu le sens du « je » (je suis mon père, ma mère, qui sont mon grand-père, ma grand-mère… ma jambe est dans le frigidaire, je suis passé par le plafond… abolition de l'espace, ou du temps, avec un sentiment d'immortalité, la conviction d'être à l'hôpital depuis la nuit des temps, etc.). Nous avons beaucoup à apprendre, dit le communicant, des écrits des psychotiques quand ils cherchent à faire l'analyse de leur folie…

Roger Arnaldez, qui avait été séduit par l'œuvre de Minkowski sur la cohérence de l'espace et du temps (se réfère aussi à Bergson), lequel Minkowski a inspiré les travaux

1. Raymond Triboulet (1906-2006), homme politique français, membre de l'Académie des sciences morales et politiques.

d'Allen, déclare modestement en conclusion que « ce dont l'orateur a parlé est difficile à saisir pour un non-fou ». Je dirais : ou tout au moins pour un non-psychiatre. Mais Chaunu, féroce, ne clame-t-il pas qu'il est parfois difficile de distinguer entre le psychiatre et le malade ?

Dans l'ensemble, mes confrères sont navrés. Moi pas. Le problème du fonctionnement de la conscience dans les états pathologiques du cerveau est fondamental.

26-27 juillet 1997

Lecture de *Synchronicité et Paracelsica* de C.G. Jung. Passionnant et fascinant, du moins pour un esprit ouvert ! Insupportable et illisible, je suppose, pour les rationalistes, scientistes et autres positivistes à tous crins. Et pourtant, de même que la Terre tourne, il arrive que les cerveaux communiquent entre eux au-delà de l'espace-temps de notre sensibilité. Sans doute dans le courant du XXIe siècle la science aura-t-elle quelque chose à dire sur ces sujets.

1er août 1997

Lecture de Jung et de Revel père (Jean-François) et fils (le moine bouddhiste Matthieu Ricard), toujours, et travail philosophico-mathématique (pour ne pas dire spéculations mathématico-cosmiques) avec la théorie des ensembles comme point de départ. Dans mon esprit, tous ces sujets se tiennent et rejoignent la plupart des grandes questions de la philosophie. J'essaierai de l'écrire un jour. En attendant, voici une petite idée : on peut construire la suite des nombres naturels à partir du seul ensemble vide, puis de là toutes les catégories de nombres, toute la mathématique, la physique théorique, etc. Ainsi, de rien sort l'infini voire le tout et réciproquement. Majesté de la vacuité. Jean-François Revel, un philosophe de formation qui ne connaissait à peu près rien de la science, était scientiste.

20-22 août 1997

Lu dans *Le Figaro* le texte d'une homélie du cardinal Lustiger, avant l'arrivée du pape pour les Journées mondiales de la jeunesse. « Aimer, écrit-il, c'est donner et se donner. Ce n'est pas se détruire. Mais au contraire, s'accomplir. L'amour, c'est ne pas penser à soi-même ni se chercher soi-même ; mais vouloir le bien et le bonheur de l'autre quel qu'il soit. L'autre que nous reconnaissons comme notre prochain, même s'il est notre ennemi. L'amour n'est pas une drogue. L'amour est plénitude de la vie. » Tout cela n'est pas différent de ce que dit Matthieu Ricard à propos du bouddhisme. Le problème de l'amour, c'est sa pratique. Comme pour tout.

15 septembre 1997

Achevé de lire, comme unité (ce que je n'avais jamais fait jusqu'alors), l'Évangile selon saint Jean. Ce qui me frappe le plus : la concision, la volonté de l'auteur d'aller à l'essentiel, en combinant des formes d'expression quasi ésotériques et abstraites avec les phrases les plus accessibles et les plus touchantes.

25 septembre 1997

Soirée avec Philippe Petit, d'abord dans sa résidence, puis au très charmant restaurant La Cave de l'Opéra. Ambassadeur à Stockholm depuis un an, il souffre à l'évidence de la fermeture de la société suédoise. Il a souvent la nostalgie de cinq années et demie passées comme notre représentant en Inde. Je le fais donc surtout parler de ce pays, de l'hindouisme dont toute la société indienne est profondément pénétrée à tous les niveaux (y compris l'idée de réincarnation, de karma). Comme Serge Feneuille, Philippe Petit voit l'hindouisme comme un monothéisme. Cette interprétation me convient. Brahma (en quelque sorte Dieu le père), Shiva (avec son double aspect de créateur et de destructeur... l'hindouisme a précédé Schumpeter[1] !) et Vishnou (le conciliateur), n'étant que des « modalités » d'ailleurs démultipliables d'un dieu unique. Le choix d'un *dieu* minuscule (majoritairement Shiva) n'est pas le choix d'un *Dieu* majuscule. Le bouddhisme est une sorte de démembrement de l'hindouisme, un peu comme le protestantisme par rapport au catholicisme. Avec cette différence cependant, fais-je observer, que le bouddhisme insiste surtout sur le côté « sagesse » de toute religion. Les Indiens connaissent par cœur (transmission orale) les épopées du *Ramayana* et du *Mahabharata*. Je note aussi que Philippe Petit considère les travaux de Georges Dumézil comme assez spéculatifs et aux fondements mal assurés.

1. Joseph Schumpeter (1883-1950), un grand économiste, célèbre notamment pour sa théorie de la « destruction créatrice », en rapport avec les révolutions technologiques.

27-28 septembre 1997

Parcouru la dernière œuvre de Claude Simon, *Le Jardin des Plantes*. Intéressant exercice de littérature cubique, si j'ose dire. Dialectique unité-fragmentation : cela vaut pour chaque individu, chaque société, dans le temps et dans l'espace. En un sens, nous sommes tous des « ruines ». Mais du chaos apparent, l'archéologue s'attache à reconstituer un tout.

18 octobre 1997

Lu un article sur les travaux de Claude Cohen-Tannoudji, lauréat cette année du prix Nobel de physique. Une remarque de grande portée : « À la différence du philosophe, dit-il, le physicien ne se pose pas des questions générales du type : qu'est-ce que la matière ? Ou qu'est-ce que la vie ? [...] Il commence par chercher des explications de phénomènes précis : comment une pierre tombe-t-elle ? [...] comment un électron est-il poussé par un photon ? » Voilà pourquoi un physicien, ou un biologiste, n'est pas mieux placé qu'un autre pour parler de *méta*physique.

17 janvier 1998

Longue visite au père Carré[1], qui m'a téléphoné à la suite de ma lettre du jour de Noël. Merveilleux témoin que ce vieillard de quatre-vingt-dix ans. Un peu de *small talk* sur

1. Père Carré (1908-2004). Dominicain, le père Carré fut un grand prédicateur.

l'Académie française, Frossard, Mauriac, la foi des cardinaux (forte, selon son expérience)... Quelques points de notre conversation : « Aimez-vous les uns les autres, comme je vous ai aimés... » Ce qui est important, c'est *comme je vous ai aimés* ; la *communion des saints*, qui réunit dans le même corps mystique les vivants et les morts, et qui donne un sens à nos souffrances et à nos prières ; la *miséricorde*, qui suppose qu'on se mette à la place d'autrui (qu'on se déplace) pour l'aider à devenir ce qu'il peut être, sans le juger ; la dialectique *humilité-magnanimité* (c'est beau, il faudra revenir là-dessus). Le père Carré me parle aussi, en termes simples, de l'efficacité des sacrements, de l'importance de *donner confiance* dans l'éducation, de son élan pour Thérèse de l'Enfant-Jésus, de la dialectique foi-ténèbres (mais « mille difficultés ne font pas un doute »). Nous touchons aussi un peu (pas suffisamment) à l'art oratoire, dont il aura été un maître. Il a connu des gens qui venaient le remercier pour des paroles qui avaient changé le cours de leur vie et qu'en réalité il n'avait pas prononcées. Un effet, selon lui, de la grâce. Cela rejoint mes vieilles préoccupations sur l'importance de la parole. Parmi les thèmes à aborder une prochaine fois : la conversion, l'avenir de la spiritualité et de l'Église, mais pourquoi pas aussi des thèmes comme la psychanalyse, l'astrologie, la voyance, etc.

25 janvier 1998

Déjeuner à trois avec Orhan Güvenen[1], un « ami de trente ans », aujourd'hui grand patron du plan et des sta-

1. Économiste turc, né en 1939, très lié à la France.

tistiques en Turquie. Évoque l'image de son père, d'origine modeste mais devenu riche, qui l'accompagna pendant un mois à Istanbul pour l'installer à l'école Saint-Joseph (alors qu'il était musulman), n'ayant pas d'autre activité que de s'occuper de lui pendant le week-end. Se souvient des trois recommandations de cet homme remarquable : « Prie pour ta famille – les vivants et les morts » (la communion des saints...) ; « pour ton pays *et pour ton peuple* » ; « et n'oublie pas les autres nations »...

16 février 1998

À l'Académie, brillant exposé de Michel Zink[1] « Défendre le français en France », fondé sur le thème de l'importance de la culture littéraire. Le « communicant » ferraille contre « la prose hâtive et monotone de l'actualité », plaide pour une conception humaniste de la littérature. Zink défend l'intérêt du détour par les langues anciennes (il dit langues anciennes, et non pas langues mortes). Quelques accents polémiques, notamment aux dépens de Maurice Druon. Faces réjouies de René Pomeau, Jean Mesnard et Gérald Antoine. « Nous, les professeurs, dit l'orateur, nous avons la tâche ingrate de retarder l'évolution de la langue pour éviter son appauvrissement. » J'ajouterai que les professeurs ont aussi pour mission de penser et de structurer le passé afin d'entretenir l'identité.

1. Michel Zink (né en 1945), professeur au Collège de France, secrétaire perpétuel de l'Académie des inscriptions et belles-lettres de l'Institut de France depuis 2011.

21 février 1998

Longue visite au père Carré, dans la chapelle du rez-de-chaussée du couvent Saint-Dominique, car l'ascenseur ne fonctionne pas, ce qui est bien dur pour un nonagénaire. Lui, tourné vers l'autel. Moi, vers lui. Nous parlons d'abord de la conversion. Il y en a de deux sortes. Le retournement absolu est très rare. Saint Paul, bien sûr. Paul Claudel, peut-être, mais le père Carré semble avoir quelques réserves à son sujet. André Frossard. Dans ces différents cas, on peut parler de miracle, avec toutes les précautions nécessaires. Le plus souvent, la conversion est provoquée, je dirais catalysée, par un événement, une épreuve, telle que la mort d'un être cher. Ce peut être aussi la conséquence d'un cheminement intellectuel et spirituel. Dans tous les cas s'opère une cristallisation. J'ai envie d'écrire *Christallisation.* Nous parlons bien sûr de Charles de Foucault et de sa relation tumultueuse avec le père Huvelin. Le test d'une conversion est l'accord de la vie ultérieure du converti avec sa foi nouvelle. Donc un changement de vie. Le père Carré évoque, toujours avec bonté, de nombreuses figures qu'il a connues. Maurice Schumann, qui avait la foi. Allusion au passage au cardinal Lustiger, qui a concélébré la messe aux funérailles du porte-parole de la France libre et qui porte un intérêt croissant à l'Académie française. Incidemment, j'ai révisé mon jugement sur l'archevêque de Paris. Je pense aujourd'hui avoir eu tort de le soupçonner du péché d'orgueil à propos de l'Académie. Mais ceci est une autre histoire. Le père Carré évoque aussi Edmond Michelet, ministre de la Justice, qui savait être du côté des détenus, et malgré les honneurs de la République se tenait au dernier rang, comme tout chrétien devrait le faire. Ionesco, qui a écrit (sous l'influence, semble-t-il, de mon interlocuteur) un bel opéra, malheureusement non reproduit dans la Pléiade, sur l'admirable père Maximilien Kolbe. Et bien d'autres. Beaucoup de figures plus humbles traversent notre conversation. Ainsi cette femme de ménage qui lui avait demandé rendez-vous, après avoir entendu à la radio une de ses conférences de carême à Notre-Dame, et lui dit : « Je ne suis rien, mais j'ai compris maintenant que je suis un rien aimé. » Le pasteur Boegner, à qui il avait raconté cette histoire, en avait lui aussi été profondément ému. Ou encore cette personne, fâchée avec l'Église, et qu'il a aidée à mourir. Dans ces anecdotes, jamais il ne se met en avant. Les prêtres ne sont pour lui que des instruments du Saint-Esprit. Au fait, le père Carré a-t-il peur de la mort ? Il avoue être curieux de tout, adorer la vie et demander à Dieu de ne pas lui rester trop attaché. En tout cas, il ne s'intéresse pas aux biens de ce monde, comme on dit. Il n'en tire nulle vanité. Certains, dit-il, parviennent à vivre chrétiennement dans l'opulence. Mais évidemment c'est plus facile en étant « pauvre ». Une remarque me touche particulièrement. À propos de l'absolution, il dit n'avoir jamais demandé à quiconque de « promettre de ne jamais recommencer ». C'est comme si un médecin demandait à un patient de s'engager à ne plus être malade. Ce qui compte, pour l'efficacité d'un sacrement, c'est la sincérité de celui qui le reçoit. Et pour un chrétien, ce qui importe, c'est d'abord d'essayer d'*aimer* vraiment ceux avec qui l'on vit, avec qui l'on travaille. Ce n'est, bien sûr, pas facile. Le père Carré parle de ces choses avec une extraordinaire simplicité. En raison de son grand âge et de ses difficultés à se mouvoir, il ne se déplace plus beaucoup, et voit de moins en moins de gens. Cela lui manque. Aussi se dit-il vraiment heureux de mes visites. Et moi donc !

1er septembre 1998

Une belle leçon de sagesse de Carlos Castaneda. Il y a quatre ennemis à vaincre successivement : la peur, qui empêche la clarté ; la clarté, qui aveugle et empêche la puissance ; la puissance, que l'on utilise mal, et que vainc la vieillesse ; la vieillesse, qui est le dernier ennemi de l'homme de connaissance...

26 septembre 1998

Dîner à La Gauloise, avec MCh et DG, un maître en stratégie psychologique. Personnage tout à fait remarquable et profondément humain. D'une certaine manière, il me rend davantage conscient de la détresse de la majorité des hommes et des femmes. À propos de l'éducation, une expression psychanalytique qui me ravit, tant elle paraît adéquate : le rôle du père est de « poser le phallus ». Les jeunes (mais aussi les « adultes ») acceptent réprimandes et sanctions quand elles sont « justes » et formulées avec humanité ; cela suppose que la norme ait été convenablement définie. Mais pour bien indiquer la direction aux autres, il faut être bien « calé » soi-même...

28 septembre 1998

Jean Mesnard à l'Académie sur le thème « Éditer des œuvres complètes. Le cas de Pascal ». J'aime entendre les grands érudits. L'un d'entre nous rappelle que l'auteur de *La Soirée avec Monsieur Teste* n'aimait pas les *Pensées*. Commentaire de Claudel : « La bêtise n'est pas mon fort, a dit Valéry. Quand il parle de Pascal, il n'est pas sans obtenir certains résultats. »

9 octobre 1998

Visite au père Carré, apparemment bien remis d'une nouvelle intervention chirurgicale (hernie) qui a dû être particulièrement douloureuse en l'absence d'une anesthésie adéquate. Évoque Solférino, Henry Dunant, la chair taillée, les membres coupés, les souffrances atroces. Quelques points relevés au fil de la plume. Une phrase du père de Montcheuil, jésuite : « Il faut être très ouvert à un supplément de lumière. » Accepter la diversité, la surprise : à propos d'un prêtre qui était sorti de l'Église et que des religieuses voulaient faire revenir : « Ce n'était pas forcément le dessein de Dieu. » Gabriel Marcel : « Je crois de la foi des autres » ; ceci dit en écho à mon propre témoignage : j'aime que les autres croient. Ses conversations avec Jean Rostand, qui était un homme merveilleux ; il ne croyait pas, mais… Attention, cependant, à ne pas faire de la « récupération ». Il est trop facile de dire d'un incroyant disparu qu'il avait la foi sans le savoir. Un peu comme Andrée Ullmo dans son témoignage sur Jean. Le père Carré est opposé au sacerdoce des femmes, qui ont tellement à faire, par ailleurs. Le Christ a dit à Marie-Madeleine d'aller prévenir ses frères qu'il était ressuscité. Y a-t-il tâche plus belle ? Mon éminent interlocuteur me surprend quand il me dit qu'Alain Peyrefitte[1] est très croyant. Je n'y aurais pas pensé. Disons que je ne l'imaginais pas très charitable. L'ancien prédicateur de Notre-Dame prépare un recueil d'homélies funèbres, et repart demain, pour deux mois, dans son couvent près de Dieppe. Le reverrai-je ?

9 novembre 1998

À l'Académie, Jean-Yves Tadié sur Proust et la mémoire. L'auteur de *La Recherche* était très au fait de la neurologie et de la psychologie de son temps. « À chaque altération du cerveau correspond un morceau de mort. » Jean Mesnard renvoie au livre VIII des *Confessions* de saint Augustin : « Les palais de la mémoire ». Alain Besançon évoque les « intermittences de la mémoire » comme il y a les « intermittences du cœur ». On parle aussi de l'influence de Nerval (surtout celui de *Sylvie*) sur Proust, mais alors que le premier mélangeait tout (le rêve et la réalité, un peu de « brume allemande »), les choses sont nettement distinguées chez le second. À propos de la maladie de Nerval : Proust estime que seul un *malade* peut être un grand créateur.

1er février 1999

Lucien Israël à l'Académie : « La longévité individuelle et ses conséquences ». Participation aussi élevée qu'un jour d'élection ! En comité secret, le débat se poursuit et vire à la consultation. Intervention émouvante du vieux Raymond

1. Alain Peyrefitte (1925-1999), homme politique, écrivain et diplomate français.

Triboulet sur la solitude qui accompagne le grand âge. Il ne s'agit pas seulement de la solitude affective, mais de celle des idées. Faut-il donc qu'un vieillard se fossilise intellectuellement ? Pas loin de moi, Jean-Claude Casanova s'amuse de me citer cette phrase (vrai ? faux ?) de Paul Valéry : « Je ne peux accorder d'importance à ceux qui se souviennent de l'opinion des jeunes gens. »

28 mai 1999

Longue visite au père Carré. Je lui demande de prier pour deux intentions qui me touchent de près. Quelques réflexions sur la prière, toujours efficace selon lui, mais pas nécessairement comme on le voudrait. Cette observation, de sa part, est évidemment davantage qu'une habileté. J'évoque le problème du conditionnement physique propre au mysticisme et à l'accès aux zones périphériques de la « connaissance », mais aussi le Bardo, etc. Bref, ce que j'appelle volontiers « les conditions de température et de pression » pour déborder les modes usuels de la « connaissance ». Je lui raconte, à ce sujet, mon entretien avec le grand rabbin Kaplan, lors de ma campagne de 1992.

Le père Carré me reparle de la richesse de ses contacts avec les malades. « Le Seigneur m'a fait la grâce de me donner une mauvaise santé. » Grâce à quoi, en effet, il a rencontré beaucoup de malades dans sa vie.

14 juin 1999

Communication d'Isabelle Autissier sur « La navigation solitaire autour du monde ». Pas grand-chose à voir avec notre Académie – comme une bonne partie du programme organisé par Yvon Gattaz –, mais je reste car il y a de quoi admirer le caractère de cette femme qui explique justement que l'un des buts de la vie, c'est de développer ses propres capacités. C'est ce que j'appelle, après André Gide, suivre sa pente en montant. C'est aussi la parabole des talents. En l'occurrence, la clef du succès, dans le domaine de la navigation solitaire comme dans bien d'autres, est la maîtrise de soi. Pas facile ! Je pense à Auguste dans Cinna : « Je suis maître de moi comme de l'univers, je le suis, je veux l'être. » Le navigateur solitaire doit être déterminé, observateur, calme, expérimenté, physiquement résistant. Il doit savoir gérer les priorités, évidemment apprécier les valeurs d'isolement et de solitude, résister au stress, à la peur. Il doit apprendre à gérer un sommeil fractionné…

8 août 1999

Relu *Le Petit Prince*. Le renard dit : « On ne voit bien qu'avec son cœur. » C'est le b.a.-ba de l'amour.

12 août 1999

Lecture des *Sept Péchés capitaux*, du père Alain Maillard de La Morandais, souvent rencontré dans le cadre de la *Revue des Deux Mondes*. Pas très convaincant sur la libido (sur ce point, le Dalaï Lama ne l'est pas davantage). Ceux que la chair n'attire pas n'ont pas grand mérite à s'en abstenir. L'auteur est meilleur sur l'orgueil : il a l'air de connaître. Quant à moi, j'ai tendance à oublier la paresse, dans la liste. On ne peut bien parler d'un péché que si on y est sujet.

17 août 1999

La perspective n'est pas la même, dans le christianisme et le bouddhisme : le salut dans un cas, le bonheur dans l'autre. Mais les deux soulignent que le succès de la démarche passe par *les autres* : charité, amour, compassion. « Maintenant donc demeurent la foi, l'espérance, l'amour, ces trois-là ; mais le plus grand de ces [trois], c'est l'amour » (1 Corinthiens, 13). L'excessive concentration sur le moi, ou la possession, entraînent le malheur. En glanant dans les carnets de Cioran[1], je tombe sur cette remarque (p. 299) : « L'idée du *moi* comme réalité substantielle, telle que nous l'a enseignée le christianisme, est la grande pourvoyeuse de nos terreurs. Comment en effet accepter que *cela* cesse qui avait l'air de tenir si bien ensemble ? » Et, paradoxalement, un Cioran comme tant d'autres obsédés du « moi » finissent par se suicider, c'est-à-dire hâter la destruction de « cela ». Nous sommes bien loin des « courants de conscience » dont parle Matthieu Ricard dans ses entretiens avec son père.

Réflexion sur la notion de méditation : sur le vide ou sur un objet précis. Dans le premier cas, on peut y atteindre indirectement par l'absorption dans le sport, le travail manuel, ou directement par des exercices spirituels. Dans le second, par l'écriture. C'est du moins ainsi que je le vois. Lien avec l'opposition Dieudonné-Schwartz sur la compréhension des mathématiques[2]. *Ma* vie = *une* vie. Une

---

1. Cioran, *Carnets 1957-1972*, Gallimard, 1997.

2. Jean Dieudonné *lisait* les ouvrages des mathématiciens. Laurent Schwartz ne parvenait à s'y résoudre qu'après avoir échoué à trouver les solutions par lui-même.

expérience, plutôt qu'un témoignage. Une des nombreuses possibilités de l' « être », avec ses illuminations fugaces au contact des franges de l'infini. La transmission, les relais : démarche aléatoire…

11 septembre 1999

Lu un excellent article d'Amélie Nothomb : « *Ira furor brevis est* », écrit Horace. La colère est une courte folie… Mais quid de *Dies irae*, les colères de Dieu ? Dieu peut-il être « fou » ?

20 septembre 1999

Longue présentation d'un ouvrage sur l'hindouisme par Olivier Lacombe[1]. Intéressant et émouvant. À l'approche de la mort, dit-il, on devient un « renonçant ».

22 octobre 1999

Découverte du mont Athos. Deux heures de route – avec, parfois, traversée d'épaisses nappes de brouillard – pour atteindre le charmant petit port d'Ourenopolis, où nous déjeunons d'excellents poissons grillés. Un peu de soleil tout de même. Une heure et demie de bateau le long de la « sainte montagne », un territoire de 360 km² voué au monachisme masculin depuis plus de mille ans (officiellement depuis une bulle de l'empereur Basile Ier en 885), qui a survécu à toutes les agressions, et dont le statut – incompatible

1. Olivier Lacombe (1904-2001), indianiste et philosophe français.

avec le principe de la libre circulation – a dû faire l'objet d'une réserve spéciale dans le traité d'adhésion de la Grèce à l'Union européenne. Accueillis par un jeune novice qui nous conduit, dans un quatre-quatre (les voies, ici, ne sont pas goudronnées), jusqu'à Simonos Petras. Il faut une quarantaine de minutes d'une ascension impressionnante pour parvenir à ce monastère cénobite, célèbre à cause de sa position vertigineuse sur le flanc de la montagne et de ses multiples balcons de bois. On y pénètre un peu comme dans un château fort. Nous y arrivons vers quinze heures trente. Accueil par un moine d'origine française, auquel son père spirituel a donné le nom de Makarios, qui nous montre nos chambres ou plutôt nos cellules – au-dessus du vide – avant d'assister aux vêpres puis d'expédier en silence (sauf une lecture) le repas du soir (vers dix-sept heures !) en compagnie des moines. Nous avons à peine digéré nos poissons d'Ouranopolis, mais il n'y aura pas d'autre nourriture pour aujourd'hui. On vit ici à l'heure byzantine (minuit au coucher du soleil, soit actuellement cinq heures de plus que l'heure normale).

Mon aventure de 1967 en Arabie saoudite remonte à ma mémoire. Cela se passait au mois de mai. Je faisais un stage au centre de recherche de Marcoussis de la Compagnie générale d'électricité, dans le cadre de l'École des mines où j'étais « ingénieur élève ». Ce qui m'avait conduit à participer à une délégation de techniciens pour étudier l'installation d'une station de télécommunications par satellite à Djeddah, alors un tout petit village de pêcheurs. Ce jour-là, notre équipe arrivait à Riyad, en provenance de Beyrouth. L'avion, le seul de la compagnie Saudi Airlines, était aussi celui du roi Fayçal. Le vol avait six heures de retard. Nous fûmes néanmoins accueillis par le ministre des Télécommunications en personne aux alentours de minuit. Cet homme, qui baragouinait l'anglais, avait été le télégraphiste personnel du roi Abdul Aziz Ibn Séoud, le fondateur du royaume. Il avait, nous dit-il, l'habitude de se rendre à l'aéroport quand il entendait l'avion passer au-dessus de son bureau ! Nous eûmes bientôt à nous mettre d'accord sur l'heure du rendez-vous le lendemain. Fallait-il se référer à l'heure du méridien de Greenwich, à l'heure locale ou à l'heure arabe (six heures au lever du soleil) ? J'eus la minuscule satisfaction de trouver la solution : au lieu de nous donner rendez-vous à une certaine heure, il fallait dire *dans tant d'heures.* En attendant, dans ma chambre de l'hôtel Safari (il n'y avait alors que deux hôtels ouverts aux étrangers, l'autre s'appelait le Yamamah), j'eus la surprise de trouver une couvée de chatons dans mon lit, mais ceci est une autre histoire…

Revenons au mont Athos. Le repas absorbé, le père Makarios nous fait visiter les lieux, et notamment la petite bibliothèque dont il est responsable, tout ce qui reste d'un trésor volatilisé dans un incendie il y a quelques décennies. Longue discussion, ensuite, avec cet homme de Dieu d'une petite cinquantaine d'années, au mont Athos depuis vingt ans. Nous parlons du renouveau du monachisme ; des règles de la vie monacale (par exemple, ne pas établir de liens d'« amitié » au sens habituel avec les autres moines [rapport avec le principe bouddhique de non-attachement, que l'on retrouve d'ailleurs à des degrés divers dans toutes les sagesses], ne parler de ses difficultés personnelles qu'avec l'higoumène, c'est-à-dire le supérieur du monastère…) dans laquelle on ne peut entrer qu'après des tests divers (séjours répétés, période de noviciat) ; de ce que j'appelle « les conditions de température et de pression » du mysticisme (ascèse, chasteté) ; de la prière collective et personnelle dont la base, chez les orthodoxes, tient dans le *kyrie eleison*, et plus précisément la formule « Seigneur Jésus-Christ, aie pitié de moi [c'est-à-dire du monde], pécheur ». Nous parlons des maîtres spirituels, des saints (il y en aurait régulièrement, sur cette terre du mont Athos) et de leurs miracles, de la communion des saints et des effets de la prière. Le père Makarios me fait un « amphi » brillant sur le schisme de 1054 : les enjeux de pouvoirs sous-jacents, les ravages de la quatrième croisade, etc., mais aussi la substance théologique dans la querelle du *Filioque* (l'Esprit-Saint procède du Père, et non pas du Père *et* du Fils). Si l'Église catholique admettait ses erreurs, le pape retrouverait sa place de *Primus inter pares*, c'est-à-dire littéralement de premier parmi des égaux. Il est absurde, à travers par exemple l'infaillibilité pontificale, d'avoir prétendu donner à un homme des attributs divins (je suis bien d'accord là-dessus !). Pour le père Makarios, l'Église romaine se fourvoie en se plaçant trop dans le siècle et en se mêlant donc à l'excès de la vie ordinaire, alors qu'on attend qu'une Église se place sur le terrain de la spiritualité et du mystère. Les protestants ont, hélas, évolué encore plus « à gauche » que les catholiques. La question du port de la barbe et de la robe se pose dans ce cadre-là (en Europe, on prend tous les barbus en noir pour des intégristes fanatiques). Avec l'aide du Saint-Esprit, il faut arriver à redonner aux mots, tellement usés et éculés, leur force. Mon interlocuteur aime citer saint Paul, extraordinaire homme de foi et de parole.

Après quelques heures de sommeil, lever avant l'aurore, matines et messe, ballet des robes et des silhouettes ayatollesques autour des icônes, bougies, encens. Aucune difficulté à rester présent à ce spectacle plusieurs heures d'affilée. Après la messe, déjeuner (il n'est que neuf heures !). Reprise de mes conversations avec le père Makarios que je n'oublierai pas. Il m'aide ensuite à descendre ma bien lourde valise (toujours les livres !). Sobres adieux. Je lui demande de prier pour moi (c'est-à-dire ceux qui m'entourent). Les moines sauvent le monde. Il est temps de reprendre la route ou plutôt la piste – conduits cette fois par un policier, et non par un homme d'Église – vers la « capitale » Kariès, une ville fantomatique où un moine m'explique le gouvernement de la péninsule (une vingtaine de monastères). On m'offre un beau livre sur les icônes. Nous partons ensuite pour Vatopaidion, du côté nord et au niveau de la mer. Un très grand et impressionnant monastère, idiorythmique à l'origine. Installation dans les chambres, vêpres, repas (sous la houlette d'un higoumène musclé, dans un réfectoire augustement médiéval), conversation brève mais intense avec le père Irénée, lui aussi français, qui a tout l'air d'un vrai mystique, et qui nous montre les « saintes reliques » avec dévotion. Au lit à huit heures. Debout à quatre heures (donc après une longue et bonne nuit !), réveillé au son d'un gong, matines, messe. Je suis fasciné par la voix d'un jeune moine chanteur, et par l'attitude extatique d'un autre qu'on dirait surgi d'une toile de Zurbarán ou du Greco. Visite des « bureaux » et du trésor, infiniment riche ici. Nous quittons les lieux vers dix heures du matin. Direction Salonique. Aéroport. Retour au monde.

23 décembre 1999

Dîner chez Alain Pompidou[1]. Ce que François Gros[2] dit de sa propre « mémoire photographique » à la Bichelonne[3] m'intéresse, en raison de mes explorations intermittentes sur les « sciences cognitives ». Je pense à la mémoire d'hommes de science comme Eugène Chevreul[4], ou à celle des comédiens (j'avais discuté de cela avec Christian Clavier), ou encore à celle de Napoléon, si bien analysée par Pierre Duhem. La mienne est différente. Je ne retiens pas des images, mais des raisonnements et des structures. François Gros était – selon ses dires – un élève plus consciencieux que bon. Il est fréquent, d'ailleurs, que les « génies » aient été des élèves quelconques, la réciproque étant cependant fausse ! François Gros me dit encore qu'il se considère « très inférieur » à son maître – Jacques Monod, lequel, je le note au passage, a apparemment refusé de voir la mort en face quand elle s'est approchée. À propos du séquençage du génome : « Ce n'est pas de la science », me dit le secrétaire perpétuel de l'Académie des sciences. En effet. Nous parlons encore du rôle des institutions, qu'il s'agisse des académies ou du Collège de France. Pour lui, toute institution doit régulièrement se justifier sociale-

1. Le fils du président Georges Pompidou.

2. Biologiste (né en 1925), professeur au Collège de France.

3. Ministre du maréchal Pétain, Jean Bichelonne, sorti major de l'École polytechnique, était célèbre pour sa forme de mémoire. Ainsi connaissait-il par cœur le *Chaix*, c'est-à-dire le recueil des horaires de tous les trains en circulation sur le territoire français !

4. Chimiste français (1786-1889).

ment. Je n'en disconviens pas, à condition de s'entendre sur le genre d'utilité dont il s'agit. Ma conception est que ces institutions mettent des sujets en lumière et éventuellement en facilitent l'accès à leur public potentiel, et ceci par un acte de confiance, un pari sur l'avenir. Évidemment, il faut que ces sujets portent des fruits, au moins statistiquement. Il suffit donc qu'en moyenne la récolte soit bonne pour les justifier. Quant à l'âge, l'immortalité académique ou l'âge de la retraite plus élevé au Collège, il faut y voir une forme de respect et de reconnaissance de la part de la société vis-à-vis d'hommes et de femmes de grands mérites. Tout cela ne me paraît nullement ringard. La vraie question est donc celle du recrutement (en particulier de l'âge de recrutement).

12 janvier 2000

Soir, vu avec MCh *Le Sixième Sens*. Scénario et jeu extraordinaires. L'idée de base, c'est-à-dire la communication ou l'absence de communication entre les morts et les vivants (les spirites), donne une représentation du purgatoire ou de l'enfer. C'est en quelque sorte l'envers de la communion des saints. L'enfer, ce serait la survie éternelle de l'âme en perdant à tout jamais la possibilité de communiquer avec ceux que l'on a aimés ou que l'on a fait souffrir.

16 janvier 2000

Gordes. Le soir de l'arrivée, MCh et moi regardons *Bouillon de culture*, l'émission de Bernard Pivot. À propos de son Journal, Michel Polac explique que toute vie est nécessairement « ratée ». Je repense à Claude Bernard, que je citais l'autre jour à propos des Mémoires de Michel Debré. C'est vrai, en un certain sens. Seule une vie de saint, en communion totale avec Dieu, pourrait être qualifiée de « réussie », puisqu'une telle vie préfigurerait le « Royaume des cieux ».

17 janvier 2000

Académie : intéressante communication du professeur Philippe Bénéton sur « L'État et la crise du politique ». Au cœur de sa réflexion, la question suivante : vouloir abolir la nation, c'est préconiser une liberté sans consistance ; peut-il y avoir un patriotisme cosmopolite fondé uniquement sur des règles du jeu ? à quoi il faut ajouter que l'humanité, c'est trop vaste pour le cœur humain. Aimer l'humanité, c'est n'aimer personne, disait Bergson (et avant lui : « Estimer tout le monde, c'est n'estimer personne »). L'amour commence à la maison. L'universalisme actuel est un universalisme vide. Pour Bénéton, la réhabilitation du politique passe par la redécouverte des évidences premières. Sa distinction entre rationalité substantielle et rationalité procédurale – que Crozier dit avoir du mal à comprendre – rappelle celle que j'établis entre l'*expérience* ou l'*intériorisation*, ou encore l'*incarnation* d'une question (un problème scientifique, mais aussi la foi religieuse) et sa *connaissance extérieure.*

Le professeur Israël rappelle que l'homme est un être social, conditionné dès son plus jeune âge autour d'un projet commun essentiel à son équilibre neuropsychologique.

3 mars 2000

Lu l'allocution de Drago[1] aux obsèques (incinération) de René Pomeau. Il cite cette phrase lapidaire du disparu, probablement extraite de ses Mémoires : « L'avenir, en ce qui me concerne, ne comporte pas la moindre incertitude. À une date plus ou moins proche, j'aurai à subir [*sic*] le sort commun. Tout ce qui vit meurt, tout entier et pour toujours. » Propos un peu sot dans sa radicalité. Même sur le plan de la raison pure, l'athéisme est plus difficile à soutenir que le pari de Pascal.

15 mars 2000

Long dîner en tête à tête, à La Méditerranée, avec Hector Bianciotti[2]. Le journaliste-écrivain argentin porte magnifiquement ses soixante-dix ans. Son dernier livre a pour titre, superbe, *Comme la trace d'un oiseau dans l'air*, et il travaille actuellement à un texte sur *l'anatomie de la mélancolie*... Charme de comédien. Nous évoquons nos vies – mais la mienne est bien éloignée de son univers romanesque. Il me raconte son élection à l'Académie française à la rentrée 1995, grâce au fait qu'il avait manqué d'une voix le grand prix du roman de ladite Académie. Selon lui, c'est Jacqueline de Romilly qui l'a propulsé. Il reconnaît avoir bénéficié de

1. Roland Drago (1923-2009), juriste, membre de l'Académie des sciences morales et politiques.
2. Hector Bianciotti (1930-2012).

l'affaire Semprun[1]. Promenades littéraires à deux. Il m'encourage à lire *La Vie de Rancé*, l'œuvre ultime de Chateaubriand, écrite à la demande de son confesseur, qui contient de belles fulgurances – ainsi qu'*Adieu*, de Balzac. HB estime que les Français martyrisent leur langue sous prétexte que le bon style devrait être dépouillé des adjectifs, etc. Lui, il aime les adjectifs. Méditations sur la mémoire. Un constat terrible : la France n'est plus grand-chose en dehors de la France, même sur le plan culturel. Mais, en creusant un peu, on voit que tout de même ce n'est pas complètement vrai. Reste Paris, qui évoque quelque chose partout sur la planète, ou presque. Nous sommes tous les deux des Poissons (il est né le 18 mars 1930, à Córdoba, à vingt et une heures trente). Nous croyons au destin. Nous partageons la lenteur de lecture, et d'écriture (sauf quand j'écris ce journal, bien sûr).

15 avril 2000

Achevé la biographie de Bédarida sur Churchill. Churchill fut, toute sa vie, un monstre d'égoïsme : pas besoin d'aller chercher trop loin la cause la plus fondamentale de l'échec de trois de ses quatre enfants. Souvent démesuré, y compris dans la boisson. Monstre d'ambition aussi. Mais il a su, lorsque « l'heure la plus belle » est venue (on pourrait s'arrêter – pourquoi Bédarida ne le fait-il pas ? – sur le choix assez effrayant d'une telle expression, s'agissant du malheur de 1940), mettre ces qualités ou plutôt ces défauts

1. Jorge Semprun (1923-2011), écrivain français de nationalité espagnole, fut rejeté par l'Académie française, puis élu à l'académie Goncourt (1996).

au service d'une cause qui, évidemment, le dépassait infiniment. Ce qui a fait dire à de Gaulle, au lendemain de sa mort : « De tous les acteurs de ce grand drame, il fut le plus grand. » Cette cause, ce ne pouvait être que la gloire de la Grande-Bretagne et de son empire – des valeurs patriotiques qui sont aujourd'hui désuètes, valeurs incarnées aussi par le Général. Au fond, c'est bien la gloire qui intéressait Churchill, pour son pays comme pour lui-même, et peut-être d'abord pour lui-même à travers celle de son pays.

Churchill avait un romantisme, une excentricité, une imagination, un foisonnement verbal écrit comme oral (surtout oral, d'ailleurs, car il dictait) tout à fait hors du commun. Nombre de ses formules sont immortalisées : « *All I can offer you is blood, sweat, tears and toil* » ; « *Never was so much owed by so many to so few* » (bataille d'Angleterre)... Il débordait de partout, jusque dans sa manière « napoléonienne » de travailler. (Bien sûr, il admirait beaucoup l'Empereur.) Grand aristocrate, avec tous les préjugés de sa classe, il avait cependant quelques lueurs sociales, davantage par réalisme que par conviction, encore qu'à l'occasion il était capable de s'attendrir sur le sort des malheureux. Visionnaire plutôt que stratège, alors qu'il s'en croyait un, il commit d'immenses et désastreuses bévues au cours de sa carrière, comme dans l'affaire des Dardanelles en 1915[1], où l'on peut voir une manifestation maléfique de son *hubris* ; ou encore avec le retour de la livre sterling à l'étalon-or, *à la parité d'avant guerre* (là fut le problème, ce que ne voit

1. Churchill fut directement responsable d'une opération franco-britannique manquée contre la Turquie au début de 1915, très coûteuse en hommes et en équipements.

pas Bédarida) en 1925[1]. S'il était mort avant 1940, son rôle et peut-être son nom auraient été progressivement oubliés, comme celui de Clemenceau s'il avait disparu avant 1914.

Churchill était un cyclothymique (apparitions fréquentes de son « black dog ») mais il croyait dur comme fer à son destin. Peut-être cela explique-t-il en partie son remarquable courage physique, confinant parfois à la témérité, qu'il a possédé toute sa vie. Winston connaissait l'angoisse, mais il savait ne pas avoir peur. Après des hauts et des bas, « l'heure la plus belle » a donc sonné en 1940, alors qu'il avait soixante-six ans et que sa carrière semblait derrière lui. Sa vision fut alors juste, sans faille, stable ; son énergie farouche et son charme, l'ampleur de son talent oratoire avec son sens des formules et des gestes, bref son art de la communication assis sur une immense force morale, lui permirent de s'imposer et de vaincre les épreuves et les doutes de toute une population. Churchill fut à la fois un chef charismatique, un chef traditionnel et un chef légitime, comme le montre avec finesse le biographe dans sa réflexion sur l'application des critères de Max Weber.

Après 1945, il retomba dans une sorte d'ordinaire qui ne lui allait pas et souffrit de son renvoi, comme du déclin de son pays (en fait de plus en plus clairement apparent pendant la guerre, à mesure que les Américains imposaient leurs vues) et de son propre déclin physique ; son second mandat au 10 Downing Street[2] fut de trop, et la fin de

1. Le retour de la livre sterling à l'étalon-or à la parité d'avant guerre fut une cause majeure de la Grande Dépression, parce qu'il provoqua une déflation.

2. 1951-1955.

sa vie laisse une impression un peu triste, que n'explique pas seulement le grand âge du héros. Mais, au cœur des épreuves collectives les plus extrêmes, son œuvre de Titan – dont peu importe, finalement, la motivation ultime, qu'en vérité nul autre que Dieu ne peut vraiment connaître, et n'en est-il pas ainsi pour toutes les actions humaines ? – lui a valu l'immortalité à laquelle, depuis toujours, il avait tant aspiré.

23 avril 2000

Pâques. Belle messe à l'abbaye de Sénanque. Homélie remarquable. À propos de la résurrection, le prédicateur fait remarquer ce que je crois avoir compris depuis un certain temps, mais que beaucoup de personnes même très intelligentes ne parviennent pas à saisir (c'était le cas de Jean-François Revel) : les signes ne sont pas des preuves et n'ont rien à voir avec des faits ; ils n'ont de sens que par la foi, et donc par un rapport intime entre un individu et Dieu. Jésus ressuscité a manifesté des signes à ses apôtres, à ceux qui croyaient en lui *avant sa mort*. Quant à l' « acte » de sa résurrection lui-même, en raison de sa nature, il ne pouvait pas avoir de témoin.

6 mai 2000

J'achève la lecture des nouvelles de Jean-Denis Bredin. Je ne sais pourquoi, il a toujours la gentillesse de m'envoyer ses livres. Un grand talent, mais quel pessimisme ! Obsession du temps et de la dégradation (notamment de la mémoire), vaines ambitions enracinées dans des traumatismes d'enfance, beaucoup de solitude, d'absurdité. Et je me dis que l'auteur est peut-être malheureux... Contraste saisissant en lisant quelques-unes des oraisons funèbres du père Carré, réunies dans un volume intitulé *Reçois-les dans ta lumière*[1], qu'il m'a offert. Dans celle rédigée pour Edmond Michelet, je trouve (p. 241) une référence à la notion de « charité politique » dont il m'avait parlé comme de saint Thomas d'Aquin, et que j'avais vainement recherchée dans la Somme théologique. Ici, le prédicateur se réfère à Pie XI « disant que les intérêts d'un pays se trouvant en cause, le domaine politique était le champ de la plus vaste charité et que seul le domaine de la religion lui était supérieur ».

8 mai 2000

Le dernier roman du président de la Bibliothèque de France[2], *Demi-siècle*, aurait pu être intéressant. Malheureusement, comme d'habitude avec lui, tout est gâché par l'excès de vitesse.

9 mai 2000

À l'Académie, notice sur René-Jean (en fait, Jean) Dupuy[3], lue par Prosper Weil. Celui-ci parle avec beau-

1. Éd. Cerf.
2. Il s'agit de Jean-Pierre Angrémy (1937-2010), dit Pierre-Jean Remy.
3. René-Jean Dupuy (1918-1997), juriste, fut professeur au Collège de France et membre de l'Académie des sciences morales et politiques.

coup de talent et de chaleur humaine (ce timide, ou du moins ce réservé, est un bon orateur) d'un « grand seigneur » qui fut aussi un « humaniste » et un « homme multiple », en tout cas une personnalité bien différente de celle qui lui succède, y compris dans son approche du droit international. Beaucoup de substance, mais aussi de formules percutantes, dans le discours de P.W. J'en note quelques-unes au vol. Un mot de Kierkegaard, que Jean Dupuy aimait citer : « Dieu est incognito dans le monde. » L'universalité, c'est l'intolérance (de bonnes remarques, là-dessus, dans le dernier livre de Raymond Polin). C'est dans la contradiction que réside la vérité. La liberté de l'homme, c'est de choisir son destin. Une observation du Talmud : « L'intolérance n'a pas à être tolérée ; la tolérance a pour limite l'intolérance. » C'est parce qu'ils ne sont pas égaux en fait que les hommes doivent être égaux en droit. Nul n'a le droit de dire : « *Gott mit uns.* » « La proximité éloigne le prochain et l'on se tue dans les villages aussi. Plus tu seras de ton village, et plus tu seras universel », disait le disparu, et aussi cette formule qui est d'ailleurs de quelqu'un d'autre : « Nous n'avons pas hérité de la terre de nos ancêtres, nous l'avons empruntée à nos enfants. » Citant encore Dupuy, Weil s'insurge contre le mythe de la paix par le droit : c'est la paix qui utilise les moyens du droit. Il a évidemment raison. Il parle encore du bon usage de l'utopie : la forme stupide, c'est l'utopie des moyens ; bonne est l'utopie des fins, celle d'Isaïe, celle de Georges Sorel… L'utopie ne doit pas être une évasion…

Pierre Weil parle de l'inspiration biblique de R.-J. Dupuy. Pour lui, la Déclaration universelle des droits de l'homme est du domaine de la *révélation.* Et l'orateur de conclure en citant Vladimir Jankélévitch : « La mort n'a jamais tué personne. » *Whatever it means*, c'est pas mal...

28 mai 2000

Visite au père Carré, cette fois avec MCh. Il a aujourd'hui l'esprit badin. Ainsi évoque-t-il sa prédication de la retraite du Vatican, alors qu'il avait en même temps la charge des conférences de carême à Notre-Dame. Le cardinal Feltin, archevêque de Paris, lui avait dit : « Le pape [Paul VI] n'est pas sérieux. » Le même cardinal Feltin avouait avoir du mal à s'abstenir de son cigare quotidien pendant le carême...

Propos intéressants sur les *Vœux solennels*, la pauvreté, l'obéissance et la chasteté ; sur les relations des dominicains avec le prieur (il l'a été lui-même, avant de rentrer dans le rang) ; sur la hiérarchie prieur, provincial, général. Pour l'Académie française, dans son cas (le seul du genre à part Lacordaire), il fallait dire oui ou non. Son prieur a eu cette expression qui l'a frappé : « Il ne faut pas pousser. » C'était oui. Mais ça aurait pu être non. Dans ce cas, ça aurait été non, sans discussion. Le père Carré parle de tout cela sans la moindre affectation.

La foi : « Aller vers Celui qui vient vers nous » (Teilhard). « Je l'avise [le tabernacle] et il m'avise » (un paysan)... La prière est un état...

MCh : « On dit qu'il n'y a rien de pire que d'être les parents d'un enfant qui souffre. Ce n'est pas vrai : il y a la souffrance de l'enfant. Pour l'enfant, à certains moments, c'est l'enfer. Pour les parents, c'est le purgatoire. On ne *partage* pas la souffrance. »

7 juin 2000

Rome. Le cardinal Etchegaray vient nous chercher à l'hôtel[1]. Agréable promenade dans les jardins du Vatican avec le cardinal, qui met sa calotte « pour qu'on le reconnaisse ». Lauriers. Aperçus uniques sur le haut de la coupole de Saint-Pierre. Tour dite de Jean XXIII : c'est là que « le bon pape » habitait pendant les travaux de rénovation de ses appartements. Le cardinal officie pour nous dans la crypte de Saint-Pierre, où nous sommes seuls au milieu des tombeaux des successeurs du fondateur de l'Église. Nous voilà justement tout près de la sépulture de Jean XXIII. Messe sobre et belle. Le prélat – toujours aussi naturel et émouvant de simplicité – lit un beau texte de Claudel sur saint Pierre, et dit de jolies choses sur l'amour de Dieu, qui ne peut nous aimer qu'en nous pardonnant. Il y a là un problème d'« aléa moral », comme diraient les économistes, au cœur des discussions sur la grâce. Etchegaray me dira que Luther exprime quelque part cette idée : on peut pécher beaucoup, mais il faut croire davantage. Dans son homélie, le cardinal parle aussi des défauts de Pierre, importants comme ses qualités. Il insiste sur le fait que l'Église repose certes sur l'héritage de Pierre, mais tout autant sur celui de Paul. Pierre et Paul sont complémentaires. Belles choses, aussi, sur Marie, véritable « image de Dieu » pour les apôtres dans la période de « vide » entre l'Ascension et la Pentecôte.

---

1. Dans le cadre d'une visite au pape Jean-Paul II de certains membres de l'Académie des sciences morales et politiques, à laquelle appartient le cardinal Etchegaray.

8 juin 2000

Nous voici dans la bibliothèque du chef de l'Église. Je ne la détaille pas mais elle est inspirante. C'est là qu'il reçoit les grands visiteurs, comme récemment Vladimir Poutine. Le pape est débout, tout tordu, le bas du dos appuyé sur la table de travail. La main valide enferme la main tremblante. Sans doute est-il dans un état permanent de prière, mais aussi de souffrance. Il doit constamment penser à l'agonie du Christ. Ceux qui le peuvent doivent aussi prier pour lui. Nous nous regroupons tous autour de sa personne. Jean Cluzel[1] nous présente à tour de rôle, flanqué du cardinal Etchegaray, la mine réjouie. Quelques mots personnels pour chacun, en même temps qu'il nous remet un chapelet, noir pour les hommes, blanc pour les femmes. Il sourit de bon cœur à l'évocation de la qualité de champion de tennis de Destremau, ou encore de « cinéaste » (il répète le mot) pour MCh. Mais on le sent épuisé. On nous met en ordre pour la photo collective. Le cardinal lui rappelle que nous attendons aussi une bénédiction. Quelques mots de Roland Drago, qui lui dit qu'outre Roger Etchegaray (l'homme du jubilé, nous rappelle le pape dans un souffle), le cardinal Ratzinger[2] est aussi membre (associé) de notre Académie, à laquelle appartint également le père de Lubac. Tout cela dure une quinzaine de minutes. Nous le quittons, émus. Sans doute ne le reverrai-je jamais. Enfilade de

1. Alors secrétaire perpétuel de l'Académie des sciences morales et politiques.

2. Futur pape Benoît XVI.

salons. Nous stoppons net pour laisser passer le Saint-Père qui a pris une voie plus directe et se dirige à tout petits pas, encerclé de soutanes colorées, vers une grande salle d'audience où une petite foule l'accueille en l'acclamant.

3 août 2000

Gordes. Lu dans l'avion un article du *Scientific American* (août 2000) sur la géométrie de l'univers. Le nôtre pourrait n'être qu'une « membrane » d'une variété beaucoup plus riche. En interprétant symboliquement, disons que nous pourrions avoir des voisins invisibles à quelques « millimètres » ! Tout cela, dans son principe, n'est pas difficile à comprendre pour quiconque a été initié aux merveilles de la topologie algébrique, de la géométrie différentielle et des espaces de Riemann, lesquels fournissent en particulier le cadre naturel de la relativité générale. Ce qui m'intéresse, ici, c'est la possibilité conceptuelle de réalités « voisines » dont nous ne pourrions rien percevoir. Sauf peut-être quelques personnalités capables de « flashes » à travers une concentration particulière de leur esprit obéissant à des « lois » qui nous échappent. Ces flashes sont ceux des découvertes dans l'ordre physique (à l'intérieur de notre « membrane ») et pourquoi pas aussi métaphysique (d'autres « membranes »). Peut-être y a-t-il dans ce langage plus qu'une métaphore.

Lu également, dans *Le Monde*, une information sur les réactions virulentes suscitées par un article des économistes Guy Laroque et Bernard Salamié, paru dans le numéro de juin d'*Économie et société*, la revue de l'INSEE. Les auteurs y démontrent la réalité de la « trappe à pauvreté » provoquée par certaines prestations sociales sur l'emploi, pour les bas niveaux de salaire et de qualification. C'est une évidence, que j'enseigne moi-même dans mes cours, pour quiconque a assimilé la loi de l'offre et de la demande. Moyennant quoi, les syndicats hurlent contre une « vision unilatérale » de la société et somment la direction de l'INSEE de dénoncer les coupables ! Ce qu'elle ne fera pas, mais je ne serais pas surpris que mon ami Paul Champsaur[1] veille à ce que pareil « incident » ne se reproduise pas. Les syndicats n'attendent rien d'autre que cette censure non écrite. Ainsi réagit la société française aux études économiques, quand elles deviennent sérieuses.

15 août 2000

Le 15, messe à Sénanque. Homélie du même moine qui avait fort bien parlé à Pâques. Une idée très belle : pendant les trois jours entre la mort et la résurrection du Christ, Marie porta toute l'espérance de l'Église.

30 août 2000

Matinée avec DG. Notre longue discussion conduit à accoucher de cette idée que je suis animé par une double « dialectique » : l'une, entre le besoin d'un « monastère » et celui de la « lumière ». DG parle d'une tension ésotérique, orientation vers l'intérieur, les élus – exotérique, tournée vers l'extérieur, la foule. L'autre dimension, la deuxième

1. Directeur général de l'INSEE à l'époque.

dialectique, sorte de concrétisation de la précédente, s'exprime entre le niveau de mes travaux personnels plus ou moins abstraits et « fondamentaux », que j'ai poursuivis envers et contre tout, quand bien même personne n'y prêterait actuellement attention, et celui des travaux de l'Ifri (par ailleurs, ma *constituency*) qui sont « dans le monde ». Beaucoup de variations sont possibles autour de ce ou de ces thèmes. Mon ami me demande quelques exemples de personnes que j'admire. Je lui dit aussitôt les réponses que je m'apprête à faire à Marc de Smedt pour sa revue *Nouvelles Clés* : Teilhard de Chardin (science, sens et poésie), Mère Teresa (énergie farouche au service d'une foi, jusqu'à réussir dans le *fund raising* pour sa cause). Comme, selon lui, on ne voit jamais chez les autres que le retour de sa propre lumière (ce qui n'est à mon avis ni tout à fait vrai, ni tout à fait faux), il en déduit que mon côté Apollon (ce qui harmonise, arrange, donne de la cohérence) est masculin, tandis que ma face Dionysos (l'énergie qui emporte, qui monte des « jambes » vers la « tête ») est féminine. Sur l'Ifri à proprement parler, nous sommes d'accord sur un objectif du type : *l'Ifri doit devenir l'interlocuteur incontournable des entreprises dans la mondialisation*, sans oublier de parler des valeurs ! Pas seulement des entreprises françaises : toutes les entreprises, car nous avons ou nous devons avoir un « point de vue original ». Avec qui réaliser cela ? « Quand le maître est prêt, le disciple vient. » En formulant cela, DG se reprend, car en général on dit l'inverse. Mais en l'occurrence, sa langue a fourché dans le bon sens. Son leitmotiv : réaliser sans efforts. Même pour faire pleuvoir l'argent ! Quand l'intérieur va bien, l'extérieur s'accorde.

25 octobre 2000

Quatre principes d'un maître tibétain (XVIe siècle ?) nommé Gampopa, dont DG m'avait parlé à Gordes : 1) la conscience est sans origine ; 2) la connaissance n'a aucune place ; 3) le chemin est sans obstruction ; 4) le fruit n'est pas à atteindre.

Interprétation (dans mon langage) : 1) nous devons libérer notre conscience (notre seul accès à l'« absolu » ou à l'« Univers » dont nous pressentons l'« existence ») d'une interprétation spatio-temporelle construite par notre esprit. Mon professeur de philo, M. Bonnel, aimait répéter : « On ne peut pas penser la pensée en étant à l'intérieur de la pensée » et François Mauriac affirmait : « Je m'interdis toute représentation [de la "vie" après la "mort"] » ; 2) la connaissance n'a aucune place, c'est-à-dire qu'il n'existe pas de chemin défini a priori pour y parvenir, qu'elle ne saurait se laisser enfermer dans aucun système, qu'elle n'est jamais définitivement installée, figée, close. Ce qui n'implique pas qu'elle ne compte pas, et au contraire le bouddhisme est en fait tout entier une approche de la connaissance ; 3) les échecs et les obstacles *font partie* du chemin ; cela veut dire aussi que les possibilités de l'homme sont a priori illimitées, et en tout cas très supérieures à ce que nous pouvons croire ; 4) il faut couper l'idée d'aller vers un but ; le fruit *est là* ; mieux, il faut le laisser venir à nous, et d'ailleurs, le « vrai fruit » n'est pas nécessairement celui qu'on croit.

Corollaire de tout cela : chaque expérience que nous vivons, en un sens, est *juste*. Il ne faut pas se plaindre. Ceci n'implique, d'aucune manière, une attitude passive devant la vie.

29 octobre 2000

Impossibilité de prévoir l'évolution de la science sur une centaine d'années, a fortiori ses conséquences. Vers 1900, essayant d'imaginer le XXe siècle à cet égard, Henri Poincaré lui-même n'avait pas vu grand-chose. Qui pourrait faire mieux, si ce n'est justement des voyants.

On sait aujourd'hui reconstituer les climats, au rythme des saisons, sur une durée de soixante millions d'années ! Tout laisse décidément des traces, et l'on parvient de mieux en mieux à les retrouver et à les interpréter. Merveilleuse capacité de l'homme à sortir de son échelle.

2 décembre 2000

Parcouru l'autobiographie de Bertrand Russell, l'un des « géants » du XXe siècle qui m'a toujours fasciné. Le tome 3 s'achève avec un *Postscript*, rédigé à l'occasion de son quatre-vingtième anniversaire. J'en traduis les premières lignes : « Depuis mon enfance, la partie sérieuse de ma vie a été consacrée à deux objets différents, restés longtemps séparés dans mon esprit et unifiés depuis peu. Je voulais d'un côté trouver s'il était possible de connaître quoi que ce soit ; et de l'autre, faire tout mon possible en vue de créer un monde meilleur. » Je retrouve là, certes sous une autre forme, mon couple pensée-action. Il faudra que je me penche un jour sur le bilan de Russell du point de vue de sa propre quête, laquelle a aussi taraudé quelques-uns des plus grands savants du siècle, comme Einstein.

25 décembre 2000

En ce jour de Noël, Jean-Paul II parle de l'homme, « être vivant jailli d'une étincelle invisible » dans lequel Dieu a mis « un frémissement de sa propre vie », capable du pire parce qu'il est « libre », mais surtout du meilleur.

26 janvier 2001

Lu dans la lettre de Michel Jobert[1] ces deux vers de Paul Eluard (in *Dignes de vivre*) – un poète que j'aime de plus en plus :

« Ce petit monde meurtrier
Transforme la parole en bruit. »

28 mars 2001

Je reformule la question de la vulnérabilité personnelle en termes de « sécurité ontologique ». Qui parvient à bien gonfler son ballon ontologique, si j'ose employer cette image, conquiert le monde. Qui échoue à cette tâche échoue aussi dans ses entreprises : le monde ne vient pas à lui.

---

1. Michel Jobert (1921-2002) fut ministre des Affaires étrangères de Georges Pompidou en 1973-1974. Il chargea l'auteur de mettre en place puis de diriger le Centre d'analyse et de prévision du Quai d'Orsay.

13 avril 2001

Soirée : un « Bouillon de culture » marqué par le vendredi saint. Timothy Radcliffe, le maître général de l'ordre des Dominicains, est très impressionnant. Face à lui, la pensée religieuse de Jean-Denis Bredin semble embryonnaire. René Rémond, comme toujours, ne regarde pas ses interlocuteurs. Robert Hossein touchant. Quelques réflexions captées à la volée... Pour frère Timothy (c'est ainsi qu'il préfère qu'on l'appelle), le mystère du Mal reste entier, mais le mystère de l'Amour est encore plus grand. L'Amour, qui suppose l'*égalité*. De plus, dans ces domaines, il n'y a pas de réponse abstraite : tout passe par des *dialogues*. Cela rejoint ma préoccupation permanente des témoignages et des expériences intériorisées. René Rémond reprend à son compte le mot de Lacan : « Le christianisme n'a pas dit son dernier mot. » J'en suis, pour ma part, convaincu. Incidemment, le politologue remarque que, si l'on jugeait la « participation » au christianisme à l'aune des critères de participation aux institutions de la démocratie, on conclurait que la religion se porte plutôt bien. Toujours pédagogue, le président de la Fondation nationale des sciences politiques explique : le christianisme apporte une solution (au mystère de l'homme) dans l'affirmation de la personnalité (rapport personnel avec Dieu), alors que la réponse de l'hindouisme ou du bouddhisme passe par la dissolution de la personnalité. Distinction radicale, dit René Rémond. Je ne suis pas certain que la différence entre les deux perspectives soit aussi tranchée.

Le problème du péché originel et de l'arbre de la connaissance est rapidement abordé, mais curieusement personne ne met l'accent sur le péché des péchés, c'est-à-dire l'orgueil.

23 avril 2001

Dîner quai de Conti en l'honneur du cardinal Etchegaray. Comme nous parlons de l'importance des témoins, en matière de foi, celui-ci rappelle que dans la langue grecque, il y a recouvrement entre les notions de témoin et de martyr.

17 mai 2001

J'apprends la mort de Jacques-Louis Lions[1], à laquelle j'étais préparé, mais qui me touche. Il avait soixante-treize ans, comme mon père. Dans sa notice nécrologique publiée par *Le Monde* quelques jours après, je lirai cette phrase – tout à fait représentative de sa « philosophie » – extraite d'une interview de 1991 : « Ce que j'aime dans les mathématiques appliquées, c'est qu'elles ont pour ambition de donner du monde des systèmes une représentation qui permette de comprendre et d'agir. Et, de toutes les représentations, la représentation mathématique, lorsqu'elle est possible, est celle qui est la plus souple et la meilleure. Du coup, ce qui m'intéresse, c'est de savoir jusqu'où on peut aller dans ce domaine de la modélisation des systèmes, c'est d'atteindre les limites. »

1. Jacques-Louis Lions (1928-2001) fut le maître incontesté de l'école française de mathématiques appliquées. Sa chaire au Collège de France était intitulée « Analyse mathématique des systèmes et de leur contrôle ».

18 mai 2001

Déjeuner chez l'ambassadeur slovaque Válach, dont l'accueil est touchant. Nous parlons beaucoup d'histoire, et de ce personnage étonnant que fut Milan Štefánik, véritable héros national d'autant plus vénéré qu'il est mort jeune et beau. J'en avais, si je puis dire, fait la connaissance en 1991 en recevant le prix Louise Weiss. En feuilletant un livre que me remet l'ambassadeur, je tombe sur cette phrase de Claire de Jouvenel, chez qui justement Louise Weiss avait rencontré le héros : « La puissance divine se présente à travers les esprits choisis. L'esprit de Štefánik a dû être particulièrement favori. » Cet homme avait certainement un « pouvoir magique » et ce n'est pas un hasard s'il a combiné dans sa courte vie astronomie et politique.

18 juin 2001

La séance à l'Académie est quelque peu perturbée par l'absence des huissiers, mobilisés sous la Coupole par l'Académie des sciences. Il s'agit de la séance annuelle où ils intronisent collectivement leurs nouveaux élus. Pour nous, un peu de solennité en moins. Nous ne sommes pas tout à fait nous-mêmes, sans les huissiers. Dommage pour Hervé Gaymard, mon invité de ce jour[1], un vrai gaulliste s'il en est encore et grand admirateur de Malraux, malgré Olivier Todd. Deux phrases recueillies à la volée pendant sa com-

1. L'auteur exerçait la présidence de l'Académie des sciences morales et politiques depuis le 1er janvier 2001.

munication : « Le XXIe siècle ne sera pas politique ; il sera médiatique » (Henri Amouroux) ; « On combat la démagogie par la démocratie » (de Gaulle, selon Gaymard).

6 juillet 2001

Vu, sur Arte, un film époustouflant d'Orson Welles : *About Fakes*, traduit en français *Vérités et mensonges*. Il y est beaucoup question de tableaux vrais, faux, vrais-faux, ou faux-vrais. À la fin de cette œuvre, Orson Welles médite sur un thème qui m'est cher, celui de la disparition de nos traces individuelles sur cette terre, vis-à-vis de laquelle, à quelques années près (ou siècles, ou millénaires, qu'importe), tous les hommes sont égaux. Cela vaut même pour Picasso ou Einstein. Pourtant, en écrivant cela, je suis conscient d'être prisonnier d'une conception étroite du temps. Ainsi Paul Claudel se demande-t-il « comment Dieu, dont Celui qui a Été est un des noms, ne se serait-il pas arrangé pour conserver le record de tout ce qu'Il a fait ». Tout ce qu'il a fait, c'est-à-dire « toutes choses, absolument toutes choses » et donc chacun de nos pas, chacune de nos œuvres, etc.[1]. On espère tout de même qu'il ne s'agit que des « bonnes » choses ou des « bonnes » œuvres. Quoi qu'il en soit, ce qui est important pour entrer dans ce genre de spéculation, c'est le temps.

7 août 2001

Pendant ces quelques jours, un certain nombre d'heures passées à étudier la géométrie riemannienne qui me

1. Paul Claudel, *Le Poète et la Bible*, I, Gallimard, 1998, p. 316.

passionne toujours, ainsi que la relativité générale et la cosmologie. Je suis toujours à la recherche du temps. Cela dit, je me demande souvent, par exemple à propos de ma conférence de janvier devant la Société française de philosophie[1], jusqu'où peut aller un amateur. Mais qu'importe, finalement, puisque ces sujets m'habitent. Chacun a le droit d'essayer de penser par lui-même. D'ailleurs, j'ai d'autant moins de complexe à avoir que la plupart des philosophes professionnels ne comprennent pas les mathématiques, ce qui, à mon sens, interdit radicalement d'aborder sérieusement une question comme celle de l'espace-temps.

Zweig, toujours : après *Amok*, *Le Joueur d'échecs* et *Le Monde d'hier*. Écriture superbe. Excellentes traductions. Dans ses mémoires, de fort intéressantes remarques sur l'art de la traduction, qu'il recommande aux romanciers et poètes en herbe de pratiquer pour aiguiser leur plume. Zweig me fait évidemment penser à Paul Valéry (Monsieur Teste...), qu'il a d'ailleurs connu et admiré. Il se passionne pour le cerveau de l'homme dans les conditions extrêmes de la folie et de la création. Création, invention, découverte... j'ai sous les yeux le célèbre *Essai sur la psychologie de l'invention dans le domaine mathématique* de Jacques Hadamard, qui débute par des observations terminologiques à ce sujet, mais qu'importe ici. Un passage sur Rodin, dans *Le Monde d'hier*, retient particulièrement mon attention, une description fascinante du sculpteur qu'il avait vu au travail, avec cette conclusion qui fait mouche : « Durant cette

1. Voir le chapitre « L'informatique et la pensée », dans Thierry de Montbrial, *Il est nécessaire d'espérer pour entreprendre. Penseurs et bâtisseurs*, *op. cit.*

heure, j'avais vu à découvert le secret éternel de tout grand art et même, à vrai dire, de toute production humaine : la concentration, le rassemblement de toutes les forces, de tous les sens, la faculté de s'abstraire de soi-même, de s'abstraire du monde, qui est le propre de tous les artistes. J'avais appris quelque chose pour la vie» (p. 189 de l'édition Belfond de 1993). Parcouru, dans le même ordre d'idées, une biographie du mathématicien américain John Nash (Sylvia Nasar, *Un cerveau d'exception*[1]), dont les travaux sur la théorie des jeux me sont familiers depuis les années soixante, travaux qui lui valurent le prix Nobel d'économie. Je savais, notamment par Gérard Debreu[2], que Nash avait été «fou» – en fait schizophrène – pendant une trentaine d'années, jusqu'au jour où, fait rarissime, la maladie a reflué. Un peu de temps, aussi, sur l'excellent *Harvard Guide to Psychiatry* que j'avais acheté à Stanford. Que de mystères !

Entrepris parallèlement, avec Alexandra[3], la lecture du second volume de l'admirable trilogie de Schalom Asch (un contemporain de Zweig, né un an avant lui, en 1880, à Kutno, une petite ville à l'ouest de la capitale polonaise, à l'époque du quatrième partage – je me souviens d'ailleurs que *Pétersbourg* est précédé d'une préface de Zweig). Après *Pétersbourg*, voici *Varsovie*[4]. Après la grande bourgeoisie juive de Russie à la charnière du XIXe et du XXe siècle, voici le

1. Éd. Calmann-Lévy, 2000.

2. Le directeur de thèse de l'auteur en économie mathématique, à Berkeley. Les travaux de Gérard Debreu furent couronnés par le prix Nobel en 1983.

3. Fille de l'auteur.

4. Éd. Mémoire du livre, 2001.

monde des juifs misérables de la Pologne. Ce second volume est aussi remarquable que le premier. Il y est beaucoup question du sionisme. Aussi suis-je excité de découvrir, dans le livre de Zweig, que c'est Theodor Herzl, auquel il consacre de belles pages, qui lui mit le pied à l'étrier en lui ouvrant vers 1900 les colonnes de la *Neue Freie Presse* et donc l'accès à la gloire dans la Vienne d'un Empire austro-hongrois finissant mais qui se croyait encore éternel.

19 août 2001

Achevé la lecture des mémoires de Stefan Zweig (*Le Monde d'hier. Souvenirs d'un Européen*). Comme toujours quand on arrive au terme d'un grand livre avec lequel on a vécu pendant quelque temps, on ressent l'impression d'une rupture, chargée de tristesse et de nostalgie. *Le Monde d'hier* en dit plus, pour comprendre et surtout pour sentir les bouleversements du premier XXe siècle, que mille livres d'histoire. Je n'ai, hélas, pas le temps de commenter ce chef-d'œuvre, dont je reproduis tout de même trois courts extraits. Le premier est la chute de la préface : « [...] je considère que si notre mémoire retient *tel* élément et laisse *tel autre* lui échapper, ce n'est pas un hasard : je la tiens pour une puissance qui ordonne sa matière en connaissance de cause et la trie avec sagesse. Tout ce qu'on oublie de sa propre vie, un secret instinct l'avait en fait depuis longtemps déjà condamné à l'oubli. Seul ce que je veux moi-même conserver a quelque droit d'être conservé pour autrui. Parlez donc et choisissez, ô mes souvenirs, vous et non moi, et rendez au moins un reflet de ma vie, avant qu'elle sombre dans les ténèbres. » Zweig écrit cela car, dans son exil, il a dû se passer de toute documentation. Mais je ne suis pas tout à fait d'accord. La mémoire d'un jour n'est pas celle d'un autre, et une cause apparemment fortuite peut la réveiller, la redresser, l'exciter. Zweig avait-il lu Proust ? Parlant, beaucoup plus loin, de « la mystérieuse malédiction » qui s'attachait à ses essais théâtraux (la mort soudaine des grands acteurs qui devaient les jouer), mon auteur préféré du moment s'exprime ainsi : « À l'époque, de façon bien compréhensible, je me suis considéré comme persécuté par le destin, car si le théâtre me présentait dès mes débuts des perspectives que je n'aurais jamais rêvées, ce n'était que pour me les retirer cruellement au dernier moment. Mais c'est seulement dans les années de la prime jeunesse qu'on identifie encore le hasard avec la destinée. Plus tard, on sait que la véritable orientation d'une vie est déterminée du dedans. Si bizarrement, si absurdement que notre chemin semble s'écarter de nos vœux, il finit pourtant toujours par nous ramener à notre but invisible » (p. 223). Mais peut-on vraiment séparer le « dedans » et le « dehors » ? En tous cas, ces propos entrent en résonance avec certaines des plus profondes de mes expériences intimes des dernières années.

Je reproduis, enfin, les dernières lignes des *Souvenirs*. Zweig s'apprête à quitter, définitivement, une Europe en voie d'autodestruction. « Le soleil brillait, vif et plein. Comme je m'en retournais, je remarquai soudain mon ombre devant moi, comme j'avais vu l'ombre de l'autre guerre derrière la guerre actuelle. Elle ne m'a plus quitté depuis lors, cette ombre de la guerre, elle a voilé de deuil chacune de mes pensées, de jour et de nuit ; peut-être sa sombre silhouette apparaît-elle aussi dans bien des pages de ce livre. Mais toute ombre, en dernier lieu, est pourtant aussi fille de la lumière et seul celui qui a connu la clarté et les ténèbres, la guerre et la paix, la grandeur et la décadence a vraiment vécu. » C'est beau et l'on pourrait y voir comme une note d'espérance. Point d'ombre sans lumière. Et seule la lumière triomphe. Zweig s'est pourtant suicidé, le 23 février 1942, à Petropolis, près de Rio. Le 22 juin précédent, Hitler s'était jeté sur l'URSS, et le 7 décembre les Japonais avaient détruit la flotte américaine à Pearl Harbor. Les esprits les plus lucides savaient alors que l'Allemagne nazie serait vaincue. Si Zweig avait eu l'espérance, il aurait connu au moins les débuts de l'unification européenne à laquelle il aspirait de toute son âme. Ce qu'il ne dit pas dans son livre, c'est qu'il était de tempérament dépressif. Les ombres avaient, sur lui, une emprise excessive, ce que reflète sans doute une partie de son œuvre. A-t-il par exemple suivi une psychothérapie avec Freud (dont il parle brièvement à la fin des mémoires) ? À voir. Quoi qu'il en soit, je suis fortement impressionné par ce chef-d'œuvre, par sa conception intelligente du « pacifisme » alors même que ce n'est pas mon penchant naturel, par ses réflexions sur le découplage, au début du siècle, entre l'univers des décideurs politiques et les populations dans l'ensemble naïvement confiantes, par les portraits des uns et des autres, par ses remarques en tant que collectionneur d'autographes (toujours à la recherche de l'essence du génie humain, ici à travers des traces écrites ou griffonnées sur du papier), ou encore sur le fait que les contemporains ne reconnaissent jamais « dès leurs premiers commencements les grands mouvements qui déterminent leur époque » (premières lignes du chapitre « Incipit Hitler »,

p. 439). J'admire aussi la qualité de la traduction de Serge Niémetz, par ailleurs l'auteur d'une biographie de l'écrivain dont Cécilia Sarkozy m'avait fait cadeau et dont, un jour ou l'autre, j'entreprendrai la lecture.

20 août 2001

Journée presque entièrement consacrée à terminer de vider le petit bureau qui jouxte le mien à l'Ifri. Je réaménage mes bouquins de toutes sortes, notamment, dans le domaine des langues, les dizaines de livres de russe en chinois, de japonais en anglais, de turc, hongrois ou arabe, non sans un certain plaisir. En même temps, quand on déplace physiquement des quintaux de papier imprimé qui ne représentent évidemment qu'une infime partie des millions de tonnes crachées en continu par toutes les presses du monde, on se demande pourquoi ajouter ses propres kilogrammes, d'autant plus que l'adage selon lequel les paroles volent et les écrits restent est évidemment faux. La réponse est que les écrivains (au sens large) sont poussés par une force irrésistible. On en revient par ricochet au problème des génies : qu'est-ce qui fait, par exemple, qu'un homme aussi personnellement médiocre que Verlaine a produit des vers aussi sublimes ? Ces vers étaient-ils vraiment de lui, ou Dieu s'est-il exprimé en l'utilisant, en quelque sorte, comme intermédiaire ? Le taoïsme exprime sans doute la même idée en invoquant le Qi, le souffle qui guide le pinceau du calligraphe ou l'esprit de l'artiste.

Déjeuner avec FRB au Novotel de la rue de Vaugirard. Je lui parle de mes idées sur le fait que le « véritable athéisme » est au moins aussi *difficile* à tenir que la « véritable foi ».

Je crois que l'écrasante majorité des hommes vit, à l'égard de la transcendance et de l'au-delà, dans une sorte de brouillard. Je crois aussi, contrairement par exemple à Jean-Marie Lehn[1] avec qui j'avais, au printemps, parlé de ce sujet, que s'il y a une universalité dans la morale, ce ne peut être – sur le plan anthropologique – qu'en rapport, même lointain, avec l'aspiration religieuse. Partant de l'athéisme, on pourrait construire, en jouant sur les postulats, des morales aussi diverses que peuvent l'être les géométries non euclidiennes. Si j'avais du temps à perdre, je m'emploierais ainsi à construire quelques monstres, dont l'histoire du XXe siècle nous a d'ailleurs donné des exemples implicites.

22 août 2001

Lu ou relu – dans l'édition de Jacques Gabay[2] – l'essai de Jacques Hadamard, et la conférence d'Henri Poincaré sur l'invention mathématique, avec la notion d'« illumination », la distinction entre le travail inconscient et le travail conscient, etc. Tout cela en parfaite harmonie avec mes propres idées sur la création en tout domaine, et même sur la notion de « conversion » (saint Paul). Voir aussi la « cristallisation » des sentiments (de l'amour chez Stendhal). Je suis également très intéressé par une annexe d'Hadamard sur le fondement de la morale. Comme Poincaré, et à l'encontre

1. Prix Nobel de chimie en 1987.

2. Jacques Gabay : un petit éditeur à l'intersection de la rue Saint-Jacques et de la rue Soufflot, spécialisé dans la reproduction en fac-similé de livres scientifiques rédigés ou traduits en langue française.

de beaucoup de philosophes, l'auteur se refuse à fonder la morale sur la science seule. Tel est bien mon avis.

11 septembre 2001

La journée commence de façon banale. Au bureau, je vaque à des affaires ordinaires. Thérèse[1] m'interrompt en me parlant d'un « drame » qui vient de se produire. Ce n'est pas un drame, mais l'épouvante, la réalisation effective d'un « scénario » mille fois imaginé. Mais comme je l'écris dans *Praxéologie*[2], le passage à l'acte est *toujours* une discontinuité, celle-ci majeure. Avec des centaines de millions de gens sur la planète, je vois le film de l'attaque suicide sur les Twin Towers du World Trade Center, puis leur effondrement en direct. Ces tours superbes, devenues le symbole de Manhattan, dont pour MCh et moi la construction est associée à notre découverte de l'Amérique, à l'époque de notre séjour à Berkeley. En même temps ou presque, les terroristes parviennent à détruire une partie du Pentagone. Un quatrième avion s'écrase avant d'atteindre sa cible, peut-être la Maison-Blanche. *Unbelievable.* Cette agression dévastatrice (c'est presque comme si, à l'exception il est vrai des phénomènes radioactifs, une bombe atomique avait été larguée sur Manhattan) va changer les États-Unis et dans une certaine mesure le monde. Il y a quelques années, quand le terrorisme frappait la France, je m'étonnais que les États-Unis fussent épargnés. Non seulement ce n'est

1. À l'époque, assistante de l'auteur.
2. Il s'agit du livre que publiera l'auteur en 2002 sous le titre *L'Action et le système du monde* (PUF).

plus le cas, mais l'échelle de la présente agression est sans précédent. Qu'en sera-t-il la prochaine fois ? L'explosion d'un bateau bourré d'armements chimiques ? Amérique paniquée. Amérique paralysée. Premières réactions de Bush pas très impressionnantes. À la demande de Catherine Nay, je vais dire quelques mots sur Europe 1. Le présentateur, Guillaume Durand, incapable (il n'est hélas pas le seul) du moindre recul. Je m'insurge aussitôt contre ceux qui disent que la troisième guerre mondiale a commencé (à moins de comprendre l'adjectif *mondial* dans un sens tout différent de la connotation familière), ou encore le choc des civilisations annoncé par Huntington (c'est apparemment la position de Dominique Moïsi). Même aujourd'hui, il faut raison garder.

Il est évident que cette journée restera gravée dans ma mémoire (cette fois aussi, nous serons des milliards) comme, dans des genres différents, celle de l'assassinat de John F. Kennedy, celle de l'homme sur la Lune ou encore de l'explosion de *Challenger*. Tous ces « événements » sont américains. Je me sens terriblement choqué, comme si j'avais moi-même été victime d'un accident. Impossible de lire quoi que ce soit et grande difficulté à trouver le sommeil. La nuit sera de toute façon très brève.

2 décembre 2001

Lecture du livre d'entretiens que Raymond Barre vient de publier chez Flammarion et qu'il m'a envoyé. Comme toujours, je me sens en phase avec lui. Indications sur son histoire personnelle et intellectuelle, qui à ma connaissance ne se trouvent pas ailleurs. Je lis avec intérêt ce qu'il écrit sur Alexandre Kojève, dont Olivier Wormser[1] m'avait jadis beaucoup parlé lui aussi. Comme Wormser, Barre a été fasciné par ce grand philosophe et technocrate imaginatif, une combinaison rarissime sinon unique. Un beau sujet de thèse ! C'est évidemment sans surprise que je lis ce mot de Kojève : « La vie humaine est une comédie, il faut la jouer sérieusement. » Barre nuance : « Il y a une part de comédie dans la vie. » Mon nouveau confrère[2] revient constamment sur la notion de destin, et de fait tout lui est arrivé de l'extérieur (de ce point de vue, son histoire personnelle est radicalement différente de la mienne) : son premier poste à Tunis, la commande du fameux « Thémis » par André Marchal[3], la direction du cabinet de Jean-Marcel Jeanneney[4], la commission de Bruxelles, le gouvernement et même, d'une certaine manière, la mairie de Lyon. Certes, il a dû se battre, et parfois rudement. Il a connu des déceptions, par exemple l'absence de soutien de Giscard en 1988 (de son côté, Giscard a considéré qu'il aurait été élu cette année-là si Barre ne s'était pas présenté.) Mais il a tout de même été porté par des bras invisibles. En contrepartie, je persiste à penser qu'il

1. Olivier Wormser (1913-1985). Diplomate considéré comme l'un des plus grands de sa génération, il fut aussi gouverneur de la Banque de France.

2. Raymond Barre a en effet été élu à l'Académie des sciences morales et politiques le 26 février 2001.

3. La collection « Thémis » des PUF a longtemps accueilli des cours pour les « facultés de droit et des sciences économiques ». Celui de Raymond Barre en économie fut un best-seller pour des générations d'étudiants.

4. Professeur d'économie, J.-M. Jeanneney (1910-2010) fut notamment ministre de l'Industrie du général de Gaulle.

n'a jamais su s'y prendre avec les hommes. C'est pourquoi le destin ne lui a pas ouvert les portes de l'Élysée. Les lignes qui concluent cet entretien me plaisent : « J'ai toujours été un esprit libre et sincère, affermi par l'indifférence que j'ai acquise à l'égard des mœurs et des procédés du microcosme. Je ne me suis jamais renié, même si cela se paie ! Cela me donne une certaine satisfaction au soir de ma vie ! »

1er mars 2002

Achevé lecture du grand roman de Joseph Roth[1]. On assiste, à travers trois générations de von Trotta, depuis la sanglante bataille de Solférino, celle-là même qui conduisit Henry Dunant à fonder la Croix-Rouge, jusqu'à la mort de François-Joseph en 1916, à la fin annoncée de l'Empire austro-hongrois. On assiste à une agonie que, naturellement, la plupart des contemporains – fossilisés dans des institutions fossilisées, l'armée ou l'administration territoriale… – ne voyaient pas. On y assiste, en fait, comme à travers un sinon plusieurs voiles qui brouillent les images et décalent le temps, comme si le présent de la narration, réduit à quelques traits, était déjà infiniment loin du lecteur. Les situations, les caractères ne sont qu'esquissés. Tout est fait, dans ce roman, pour suggérer l'affaiblissement de la mémoire et la confusion des traces, par exemple à travers la façon vague dont l'Empereur se souvient du Trotta qui lui sauva la vie lors de la bataille de 1859. La construction même du livre suggère l'anéantissement d'un monde auquel Roth – comme l'explique sa traductrice Blanche Gidon

1. Joseph Roth, *La Marche de Radetzky*, Le Seuil.

dans la préface de *La Crypte des capucins*[1], un livre consacré à ce que mon père aurait appelé les dernières marches de l'enfer, en l'occurrence la période qui s'étend de la Première Guerre mondiale à l'Anschluss – était viscéralement attaché. Il croyait à l'idée impériale comme façon d'assurer l'unité dans la diversité des peuples, ce qu'aujourd'hui nous cherchons à réaliser avec la construction européenne. Cette diversité est d'ailleurs remarquablement croquée dans le roman. En réalité, l'unité ne tenait littéralement qu'à un souffle, de plus en plus frêle, celui d'un vieillard qui cessa de respirer après soixante-huit ans de règne et de désillusions. Juif converti, monarchiste passionné, l'auteur, né en 1894, a émigré à Paris en 1933. Il y est mort, en quelque sorte de chagrin, en 1939. Un destin à la fois très différent et très proche de celui de Stefan Zweig.

29 mars 2002

Terminé lecture de *La Crypte des capucins*. Le style en est assez lapidaire, comme celui de *La Marche de Radetzky*, mais peut-être un peu moins sec. Le livre s'accélère nettement à partir du moment où le narrateur, François-Ferdinand von Trotta, part en captivité vers la Sibérie, au début de la Grande Guerre. La dislocation de l'Autriche, qui s'achève ici avec l'Anschluss, est suggérée – avec une force inouïe – par de simples coups de crayon. Les dernières lignes de l'ouvrage, qui concluent la « marche funèbre » dont parle la traductrice Blanche Gidon dans sa préface, sont terribles :

1. Également publié au Seuil.

« La crypte des capucins, où mes empereurs gisent dans leurs sarcophages, était fermée.

Un frère vint à ma rencontre, il me demanda :

– Que désirez-vous ?

– Je veux voir le cercueil de l'empereur François-Joseph.

– Dieu vous bénisse, me dit le capucin, en faisant sur moi le signe de la croix.

– Dieu protège l'empereur [*Gott erhalte*, début de l'hymne impérial autrichien] ! m'écriai-je.

– Chut ! fit le moine.

Où aller à présent ? Où aller ? Moi, un Trotta ? »

1er mai 2002

Lecture, en vol vers San Francisco, de la *Lettre à Laurence* de Bourbon-Busset[1]. Ce texte m'émeut. Il sonne juste. J'aime ce qu'il nous dit à la fin : « J'aurais voulu crier aux autres qu'il y a un secret de vie, un seul et qu'il ne faut pas le manquer [...] Il me paraît inacceptable de garder pour soi un secret aussi simple qui se formule ainsi : trouver sa joie dans la joie de l'autre. » J'aime l'idée d'« alliance à toute épreuve », une alliance entre deux êtres qui sont des « compagnons d'éternité », une alliance qui « en limitant la liberté [car, lance-t-il, “la rive est la chance du fleuve”], la rend cohérente [il revient beaucoup sur ce mot] et durable ». Bourbon-Busset développe son thème non pas intellectuellement mais à travers une histoire, celle de son couple, et donc par le truchement de ce que j'ai envie d'appeler un « fait singulier-universel » (au sens où Durkheim

1. Chez Gallimard.

parlait de « fait social »). J'aime cette idée que « l'amour secouru dure ». J'aime l'entendre (oui, j'entends son cri, le cri de la vie) proclamer « qu'être et amour sont une seule et même réalité ». J'aime cette déclaration qui va peut-être au-delà de l'alliance exclusive entre deux êtres à la fois différents et complémentaires : « Tu m'as appris que l'amour était une aventure mystique, non un mysticisme de l'illusoire fusion, mais une *mystique de l'alliance*, de l'alliance à toute épreuve qui différencie sans séparer et unit sans confondre [l'auteur introduit une intéressante notion de "distance critique"]. Cette mystique de l'alliance donne son sens à l'univers car Dieu, c'est le désir d'alliance. L'alliance éclaire tout comme fait la lumière ». Ce petit livre est truffé de joyaux. En voici encore un, qui se rapporte à l'un de mes thèmes de prédilection : « Il y a deux mondes, le monde des phénomènes et le monde des consciences. Connaissance scientifique et expérience intérieure, théorie réfutable et subjectivité irréfutable répondent à l'existence de ces deux mondes. La connaissance scientifique est communicable. L'expérience intérieure n'est communicable qu'avec la complicité de l'amour. Le lien entre les deux mondes s'établit grâce à la pratique de la *raison ardente* [c'est moi qui mets en relief], capable à la fois de comprendre et d'éprouver, alliant ainsi les pouvoirs de l'intelligence et les puissances de la vie. La raison ardente est désir de cohérence [toujours ce mot] et cohérence du désir. L'alliance de deux raisons ardentes construit l'amour durable. » C'est magnifique. J'aime l'insistance de l'auteur sur le fait que l'amour, comme la foi, n'existe que par des actes. Quel bonheur de trouver si bien formulée cette idée, que j'intériorise de plus en plus profondément depuis tant d'années : « La moindre pensée, le moindre geste sont inscrits dans la mémoire de Dieu au même titre que les plus hautes productions et les plus grands exploits. C'est l'infirmité de notre esprit qui lui fait mettre l'immense au-dessus du minuscule et l'innombrable au-dessus du rare. Rien ne justifie cette échelle qui n'a sans doute de sens que pour l'être humain. » Je suis également en résonance avec ce poète de l'amour quand il affirme : « L'alliance de la constance [encore un de ses mots préférés] et de l'invention rend le temps créateur. » Inévitablement, il cite Bergson : « Le temps est invention ou il n'est rien du tout. » Pas d'allusion, en revanche, à Teilhard de Chardin dans cet hymne à l'amour et au cosmos. La remarque sur le « temps créateur » vaut pour toutes les œuvres humaines dignes de ce nom. Les autres ne sont que paillettes, étourdissement. On dit que c'est la vie, mais il n'y a pas de vie si l'on n'atteint pas l'être, ce qui renvoie à l' « amour ». Bourbon-Busset ne fait pas explicitement le lien, mais c'est de là que viennent les malheurs de l'histoire, ballottée par les ambitions superficielles des hommes qui s'étourdissent en surfant sur les vagues du « pouvoir ».

22 mai 2002

L'idée me traverse l'esprit qu'en dehors de la « sagesse », la philosophie est d'un faible secours pour les malades. Pour eux, ce qui compte, c'est la relation vraie, dans l'ordre de l'amour et non pas dans celui de la spéculation intellectuelle. Ce sont aussi souvent les qualités propres à l'action, comme la conviction et le courage. Toujours l'idée d'incarnation.

9 juillet 2002

Le soir, à l'heure du journal télévisé, j'apprends la disparition de Laurent Schwartz. Il est mort, en fait, le 4 juillet. J'avais oublié qu'il était né un 5 mars, vingt-huit ans avant moi. Je l'apercevais encore de temps à autre à l'Institut, très affaibli. Mais je ne me figurais pas qu'il pouvait mourir. Cet homme a joué un rôle important dans ma vie. J'ai adoré ses cours à l'X dont, parfois, je rédigeais des résumés distribués à toute la promotion. J'ai souvent pensé que mon élimination au concours de 1962, dont j'ai tant souffert à l'époque[1], avait été utile non seulement pour la formation de mon caractère, mais aussi en me permettant d'approcher cette immense personnalité dont l'écho parvenait jusqu'aux classes préparatoires. Je garde un souvenir très précis de l'été 1963. La scène se passe au château d'Acquigny. Je venais enfin d'être reçu – cette fois pour de bon – à l'X. Parmi les invités du baron d'Esneval se trouvait le général Cazelles, qui commandait l'École et avait une maison dans les environs. L'excellent officier bourru et plutôt sympathique nous avait parlé du retour de Laurent Schwartz, un moment écarté de l'École en

1. Cette année-là, l'auteur aurait été confortablement reçu à l'École polytechnique par le nombre de points. Mais, sans avoir prévenu les candidats, les autorités du concours avaient décidé de réactiver une disposition du règlement tombée en désuétude : le jury pouvait décider d'éliminer tout candidat ayant obtenu moins de 4 sur 20 dans une discipline quelconque, même secondaire, quel que fût son score par ailleurs. Or l'auteur avait fait l'impasse sur l'épreuve fort archaïque de dessin industriel...

raison de son opposition à la guerre d'Algérie. Il expliquait que les cours de l'inventeur (ou du découvreur...) de la théorie des distributions étaient tellement limpides qu'ils donnaient l'illusion de la facilité, alors qu'en fait personne n'y comprenait rien, ou presque. En mon for intérieur, j'ai alors pensé que Cazelles s'exprimait comme le mauvais élève qu'il avait sans doute été, mais je n'en ai évidemment rien laissé paraître. Il avait un style, à l'oral comme à l'écrit, bien à lui. Car la notion de style s'applique aussi à la science. Quand il enseignait, il ondulait devant le tableau noir, une épaule se balançant verticalement au rythme de la marche, auquel sa belle voix répondait aussi. Il me confia un jour avoir eu la polio, enfant. Je fus profondément heureux de mes premières conversations approfondies avec lui, notamment l'été 1964 lorsque, avec François Laudenbach[1], nous en redemandions. C'est alors qu'il me donna une formidable leçon. Je découvrais l'immensité du champ mathématique et prenais conscience qu'en matière de connaissance comme en mer, l'horizon recule à mesure qu'on s'avance. Le vertige me saisit devant l'ampleur des connaissances à acquérir – du moins je le croyais – avant de pouvoir commencer à « chercher » pour « découvrir » ou pour « créer ». Je commençais aussi à comprendre ce qu'est la science en marche, alors que dans les classes préparatoires on avait l'impression d'une pendule arrêtée. À cet égard, une anecdote m'avait frappé, à l'automne 63, alors que je faisais visiter l'École à une poignée de saint-cyriens. L'un d'eux m'ayant interrogé sur l'enseignement

1. Un camarade de promotion de l'École, qui devint un mathématicien professionnel.

à Polytechnique, j'avais d'abord cité les mathématiques et m'étais entendu répondre : « Quoi ! On ne connaît donc pas *toutes les mathématiques* quand on entre à l'X ? » Il en est de la science comme de l'histoire. Nous sommes tous plus ou moins comme Fabrice à Waterloo. Bien peu de gens saisissent les flux dans lesquels leur vie est emportée. À l'époque en tout cas, j'étais fortement tenté par la recherche mathématique tout en sachant parfaitement, au fond de moi-même, que ce n'était pas mon destin. Le maître eut alors, là est la leçon, ces simples paroles : « Tu connais déjà assez de mathématiques pour "trouver" ! » Avec l'aide d'un guide comme lui, il avait raison. Le bagage initial de connaissances, pour un chercheur, ne doit pas être trop encombrant. Ce qu'il faut, c'est une base pas nécessairement très étendue, mais solide, et une bonne boussole. Ultérieurement Schwartz, qui était toujours disponible, m'a encouragé à aller à Berkeley avec Gérard Debreu dont il avait été membre du jury de thèse. À mon second retour en France en 1969, assis sur les bancs des élèves, il suivit lui-même mes cours sur les sujets qui devaient fournir la matière de mon premier livre, *Économie théorique*[1]. Je l'évoque d'ailleurs dans mon avant-propos au dit ouvrage. Son rôle fut déterminant pour mon élection comme professeur en 1974, en un temps où, les effets de 1968 ne s'étant pas encore complètement propagés jusqu'à l'X, les « vrais » professeurs y étaient peu nombreux et avaient beaucoup de poids. L'enthousiasme de Jean Ullmo et la volonté du directeur général Henri Piatier n'eussent pas été suffisants pour me propulser. Je n'ai jamais perdu le contact

1. Publié aux PUF en 1971.

avec cet homme d'exception. Il devait plus tard essayer de m'enrôler à la Commission nationale d'évaluation des universités dont il fut, je crois, le premier président. J'ai toujours le regret de ne pas m'être libéré pour participer à la cérémonie organisée à Palaiseau pour son départ à la retraite. C'est une visite en 1999 qui me fournit l'occasion de ma dernière vraie conversation avec lui. Ainsi ai-je revu cet appartement de la rue Pierre-Nicolle, apparemment inchangé depuis les années soixante, quand j'allais le voir et qu'il me montrait fièrement sa fabuleuse collection de papillons. Laurent Schwartz, juif qui se disait athée, fut aussi un apôtre des droits de l'homme et à ce titre un pétitionnaire invétéré. Le combat contre toutes les oppressions occupa une partie essentielle de sa vie, aux dépens des maths, mais c'était un vrai choix dont il était fier. Il était convaincu qu'en mettant sa notoriété de savant au service de la morale en politique, il accomplissait son destin d'homme. Ses motivations étaient justes et nobles. Il avait le courage de ses opinions, et il lui en a certainement fallu, en 1960, pour signer le fameux Manifeste des 121 – proclamant le droit à l'insoumission pour les appelés du contingent envoyés en Algérie. Cette prise de position lui valut d'être temporairement révoqué de l'X. Quand je fis sa connaissance, il venait donc tout juste de retrouver son poste. Quant aux Américains, à cette époque, ils ne voulaient pas lui donner de visa ! Les temps ont tellement changé qu'on peine à imaginer tout cela aujourd'hui. Courageux, il le fut également, après 1968, en prônant la sélection à l'Université, et j'entends encore les gauchistes, s'estimant trahis par l'un des plus illustres d'entre eux, vitupérant « le sélectionniste Laurent Schwartz ». Sans doute aussi était-il un peu naïf. Mais seulement jusqu'à un certain point car, et c'était tout lui, sans renier son engagement trotskiste, il avait reconnu que « ça ne marchait pas ». Je me souviens aussi de mon effroi – c'était en 1971 – lorsque, parlant de son fils Marc-André qui avait mon âge et venait de se suicider (comme, peu de temps auparavant, celui d'André Lichnerowicz[1]), il avait eu ce commentaire lapidaire : « Il n'y avait rien à faire, c'était chimique. » C'est que Schwartz était aussi très pudique. J'ai aimé ce grand homme, et lui suis reconnaissant de m'avoir reconnu. À sa manière, il était remarquablement tolérant. Cela mérite d'être souligné pour un homme qui, pendant onze ans, avait été un militant trotskiste. Nous avons souvent parlé politique, et il respectait mes idées comme je respectais les siennes.

2-18 août 2002

Rédaction de mon papier sur le vertigineux problème du temps pour le groupe réuni à l'Académie des sciences morales et politiques par mon confrère Bernard d'Espagnat[2]. Excitation et irritation de « redécouvrir » par moi-même beaucoup de distinctions élaborées par de grands penseurs et, comme à chaque fois que je fais une plongée de ce genre, je sens *physiquement* qu'en se limitant à la philosophie, l'esprit risque de s'égarer complètement.

1. André Lichnerowicz (1915-1998). Également l'un des grands mathématiciens du XXe siècle, l'auteur eut plusieurs fois l'occasion de le rencontrer dans les années soixante-dix.

2. Thierry de Montbrial, « Événements et temps quasi-leibnitzien », in *Implications philosophiques de la science contemporaine*, sous la direction de Bernard d'Espagnat (PUF, 2003). Bernard d'Espagnat (né en 1921) est reconnu comme l'un des grands philosophes des sciences de son temps.

25 août 2002

Lu le rapport d'Emmanuel Grison[1] sur « La Fracture de mai 1968 dans l'histoire de l'École polytechnique », dont il a tenu à m'apporter un exemplaire en mains propres il y a quelques mois. Ce rapport sera précieux pour les futurs historiens de l'École (pour autant que j'aie pu en juger, les ouvrages publiés à l'occasion du bicentenaire étaient hâtifs, incomplets ou inexacts sur bien des points, comme l'évolution de l'enseignement de l'économie à laquelle j'ai présidé de 1974 à 1992), du fait de l'extrême probité de cet homme remarquable, mais aussi parce qu'il a pris beaucoup de notes et constitué de bonnes archives. Il dénonce au passage de graves inexactitudes dans l'autobiographie de Laurent Schwartz[2] et écrit justement : « Méfions-nous des Mémoires qui ne s'appuient pas sur des sources certaines. » Ma propre mémoire sur des évolutions que j'ai vécues, directement et à travers Jean Ullmo ou quelques autres, est vivement stimulée. Sur un plan plus général, ce document m'intéresse aussi par rapport à la notion de réforme, essentiellement pour comprendre l'évolution des entreprises, des institutions, des États, ou plus généralement de ce que dans mes livres j'appelle « unités actives ». En fin de compte, l'art de la réforme s'apparente à celui de l'adaptation.

---

1. Emmanuel Grison (1919-2015) était professeur de chimie à l'École polytechnique à l'époque où l'auteur y était élève. Il y fut par la suite nommé directeur de l'Enseignement et de la recherche, et travailla en totale confiance et amitié avec l'auteur.

2. L. Schwartz, *Un mathématicien aux prises avec le siècle*, Odile Jacob, 1997.

31 août 2002

Conformément à une hypothèse envisagée en 1935 par Einstein et connue sous le nom de « paradoxe EPR » (Einstein, Podolsky, Rosen), dans certaines conditions, un photon peut en engendrer deux « autres » (de moindre énergie bien sûr), mais ces deux nouveaux photons ne constituent en réalité qu'un seul objet, car ce qui se passe sur l'un se passe *instantanément* aussi sur l'autre (pas de vitesse de transmission ; *en apparence*, la théorie de la relativité est contredite). Il y a là de quoi révolutionner encore plus les conceptions de l'espace et du temps !

Relevé cette formule d'Alain Connes[1] : « À chaque fois que j'entends parler d'univers, je n'écoute plus. »

16 octobre 2002 (complété en août 2014)

Plus de deux heures avec le groupe de philosophes des sciences réuni par Bernard d'Espagnat. Quelques ouvertures pour approfondir le thème du temps, en particulier chez un astrophysicien théoricien, Éric Bois, qui se déclare proche de ma pensée et dit apercevoir comme moi une « souche newtonienne » dans le temps de la relativité générale. Pour moi, le temps qui passe est d'abord une donnée immédiate de la conscience, que la possibilité de la science a dans une première phase permis de conceptualiser comme un objet mathématique a priori indépendant de toute référence à la

1. Mathématicien français, né en 1947. Professeur au Collège de France, médaille Fields 1982.

matière ou à l'énergie, le temps newtonien. Ne se satisfaisant pas de ce raccourci, l'approche leibnitzienne part de la notion humaine d'événement – non pas dans le sens de la théorie de la relativité, mais dans celui élaboré par les psychologues et les historiens. Dans cette conception, une construction mathématique du temps –formellement équivalente au temps newtonien et donc naturellement prérelativiste – peut s'effectuer à partir d'une relation d'ordre partiel, intersubjectivement fondée, entre les couples d'événements. D'un point de vue purement formel également, cette construction est de même nature que par exemple celle de l'utilité cardinale en économie. Pour moi, toute représentation du temps a une souche leibnitzienne. En physique, la remise en cause par le « haut » (relativité générale) et par le « bas » (physique des particules) suppose un objet au départ, auquel on ne peut pas ne pas se référer. Ainsi le temps de la relativité générale est-il localement approximativement newtonien. Le langage ordinaire semble inévitablement piégé dans le temps leibnitzien. Ainsi s'interroge-t-on sur ce qui se passait « avant le big-bang », sur le « temps qui s'est écoulé depuis le big-bang », sur ce que l'on était « avant » ou ce que l'on deviendra « après » la mort etc. Certaines philosophies orientales permettent cependant de concevoir l'abolition du temps, comme le *nirvana* du bouddhisme, ou dans des idées comme « l'éternité est dans l'instant ». Dans sa tentative impressionnante en vue d'analyser la psychologie de la conscience du temps, Husserl a implicitement recours au temps (newtonien ou leibnitzien) pour « expliquer » celle-ci. Pour dominer cette circularité, il faut selon moi partir de la conscience pour aller vers le temps leibnitzien, puis revenir à la conscience. Je pense que les concepts radicalement indéfinissables de conscience et de temps sont inséparables.

28 octobre 2002

Académie. Henri Amouroux a-t-il raison d'affirmer qu'Alain Peyrefitte a mieux réussi sa vie intellectuelle que sa vie politique ? Ou bien a-t-il « raté » l'une et l'autre ? Lui seul, au moment de mourir (il s'est fait prolonger pour achever de corriger les épreuves du tome III de *C'était de Gaulle*), détenait la réponse à cette question très personnelle. La réussite ou l'échec d'une vie, c'est en effet, au bout du compte, un jugement en vérité de soi sur soi.

Communication de Gabriel de Broglie sur « le mouvement des langues », articulé autour de trois thèmes : instrument de pouvoir, efficacité, rayonnement. Pour moi, la meilleure façon de « défendre » le français serait de nous organiser pour attirer davantage de très bons étudiants étrangers dans nos universités et dans nos laboratoires... Encore faudrait-il pouvoir réformer nos établissements en conséquence, comme on l'a entrepris dans les grandes écoles. J'interviens, mais sur un autre point, en expliquant pourquoi, dans de nombreux cas, la meilleure façon de porter nos couleurs est de parler ou d'écrire en anglais. Je soulève en particulier le problème des mauvaises interprétations ou traductions, ainsi que ce fait culturel fondamental : on ne construit pas le discours de la même façon dans une langue ou dans une autre. Cela me vaudra un billet de Jean-Claude Casanova : « Cher Thierry, vous avez été *formidable* [c'est lui qui souligne], mais nous sommes en minorité. Hélas ! » Alain Besançon me parlera de la même façon.

10 novembre 2002

Trouvé, chez l'astrophysicien Jean-Pierre Luminet (nom prédestiné...), l'auteur d'un livre intitulé *Les Univers chiffonnés*, cette belle phrase d'Héraclite : « La nature aime se cacher. L'harmonie de l'invisible est plus belle que celle du visible. »

17 novembre 2002

Je relève, en exergue de *L'univers sans repos* d'Éric Bois[1], cette remarquable réflexion d'Einstein : « Il existe une passion de comprendre comme il existe une passion pour la musique. Cette passion est plutôt commune chez les enfants, mais elle se perd chez la plupart avec l'âge. Sans cette passion, il n'y aurait ni mathématiques, ni sciences de la nature. À maintes reprises, elle a conduit à l'illusion que l'homme est capable de comprendre le monde objectif rationnellement, par la pensée juste, sans fondement empirique quelconque – bref, par la métaphysique. Je crois que tout véritable théoricien est une espèce de métaphysicien apprivoisé, si forte que soit sa conviction d'être un "positiviste" pur. »

27 novembre 2002

« On écrit pour soi », me dit Bernard Bourgeois[2], le président de la Société française de philosophie, lors de sa visite

1. Éd. Peter Lang Publishing, 2002.
2. Bernard Bourgeois (né en 1929) est particulièrement connu comme un grand spécialiste de Hegel.

de candidature à l'Académie. Dans une certaine mesure, c'est vrai. Si l'on veut réellement « écrire pour les autres », on risque d'avoir à asservir l'offre à la demande, ce qui – sauf exceptions – est tout autre chose que de la création. Les éditeurs américains sont orfèvres en la matière, comme les producteurs de cinéma ! Il n'empêche que, lorsqu'on écrit quelque chose, on espère tout de même semer. Sinon, il n'y aurait qu'à tout détruire. Je n'ai jamais entendu parler, sauf dans des contes, d'un auteur qui soit allé jusque-là…

28 novembre 2002

Reçu le professeur Gabriel Blancher, pédiatre, soixante-dix-neuf ans, qui présidait l'an dernier l'Académie de médecine. J'oriente la conversation vers le couple volonté-liberté et ce que j'appelle les chiffonnements de l'esprit. Parfois, l'individu est submergé, et sa volonté-liberté se trouve provisoirement anéantie. Tout est dans le « provisoirement ». Pour qui veut croire à la survie de l'âme, le chiffonnement d'Alzheimer lui-même est provisoire. Avec cela, on n'est pas très loin du problème du suicide, et du désespoir qui est souvent la conséquence d'un sentiment d'abandon. Les grands malades sont d'ailleurs extraordinairement attentifs aux moindres indices de détournement d'attention à leur égard. Blancher en donne un exemple à propos d'un enfant atteint d'une leucémie et qui était sur le point de mourir. Ce jour-là, le médecin était passé plus vite que de coutume. Il avait senti dans le regard du petit que celui-ci interprétait cette hâte comme le signe de sa fin prochaine. En écoutant cela, j'ai le sentiment d'avoir en face de moi un homme et non un candidat. Finalement, j'interroge le candidat Blancher

– qui se dit croyant – sur le clonage humain et la signification du point de vue de la conscience, de la « fabrication » de deux (ou plusieurs) êtres « identiques ». Sa réponse est que le problème se pose déjà pour des jumeaux homozygotes dont les cerveaux fonctionnent, en quelque sorte, en phase. Les astrologues disent quelque chose comme ça, plus généralement, pour les personnes nées au même moment et au même lieu.

6 décembre 2002

Reçu le philosophe Rémi Brague. Pour lui, il n'y a qu'une seule morale, certes avec des expressions variables selon les cultures, et cette morale répond à la quête humaine du bonheur. Il est donc a priori en désaccord avec mon idée théorique de « morales non euclidiennes ». Pour justifier sa position, il tire argument de ce que les hommes continuent de procréer, ce qui serait un crime si « la vie ne valait pas la peine d'être vécue », pour parler simplement. Mais il écoute tout de même ma remarque selon laquelle, dans une « morale non euclidienne », il pourrait être justifié de faire sauter la planète ou du moins d'éradiquer le genre humain, dans la mesure où, selon un raisonnement utilitariste fort simple, le « sacrifice » de quelque six milliards d'individus (et encore, serait-ce vraiment un sacrifice pour beaucoup d'entre eux ?) aurait pour contrepartie la non-naissance de centaines de milliards de souffrants potentiels. Quoi qu'il en soit, nous poursuivons lui et moi le même objectif, puisqu'il se dit croyant, et moi, je veux penser qu'il n'y a pas de véritables fondements de la morale sans référence à Dieu.

14 décembre 2002

Cet après-midi, je tombe sur un chapitre du *Génie du christianisme*, p. 255 du tome I de l'édition originale, intitulé : « Qu'il n'y a point de Morale, s'il n'y a point d'autre Vie. Présomption en faveur de l'Âme, tirée du respect de l'Homme envers les Tombeaux. » J'incline du côté de Chateaubriand[1], mais il se trompe en écrivant : « Il est certain que quand les hommes perdent l'idée de Dieu, ils se précipitent dans tous les crimes, en dépit des lois et des bourreaux. » Tout est dans la signification de la locution « perdre l'idée de Dieu ». Lecture et dîner avec Alexandra, en attendant le retour de MCh de Vienne. Je me demande, décidément, pourquoi Schalom Asch n'est pas davantage connu. Combien y a-t-il ainsi d'œuvres « injustement » délaissées ? Mais la « justice » a-t-elle à faire avec la loterie du destin ?

24-31 décembre 2002

Parcouru de nombreux ouvrages sur mes intérêts permanents ou du moment, ainsi que ceux pour lesquels je m'apprête à rédiger des mots de remerciement. Celui de Jean-Denis Bredin sur le procès Mendès France m'intéresse, car il me permet de mieux comprendre les raisons du mendésisme et, comme je l'écris à l'auteur, le sens d'une formule

1. Voir le chapitre « Le sens de l'Histoire », dans Thierry de Montbrial, *Il est nécessaire d'espérer pour entreprendre. Penseurs et bâtisseurs*, *op. cit.*

de Goethe à laquelle je pense souvent : « Homme, quand comprendras-tu que ta grandeur est de ne pas aboutir ? »

Jacques et Marie-France Bodin[1] nous rejoignent à Gordes le 28 pour la fin de l'année. Heureux de retrouver Jacques au meilleur de sa forme personnelle et intellectuelle. Nous débattons abondamment sur le thème de l'« existence » d'une morale universelle laïque *versus* les morales « non euclidiennes » que j'avais – trop rapidement – abordées avec Brague. Jeu de l'esprit assez amusant, parce que nous sommes tous deux relativement rapides. Mais en ce qui concerne les *croyances* les plus fondamentales (Dieu...), elles sont radicalement intransmissibles, ni positivement ni négativement, car nos mots ne sont que des mots...

7 janvier 2003

Ce jour aussi, poursuite de mes réflexions sur ce que j'appelle le triangle cosmique, dont les trois pôles, associés respectivement au beau, au vrai et au bon, sont en réalité inséparables. Autrement dit, il y a une circulation dans ce triangle comme entre les atomes d'une même molécule. Les Grecs associaient d'ailleurs le beau et le bon dans la locution *kalos kai agathos* (καιόξ καϊ αγαθόξ) ou *kalos kagathos* (καιόξ καγαθόξ), avec souvent la signification « de bonne naissance » ou « de haut rang » (voir dictionnaire Bailly). Pour moi, le « vrai » au sens des logiciens se situe dans le beau, c'est-à-dire la contemplation du cosmos. Le vrai au sens du triangle cosmique, je le vois pour chaque homme dans l'approfondissement de son destin et donc, en ce

1. Belle-famille de l'auteur.

qui concerne l'action, dans le *kairos*. Globalement, ce qui importe pour chaque homme, c'est l'*incarnation* et donc la vérité de « son » triangle…

10 février 2003

À l'Académie, communication d'Alain Besançon sur Dostoïevski, le seul écrivain russe selon lui qui ait marqué la littérature mondiale. Arrière-plan dramatique de sa vie : son père, un homme odieux, fut castré et assassiné par ses serfs ! Toute sa vie, il fut épileptique. Condamné à mort, sa peine fut commuée au pied de l'échafaud. Il fut aussi, un temps, pris par le démon du jeu. Alain Besançon insiste sur ses idées politiques, assez médiocres (un nationaliste invétéré), et sur certaines caractéristiques de ses personnages (les « mutations spontanées » de personnalité). *Les Démons* sont qualifiés d' « un des plus grands romans jamais écrits », une préfiguration du XXe siècle. Dostoïevski ne croit pas vraiment en Dieu, sinon en tant que pilier de l'ordre social (comme Charles Maurras !), et ce malgré quelques formules brillantes du genre : « Le péché est la condition de la grâce. » Il croit toutefois dans le Christ et dans la Russie. Il déteste le monde « plein de bêtes horribles » mais entrevoit parfois « une sorte d'Arcadie lumineuse ». Tout cela dit, conclut Besançon, « Dostoïevski échappe à la dimension où je l'ai enfermé », ce qui me conduit à remarquer que, dans l'essence du génie, il y a toujours une démesure.

7 mars 2003

Lu, dans l'avion, l'introduction – évidemment très polémique – du livre de Pierre Péan et Philippe Cohen sur le quotidien *Le Monde*[1]. Je relève (p. 18) ce propos du fondateur, Hubert Beuve-Méry, à mon avis essentiellement juste : « J'ai toujours maintenu ce principe de fond que la morale est autre chose que la politique. » Plus précisément, je dirais que la morale intervient en politique soit à travers des convictions individuelles, soit à travers l'idéologie qui exerce une contrainte sur les dirigeants, soit à travers des institutions ou plus généralement, dans mon langage, des « unités actives ».

2 juin 2003

« L'impossible, on n'est pas sûr de l'atteindre. Mais il nous sert de lanterne » (René Char).

24 juin 2003

Quand on se noie ou qu'on a une syncope, les éventuels témoins sont plus effrayés que la victime. Ce sont les vivants qui ont peur de la mort...

25 juin 2003

Tout près du Vatican. Le soir, je m'échappe pour dîner seul, non loin de la piscine, suffisamment tout de même pour avoir de la lumière et pouvoir lire une vingtaine de pages de *La Pesanteur et la Grâce*. J'aime les contrastes, et celui entre ma situation immédiate et ma lecture est de taille. Ce qui

---

1. Pierre Péan et Philippe Cohen, *La Face cachée du Monde*, document Mille et Une Nuits.

est vraiment merveilleux dans les pensées de Simone Weil, ce n'est pas la construction intellectuelle. C'est la recherche sans concession, et sublimement intériorisée, du vide absolu comme l'équivalent du plein absolu, le $\varnothing = \infty$ de mes élucubrations philosophico-mathématiques, ou le nirvana des bouddhistes. Cela dit, avant de gratter du papier sur ce génial opuscule, je ferais bien de le lire et le relire plusieurs fois.

30 juin 2003

Déjeuner à La Frégate avec Régis Debray, avant sa communication à l'Académie, sobrement intitulée « Dieu ». Une fois de plus, il se dit intrigué par mon propre parcours, qui ne correspond pas selon lui au cliché de « l'homme qui est né avec une cuillère en vermeil dans la bouche, et à qui tout a réussi », ce qui lui fait dire superbement, au moment où nous partons – lui à bicyclette, moi à pied vers La Coupole : « Votre cas m'intéresse. » En sens inverse, j'ai toujours éprouvé une réelle sympathie pour cet esprit puissant. Il rit de bon cœur quand je lui parle de Jacques Soustelle, qu'on dit être son père. « C'est Alexandre Adler qui répand cette histoire. » Sur un tout autre registre, je note que son Centre d'études des religions est subventionné par l'État, et ce, dit-il, « grâce à Chirac ». Une occasion de plus de noter que le successeur de Mitterrand lui aussi, à sa manière, sait y faire avec les « intellectuels de gauche »...

Sur Dieu, Régis s'exprime de façon voltairienne. Beaucoup de formules percutantes, comme le renversement de la boutade du plus célèbre des « intellectuels » : L'homme a fait Dieu à son image, et Dieu le lui a bien rendu » [avec toutes les horreurs, genre Saint-Barthélemy]. Ou encore :

« Celui qui unit divise, et on ne sait pas qui l'on est quand on ne sait pas à qui l'on s'oppose. » Pas sûr. Pas évidente non plus cette assertion : « Le culte de la Vierge Marie et des saints a comblé le déficit de pluralité. » Pas une fois RD ne prononce le mot amour. Dans le débat, Chaunu s'engouffre dans la brèche : « Le problème n'est pas qu'Il existe, c'est qu'Il nous aime. » Voir I Jean, 4 : « Dieu est amour. » Zemb s'enflamme : « Votre Dieu n'a plus de mystère. Le mien n'a que cela. » Michel Albert s'indigne : « La Trinité, pour vous, n'est qu'un déficit de pluralisme… »

10 août 2003

Lecture attentive de *Oui patron*[1]. Bérengère Arnold[2] m'a mis entre les mains ce livre de Philippe Boegner sur le grand homme de presse que fut Jean Prouvost, publié en 1976. L'auteur, fils d'un pasteur bien connu en son temps, fut « son collaborateur au plus haut niveau, son compagnon, son confident des bons et des mauvais jours pendant de longues années ». Jusqu'au jour de la rupture, au début des années cinquante. Fort intéressant sur divers plans. Comme tous les entrepreneurs charismatiques, Prouvost était intuitif (toujours le thème de l'intuition !), imaginatif, monomaniaque, ingrat, insupportable mais capable de susciter les dévouements les plus durables comme les haines les plus tenaces (toujours le thème de l'*invidia* !). Tout cela est fort bien rendu. On voit aussi le héros, après la guerre, se débattre en vain pour retrouver son bien le plus précieux, c'est-à-dire

1. Éd. Julliard.
2. À l'époque, collaboratrice du ministre Hervé Gaymard.

son aura, et cette dernière partie du livre donne particulièrement à méditer. L'épisode de la guerre et la traque de la Libération sont remarquablement rapportés. Mes lectures d'autrefois de Robert Aron, etc., me reviennent à l'esprit, et j'aurais envie dans la foulée de me plonger dans les volumes d'Henri Amouroux! Quelle horrible période. Les Français ne s'en sont toujours pas remis. Le livre de Boegner – fort agréablement écrit – m'intéresse aussi par ce qu'on peut y apprendre sur la notion de « grand public » et sur l'histoire de la presse française. J'avais oublié que c'est Prouvost qui a vendu *Le Figaro* à Hersant... Et de m'interroger, à nouveau, sur Dassault, aujourd'hui...

Dans cet ouvrage, on voit défiler les noms de beaucoup de célébrités oubliées. Et pourtant, tout cela n'est pas bien vieux. *Sic transit gloria mundi.* Je ne résiste pas à l'envie de recopier un passage (p. 60-61). C'est Jean Prouvost qui parle. Nous sommes en 1939.

« Connaissez-vous l'histoire de la loterie espagnole ? Quelques jours avant l'un des tirages, une pauvre vieille femme d'un faubourg de Séville se présente chez le marchand de billets :

– Je voudrais avoir, dit-elle, le billet numéro 64.

Le marchand, étonné, la dévisage, feuillette les liasses.

– Ce billet est vendu, lui dit-il, prenez-en un autre.

– Non, répond la vieille, je désire le numéro 64 et le paierai plus cher s'il le faut.

De plus en plus surpris, le marchand reprend ses liasses.

– C'est le boucher de la rue San Pedro qui l'a acheté.

Et voilà notre vieille chez le boucher.

– Vendez-moi le billet numéro 64.

Le boucher la dévisage et, comme elle a la réputation d'être un peu folle :

– Je vous en demande le double, lui dit-il, mais il faut aller le chercher à Madrid, car je l'ai pris de moitié avec un collègue de cette ville.

– Entendu, répond la vieille.

Rentrée au logis, elle vend ses pauvres meubles et ses hardes pour se procurer l'argent du voyage, et quelques jours après elle revient de Madrid avec le précieux billet acquis avec tant de difficultés.

Le tirage de la loterie a lieu et le numéro 64 gagne le gros lot d'un million de pesetas. L'histoire s'étant ébruitée dans la ville, les journalistes accourent chez la vieille.

– Vous avez gagné le gros lot.

– Je ne lis jamais les journaux, mais j'en étais sûre.

– Pourquoi donc ?

– Voici. J'avais fait un rêve. Huit anges me sont apparus, tenant chacun un chandelier à sept branches. *8 fois 7 font 64*. Le numéro 64 devait gagner le gros lot.

Comme celle de cette pauvresse, combien de réussites éclatantes sont nées d'une erreur. La volonté, la foi l'emportent souvent sur les plus savants calculs. »

Autres remarques glanées au passage. À propos d'une interview nocturne avec l'infatigable Pierre Laval : « Je pense au mot d'Herriot : la politique est d'abord une sélection physique… » (p. 100). Il n'y a pas que la politique, d'ailleurs. Dans la vie que je mène, la « sélection physique » joue aussi, ô combien !

À propos de ses démêlés avec la « justice » à la Libération, Jean Prouvost dit à Philippe Boegner : « *Paris-Soir* c'était un grand journal, c'est pour ça qu'on m'en veut, que je dois me cacher chez vous. En France, dès que vous avez du succès, dès que vous dépassez les autres d'une courte tête, c'est à celui qui vous tirera dessus... » (p. 190). Hélas, qui pourrait dire le contraire ?

Intéressante, cette référence à JLSS : « Dans son livre *Le Pouvoir d'informer*, Jean-Louis Servan-Schreiber classe les patrons de presse en trois catégories : les collectionneurs (ceux qui achètent des journaux que les autres ont créés), les imitateurs (ceux qui sont capables d'adapter dans leur pays des formules qui ont du succès à l'étranger), les créateurs (ceux qui inventent une nouvelle formule) » (p. 271-272). Selon Boegner, Prouvost fut créateur au début de sa vie et imitateur à la fin... Jusqu'à preuve du contraire, Serge Dassault n'est qu'un collectionneur...

29 août 2003

Lu dans l'avion un article très documenté sur les systèmes de communication des chauves-souris. Comme à chaque fois qu'on étudie le « fonctionnement » d'un animal, fût-il le plus modeste, on est saisi d'admiration. Les matérialistes, parce qu'ils « comprennent », sont encouragés dans leur matérialisme. Les spiritualistes, parce qu'ils comprennent que leur « compréhension » est insuffisante, sont encouragés dans leur spiritualité...

Deux définitions de la littérature, données par Angelo Rinaldi : « un excès de finesse » et « une dépression nerveuse dominée par la grammaire ». L'une et l'autre sont fort restrictives, mais intéressantes.

30 août 2003

Achevé *Samarkand* d'Amin Maalouf. Ce livre m'a émerveillé. Par son charme et son mystère, bien sûr. Mystère de l'Orient. Mystère de l'amour. Entre autres. Envie de me précipiter sur les *Rubaïyat* d'Omar Khayyâm, sans doute peu connus en France quand Gérard Lebovici – un homme qui, lui aussi, eut un destin – les a publiés dans sa maison d'édition Champ libre. Formidable source de réflexion sur les rapports entre la vie extérieure (le pouvoir) et la vie intérieure (la contemplation, la poésie, la science). Certains personnages trouvent le sens de leur vie dans le non-faire, d'autres dans la recherche d'une trace ou d'un impact, mais la différence est-elle aussi nette ? Omar Khayyâm est sage parmi les sages, mais il accorde de l'importance à son livre. Toutefois, lorsque celui-ci est volé par les sbires d'Hassan Sabbah, qualifié de « génial fondateur de l'ordre des Assassins », il se refuse à le reconstituer : « Il semble que Khayyâm ait tiré du rapt de son manuscrit un sage enseignement : plus jamais il ne chercherait à garder prise sur l'avenir, ni le sien, ni celui de ses poèmes. » Quelque huit siècles plus tard, le seyyed Djamaleddine, apôtre de la renaissance islamique, descendant du Prophète, est lui aussi un sage, et pourtant l'un de ces hommes qui veulent changer le monde. Il n'y a pas qu'une seule forme de sagesse !

Document historique, aussi : une belle introduction à la période seldjoukide, dans la première partie du livre ; à la décadence de l'Empire ottoman et à celle des Kadjars à la fin du XIXe siècle. Amin Maalouf joue admirablement de la corde du temps court comme de celle du temps long, et nous rappelle, à sa manière qui n'est pas celle de Braudel, que si l'histoire connaît parfois des bifurcations, elle ignore les véritables discontinuités (comme en un certain sens les mathématiques, si je puis oser pareil télescopage, après mon étude sur Laurent Schwartz[1]). L'histoire des Turcs se prête bien à l'illustration de cette affirmation, et j'en dirai peut-être quelques mots dans ma communication à l'Académie en 2004[2]. Dans le roman lui-même, la discontinuité, d'abord un peu déconcertante pour le lecteur, qui apparaît lorsqu'on saute du « paradis des Assassins » à « la fin du millénaire », n'en est pas véritablement une. Et, lié à ceci, je tiens à souligner tout particulièrement un point. *Samarkand* a été publié en 1988. Maalouf l'a donc écrit sous le choc de la révolution khomeyniste. L'Iran en est le cadre. L'histoire des Assassins s'inscrit dans la tradition chiite. Au moment où il s'apprête à semer la désolation sur l'empire, Hassan dit à Khayyâm : « Je suis l'apôtre de la Nouvelle Prédication, je parcourrai le pays sans relâche, j'userai de la persuasion comme de la force et, avec l'aide du Très-Haut, j'abattrai le pouvoir corrompu. Je le dis à toi, Omar, qui m'as sauvé un jour la vie : le monde assistera bientôt à des événements dont peu de gens comprendront le sens. Toi, tu comprendras, tu sauras ce qui se passe, tu sauras qui secoue cette terre et comment va se terminer le tumulte. » L'auteur réfute

1. Allusion à la théorie des distributions de Laurent Schwartz, qui permet en un certain sens de surmonter les difficultés soulevées par les discontinuités en analyse mathématique classique.

2. Communication sur la Turquie et l'Europe. La thèse de l'auteur était que l'Union européenne ne pouvait pas ne pas engager les négociations d'adhésion avec la Turquie, ce qui ne voulait pas dire qu'elles aboutiraient.

l'hypothèse selon laquelle les Assassins étaient drogués. Les envoyés d'Hassan étaient « formés » pour se sacrifier ici-bas, en tuant au nom de l'au-delà. Et en lisant tout cela quinze ans après, j'avais l'impression qu'on m'expliquait non pas Khomeiny mais Ben Laden.

13 octobre 2003

« Nul n'est prophète en son pays » : réflexion en fin de journée, sur l'idée à la fois profonde et évidente (comme souvent) qu'il est plus facile d'être reconnu en dehors qu'à l'intérieur de sa « tribu ». Au-delà des « frontières », rivalités et mesquineries changent de degré et surtout de nature. C'est toujours la même chose : on voit mieux de loin ! Je ne sais où se trouve la calligraphie énonçant cette sentence, que j'avais achetée en Chine en 1979, ni même si elle a survécu à mes pérégrinations !

1er janvier 2004

Vu, sur Arte, une partie de l'inauguration de la Fenice – détruite dans un incendie en 1996 et reconstruite après une incroyable saga – avec un concert de Lorin Maazel. Magnifique. La reproduction de la Fenice suscite mes réflexions habituelles sur la signification de la « conservation » des œuvres humaines. Comme pour les temples en bois d'Isé, la conservation c'est la reproduction. Toujours. Conserver, c'est témoigner. Témoigner est le propre de l'Homme. Peut-être reconstituera-t-on les statues de Bamiyan, détruites par les talibans en Afghanistan, ou la citadelle de Bam, abattue par le tremblement de terre qui vient d'anéantir cette ville iranienne et de tuer une quarantaine de milliers de personnes !

2 janvier 2004

Soirée sur Arte, pour voir l'adaptation produite il y a quelques années par Christine Gouze-Rénal de *La Marche de Radetzky*. Trois heures et demie de vrai spectacle. Comme toute adaptation d'un grand livre, celle-ci est réductrice. Ainsi, nulle trace de cette ironie mordante qui entre dans la combinaison des talents de Joseph Roth. Pour l'essentiel cependant, je retrouve avec beaucoup d'intérêt ce regard dépressif sur la fin d'un monde, vue à l'aune de l'Empire austro-hongrois et de la vie de François-Joseph. Une vision désespérée, qui naturellement suggère que l'explosion finale était inéluctable. Et donc une application sublime, dans le secteur du roman ou du cinéma cette fois, de l'illusion du déterminisme rétrospectif que je ne cesse de dénoncer chez tant d'historiens. Pour moi, les phénomènes complexes n'ont jamais qu'une seule cause ; les bifurcations résultent de la rencontre de séries causales indépendantes, pour parler comme Cournot ; ce qui est aurait pu ne pas être, ce qui devient aurait pu ne pas devenir. Dans la trajectoire humaine, il y a la part de l'action des hommes, et celle du destin. Quoi qu'il en soit, il ne doit pas y avoir de place pour le désespoir. Car toute fin est aussi un commencement.

19 janvier 2004

Académie. Alain Besançon fait une communication intéressante mais très conservatrice sur les frontières de l'Europe. Il conclut en affirmant qu'« elle s'arrête là où elle s'arrêtait au XVIIe siècle ». Pour lui comme pour la plupart de mes confrères, l'idée d'un élargissement de l'UE à la Turquie est inconcevable. Édouard Bonnefous[1], toujours aussi alerte, parle du rôle éminent de la franc-maçonnerie dans la carrière d'Atatürk. Évocation, plus généralement, du rôle des liens tribaux dans cette partie du monde.

1er mars 2004

À l'Académie, communication d'Antoine Sfeir, directeur de la rédaction des *Cahiers de l'Orient*, sur « L'Europe vue du monde arabo-musulman ». Pour lui, l'Europe n'est plus chrétienne, d'où une formidable méprise. Comme le rappelle Jean Tulard[2], on a substitué les Lumières à la chrétienté, et c'est derrière la façade des Lumières que Bonaparte a conduit l'expédition d'Égypte, laquelle avait aussi, évidemment, bien d'autres motivations immédiates et concrètes. Mais les Lumières, aujourd'hui, sont bien vacillantes.

3 avril 2004

Après dîner, vu un épisode d'une série d'Arte sur les Évangiles. Il s'agit cette fois de l'Immaculée Conception,

---

1. Édouard Bonnefous (1907-2007). Homme politique, membre de l'Académie des sciences morales et politiques, il fut longtemps chancelier de l'Institut de France.

2. Jean Tulard (né en 1933). Historien, spécialiste de Napoléon. Membre de l'Académie des sciences morales et politiques.

de savoir en quel sens Jacques était frère de Jésus, etc. Pour moi, l'aspect biologique de la question n'a qu'une importance limitée. Mais les hommes ont une capacité infinie de guerroyer pour des questions secondaires ou tertiaires.

12 avril 2004

Vu samedi soir sur Arte une partie de la passionnante série d'émissions sur le Nouveau Testament. Cet épisode est consacré au personnage de saint Paul, l'« avorton de Dieu » qui était peut-être humble, mais avait une très haute idée de sa mission sur la terre.

30 mai 2004

Fès. Longue matinée sous le chêne plusieurs fois centenaire du musée Batha. De quoi protéger une estrade avec une bonne vingtaine de personnes, si nécessaire. Discours beaucoup trop long et laborieux, ânonné et pourtant non dépourvu d'intérêt, du Suisse Richard Ernst, prix Nobel de chimie 1991, cofondateur de l'initiative *Science meets Dharma* sous le haut patronage du Dalaï Lama. Vaste programme. Je participe ensuite à une table ronde sur « Les spiritualités face aux problèmes du monde ». Rien que ça. Mes partenaires dans cet exercice : Jacques Attali, Idrissa Seck (Premier ministre du Sénégal jusqu'à il y a quelques jours), Matthieu Ricard, Frédéric Lenoir et une universitaire indienne dont je n'ai pas fixé le nom. La pauvre ne connaît pas le français et on n'a pas prévu de traduction pour elle, ce qui ne lui facilite pas la tâche. Tout cela précédé et suivi de quelques mots de Faouzi Skali, le directeur général du Festival, un anthropologue marocain d'aspect un peu sévère, spécialiste et adepte du soufisme. Attali fulmine contre la passivité ou la résignation, selon lui, du bouddhisme, un contresens que Matthieu Ricard s'emploie doucement à corriger. Il s'insurge quand je dis que les institutions religieuses en général et l'Église catholique en particulier doivent se purifier, c'est-à-dire revenir à leurs sources spirituelles. Peut-être mon vieux camarade a-t-il cru que je parlais de « purification ethnique » ! Je note au passage qu'il considère le pape comme « n'importe quel rabbin ». Le jeune Seck – débarqué par le vieux Wade[1] sans doute parce qu'il était trop pressé d'enterrer son bienfaiteur – s'emploie lui aussi à donner des leçons de sagesse. Très imaginatif et brillant, au demeurant. Il cite des versets du Coran, en arabe. Mohamed Kabbaj[2] nous dira plus tard qu'en fait il ne parle pas cette langue, mais il a appris par cœur le livre saint ! L'Indienne, les yeux rivés vers le ciel, fait l'éloge de Gandhi et explique, à la manière du Dalaï Lama, que toutes les religions sont des voies (difficiles...) qui conduisent toutes (en principe...) au même sommet, lequel est « un point ». Dans mon intervention, je dénonce aussi (sans le dire explicitement) le pharisianisme, et plaide pour la cohérence entre les belles envolées qui font vibrer les audiences à bon compte et l'action effective, politique en particulier, des faiseurs de discours. À bon entendeur, salut. Seck, qui est fort habile, reconnaît que la parole et les actes peuvent

1. Abdoulaye Wade, président du Sénégal entre 2000 et 2012.

2. Mohammed Kabbaj, polytechnicien, ancien ministre du roi Hassan II, fondateur et à l'époque président du Festival des musiques sacrées de Fès.

être en contradiction, parce que « la parole est un élément du corps ». Mais, selon lui, il n'y aurait pas de contradiction possible entre l'*esprit* et les actes... Par association d'idées, je repense à une formule que je n'avais pas notée l'autre jour : on vit comme on est né ; on meurt comme on a vécu. Avec cela, il y a tout de même la part de la liberté.

19 juin 2004

Achevé de lire très attentivement le livre de Jean-Paul II, *Levez-vous ! Allons.* C'est une réflexion sur l'activité pastorale, c'est-à-dire la mission des évêques. Je suis impressionné par le texte, empreint de vérité et d'humanité. Un point me touche particulièrement : le pape cite toujours les gens par leur nom, et d'une façon très personnelle. La tendance actuelle dans l'édition des Mémoires, journaux intimes, essais personnels, etc., est de supprimer les noms propres quand ils ne sont pas connus du grand public.

22 août 2004

Lectures diverses et méditations. Une nouvelle très initiée d'Éliette Abécassis, intitulée *Le Voyant.* L'essai de Stefan Zweig, *Violence contre conscience*, sur le conflit entre Jean Calvin et Sébastien Castellion. Ouvrage passionnant en soi et par rapport à la personnalité, sombre et pourtant lumineuse, certainement géniale, de Zweig. Horrible image d'intolérance que celle de son Calvin. À côté de ce drame, l'échec d'Érasme face à Luther (une de mes lectures de l'an dernier) fait pâle figure. Que de turpitudes, décidément, a-t-on commises au nom du Christ ! Nous devrions être un peu plus prudents quand nous jugeons les cavaliers d'Allah ou jetons l'opprobre sur les imams et autres ayatollahs. Dans un autre genre, je lis attentivement *Le Défi hongrois : de Trianon à Bruxelles* de mon ami Pierre Kende[1], une excellente synthèse qui aide à mieux comprendre le destin de l'Europe centrale et le sens de la construction européenne. Je me plonge avec délices dans l'admirable dialogue entre Matthieu Ricard et l'astrophysicien Trinh Xuan Thuan, *L'Infini dans la paume de la main*, publié en 2000[2]. Le concept bouddhiste de « vacuité », qui signifie interdépendance cosmique et non pas néant, la distinction entre vérité absolue et vérité relative, la notion de Voie du Milieu (*madhyamika*) qui rejette dos à dos le nihilisme et la croyance dans les « choses en soi », la conception de la souffrance et celle déjà plus délicate du *samsara*, ou encore les Quatre Nobles Vérités, tout cela me parle et, en ce qui concerne la philosophie des sciences et celle de la conscience, éclaire les voies dans lesquelles je me sens déjà largement engagé depuis quelques années.

En fouinant dans mes notes, je retrouve, notamment à la date du 24 août 2003, le triangle : le beau (contemplation du cosmos) ; le vrai (accomplissement d'un destin) ; le bien (amour incarné) – avec l'idée de « circulation » dans ce schéma. Parfois, je suis tenté de l'exprimer dans le langage des vertus théologales : la foi, l'espérance et la charité. Quoi qu'il en soit, j'avais ajouté en note : « À relier à la flèche du temps selon Teilhard ; la "partition de l'unité" (Monsieur Teste) et la communion des saints ; le vrai sens de la

1. Éd. Buchet-Chastel, 2004.
2. Éd. Pocket, 2002.

praxéologie [et donc de l'action]. » Un mot sur la « partition de l'unité ». Il s'agit d'un théorème mathématique qui joue un rôle important dans la théorie de la mesure. En évacuant toute considération technique, ce théorème s'énonce à peu près comme suit : soit un espace X d'étendue illimitée mais localement « compact » (c'est-à-dire serré) et un « recouvrement » de cet espace par un nombre quelconque d'ensembles « ouverts » ; on peut associer à chacun de ces ensembles une fonction continue, comprise entre 0 et 1, nulle en dehors de cet ensemble, de sorte que sur X la somme de toutes ces fonctions soit strictement identique à l'unité. Cet énoncé peut sembler abscons, quoique même un non-mathématicien puisse en saisir intuitivement la beauté et la profondeur philosophique. Comment, en effet, ne pas penser à Paul Valéry et à sa recherche de l'esprit universel à travers une interprétation de Léonard de Vinci ou l'invention de Monsieur Teste ? Et d'un autre point de vue, la communion des saints n'est-elle pas l'unité constituée par la « somme » d'une multitude d'individualités ?

[En relisant (en août 2014) mes notes en vue du présent livre, j'ai envie de recopier ces quelques lignes de mon confrère Bertrand Saint-Sernin : « L'expression "communion des saints" apparaît dans la profession de foi chrétienne (le *credo*) de l'Occident latin à la fin du Ve siècle. L'idée, en revanche, se trouve déjà dans les Évangiles, dans les écrits de Paul et même dans l'Ancien Testament. Elle reçoit sa forme philosophique achevée chez saint Augustin. L'idée est la suivante : tous les êtres humains, passés, présents et futurs, sont reliés à Dieu et liés entre eux par l'intermédiaire du Christ. De fait, les individus ne forment pas des isolats mais un seul ensemble organique[1]. » Si l'on prolonge la métaphore, on dira que la conscience de cet ensemble organique, de cette sorte de X, est la conscience « parfaite » ou « absolue », dans un espace-temps que nous pouvons à la rigueur nommer mais nullement nous représenter, prisonniers que nous sommes du cadre limité assigné à notre corps et à notre esprit. La conscience absolue déborde l'intellect absolu qui fascinait Valéry. Quoi qu'il en soit, l'idée de l'interconnexion entre les hommes et avec la nature est commune à toutes les grandes traditions spirituelles. Elle est au cœur du taoïsme et du bouddhisme comme de l'inspiration teilhardienne. De plus, elle semble entrer lentement mais sûrement dans le champ de la science.]

Il y a tout de même, dans le livre de Matthieu et de Thuan, un point important qui me chiffonne : la manière dont, dans leur flux discursif, ils se situent constamment – sans précaution de langage – dans un cadre temporel humain avec lequel ils prennent néanmoins ici et là leurs distances, à cause de la relativité générale. Mais est-il possible d'éviter ce piège ? Peut-on sortir de la réalité relative tout en étant dedans, ce qui est pourtant le propre de la conscience réflexive ? À creuser, encore et toujours. J'ai, pas loin de moi, les cahiers d'A. Danzin et J. Masurel, préparés en vue d'un livre, *Cinquante ans après Teilhard*, pour lequel ils m'ont interviewé parmi bien d'autres[2]. Il faudra décidé-

1. Bertrand Saint-Sernin, *Le rationalisme qui vient*, Gallimard, p. 312 de l'édition originale (2007).

2. André Danzin, Jacques Masurel, *Teilhard de Chardin : Visionnaire du monde nouveau*, Éd. du Rocher, 2005.

ment que je renoue avec cette voie (devrais-je aussi écrire cette « voix » ?) de ma jeunesse.

31 décembre 2004

Achevé la lecture très attentive du livre de John Maxwell, *The 21 Irrefutable Laws of Leadership*. L'auteur a été longtemps pasteur. Aux États-Unis, on gère les Églises comme les entreprises. Il y aurait beaucoup à dire là-dessus. Vu le second épisode du *Crépuscule des dieux*. Je constate que, décidément, Visconti n'attache guère d'importance à l'œuvre malgré tout fascinante de Louis II de Bavière. Quant au personnage de Wagner, il est tout simplement odieux.

L'actualité de cette période est dominée par le drame du tsunami qui, le dimanche 26, a ravagé les côtes de l'océan Indien et au-delà. Cette date-là devrait rester marquée, comme le 11 septembre 2001. J'ai envie de préciser : il faut l'espérer. Mais ce n'est pas sûr, car ce qui frappe la mémoire a des ressorts complexes. En tout cas, les grandes catastrophes ne sont pas seulement le fait de l'égarement des hommes. La nature y contribue toujours pour beaucoup.

2 janvier 2005

Un jour, peut-être, un cataclysme comme celui qui, il y a 65 millions d'années, provoqua la disparition des dinosaures et de tant d'autres espèces vivantes, se produira-t-il. Peut-être l'espèce humaine sera-t-elle anéantie. Comment, d'ailleurs, imaginer le prochain *million* d'années ? J'en connais qui ne supportent pas le seul fait de poser une telle question. Difficile de raisonner à grande échelle…

17 janvier 2005

Xavier Darcos[1] fait une communication talentueuse sur « Mérimée historien ». En fait, le bon Prosper fut davantage un romancier qu'un historien, quoiqu'il s'essayât à l'érudition. Il était plus sensible à l'absurdité des choses qu'aux idées de destin ou de sens de l'histoire. Je recueille à la volée quelques vacheries de Victor Hugo, à propos de Stendhal. *Le Rouge et le Noir* « est un roman écrit en patois », ou encore parlant d'un paysage « plat comme Mérimée »... Notre ministre communicant observe que, de son côté, « Mérimée a rarement perçu le vrai génie chez ses contemporains » ; son admiration se fixait plutôt sur des personnages secondaires.

24 février 2005

Jean-Paul II de nouveau à l'hôpital. René Rémond fait à la radio un commentaire sur la paralysie de l'Église. Il parle en politologue, et non pas en chrétien qu'il dit être. S'il croyait en la Providence, il raisonnerait autrement. On s'apercevra peut-être, dans quelque temps, qu'il aura fallu cette longue fin de pontificat pour adapter la gouvernance de l'Église. Et peut-être Jean-Paul II est-il, en un sens qui apparaîtra plus tard, le dernier pape – conformément à certaines prophéties.

---

1. Universitaire et homme politique français, né en 1947, Xavier Darcos est membre de l'Académie des sciences morales et politiques et de l'Académie française.

2 avril 2005

Ultime journée de l'agonie. Entre deux communiqués, je vais au Quartier latin. Achat de livres de philosophie chez Vrin et aux PUF. Le soir, MCh et moi allons voir *Million Dollar Baby*, un film assez dur de Clint Eastwood qui vient de ramasser un paquet d'oscars. En rentrant à la maison, nous apprenons que le saint homme a rendu son âme à Dieu à vingt et une heures trente-sept. Son fidèle secrétaire polonais, Stanislaw Dziwisz, lui tenait la main. Il faut toujours tenir la main des mourants et Dziwisz est quelque part le fils de Jean-Paul II, lequel n'a pratiquement pas eu de « famille » terrestre. Jamais le monde n'a vu une prière aussi universelle s'élever vers le Ciel. On continuera longtemps de débattre de l'œuvre de Jean-Paul II, de son rôle dans la chute du communisme ou des conséquences de son conservatisme dans la propagation du sida en Afrique. Mais il fut un immense « témoin crédible » du Christ et l'on dirait qu'un bon milliard d'habitants de notre planète le ressent ainsi, ce soir. Aucune affectation, aucune tricherie dans les commentaires. Églises ouvertes partout dans le monde. Ouvertes et bondées. Et, partout, un tsunami de spiritualité.

3 avril 2005

Premier dimanche après Pâques. Jean-Paul II l'avait institué « dimanche de la miséricorde ». Dans l'évangile de ce jour, le fameux « N'ayez pas peur » par lequel le pape défunt avait commencé son pontificat.

4 avril 2005

Jean-Paul II omniprésent, toujours. Je suis frappé par la déformation de son visage mortuaire, qui évoque davantage la souffrance que la sérénité dont les commentateurs nous rebattent les oreilles. Je crois qu'il a voulu vivre sa passion jusqu'au bout, et sans doute a-t-il refusé les *pain killers*. Le saint qui, je l'espère, a rejoint la maison du Père était un homme cohérent. Il n'y avait pas d'un côté le leader spirituel charismatique qui fascinait les foules et spécialement les jeunes, et de l'autre le conservateur à la limite de l'intolérance. Pour comprendre toute personnalité d'exception, il faut en rechercher la structure sous-jacente. Jean-Paul II est resté cohérent jusqu'au bout, et cela, me semble-t-il, chacun le ressent plus ou moins nettement. Extraordinaire élan, en tout cas, qui porte des pays comme l'Égypte ou l'Inde à porter le deuil, cependant qu'en France éclate un débat misérable sur la question de savoir si l'État n'a pas violé les principes de la laïcité en multipliant les marques de respect au défunt pape (présence de Chirac à Notre-Dame, drapeaux en berne, etc.).

10 avril 2005

Réflexion à propos des funérailles du pape : il faudrait gratter davantage pour bien saisir la signification de la papomanie des dernières semaines. La mort de Staline, celle de Gandhi ou encore celle de Churchill ont aussi donné lieu à des débordements, surtout la première. Attente ou reflux du *santo subito*. Il n'en est pas moins vrai que, dans le cas présent, le besoin humain de spiritualité s'est manifesté très directement.

27 juillet 2005

Ignace de Loyola : « J'agis comme si tout dépendait de moi, mais je sais que tout dépend de Lui. »

21 août 2005

Lecture de la très remarquable et savante biographie de Richelieu par Françoise Hildesheimer[1], une historienne avec qui j'avais été en contact il y a quelques années – sur le conseil d'Emmanuel Le Roy Ladurie –, à propos de la notion de « raison d'État ». Son livre, fondé sur une érudition de première main, fait justice des clichés constamment repris, y compris par des hommes politiques comme Edgar Faure et Michel Debré, ou par des polygraphes comme Michel Carmona et même par un grand historien comme Roland Mousnier, au sujet de l'Éminence rouge. Ce qui me frappe le plus personnellement chez ce grand homme, c'est d'abord le mélange de fragilité et de puissance. La fragilité, c'est sa dépendance vis-à-vis de son vrai maître Louis XIII, qui finalement l'aura toujours soutenu, mais cela n'avait rien d'évident ; c'est la faiblesse de son corps (cet homme-là aura beaucoup, beaucoup souffert physiquement) ; mais aussi celle de son caractère dépressif, disons cyclothymique, bien plus accentué que je ne le croyais. Puissance étonnante, cependant. Je ne parle pas de son pouvoir politique, mais de

1. Éd. Flammarion, 2004.

sa constance dans ses desseins, et de sa détermination s'agissant de leur mise en œuvre. La dialectique fragilité-puissance – présente chez tout homme mais poussée à l'extrême dans le cas présent – résout aussi, je suppose, la fausse contradiction entre un immense orgueil d'apparence, flanqué d'un attachement hors du commun aux choses matérielles, et une non moins contestable humilité et soumission au destin. Extraordinaire capacité de travail, aussi, qui rappelle celle de Napoléon (peu de sommeil, des heures de travail nocturne avec ses collaborateurs, etc.). Un autre point me touche particulièrement : sa biographe montre bien que la foi chrétienne était en dernier ressort le moteur de Richelieu. L'une des originalités du travail de F. Hildesheimer est de s'appuyer – de façon certes critique – sur les écrits orchestrés par le cardinal-duc. Je relève cette phrase extraite de son *Traité de la perfection du chrétien*, qui nous ramène au destin : « L'une des meilleures maximes qu'on puisse avoir dans la pratique du monde est de travailler avec autant de soin en toutes les affaires qu'on veut entreprendre comme si Dieu ne nous y aidait point, et, après en avoir ainsi usé, se confier en Dieu aussi absolument que si lui seul devait avoir soin de ce que nous voulons sans que nous nous en mêlassions » (p. 397 du livre de F.H.). Ignace de Loyola disait la même chose, en plus concis ! Et lorsqu'on suit attentivement, jour après jour, mois après mois, année après année, la trajectoire d'Armand Jean du Plessis, si souvent condamnée à la rupture et finalement continue, comme si, à l'approche imminente d'une catastrophe, un miracle se produisait toujours pour l'éviter, comment ne pas en conclure qu'en effet cet homme-là était protégé ? Sur un plan plus général, la vie de Richelieu démontre à travers un cas extrême que, dans les situations de type « politique », l'énergie à dépenser vis-à-vis de l' « intérieur » pour survivre est considérablement supérieure à ce qu'exige la réussite vis-à-vis de l' « extérieur ».

30 novembre 2005

Une heure avec un grand rabbin, candidat à l'Académie des sciences morales et politiques. Difficile de caser un mot avec lui. Je parviens tout de même à lui faire dire qu'en interprétant convenablement la Bible, on arrive – contrairement à la thèse de Théo Klein, l'ancien président du CRIF – à la conclusion de la survie de l'âme, mais aussi de l'existence d'un enfer, me dit-il, « heureusement pas trop long : un an ? ». Je m'abstiens de le titiller sur la notion de temps, à laquelle il ne paraît pas avoir beaucoup réfléchi...

9 décembre 2005

Début d'après-midi à la maison, puis ambassade de Pologne, pour recevoir des mains de Lech Walesa, avec quelques autres amis français de ce pays, une médaille commémorative de Solidarnosc, vingt-cinq ans après le réveil de 1980. Cérémonie émouvante, car l'homme est attachant. Il parle d'abondance, sans prétention, et avec cœur. Physiquement en bonne forme apparente. Parmi les autres « médaillés », le cardinal Lustiger, que je trouve en peine de voiture au moment où je m'en vais moi-même. Je lui propose donc de le raccompagner, jusqu'à la petite maison qu'il habite désormais près de l'hôpital Saint-Vincent-de-Paul, en attendant, dit-il, d'aller finir ses jours au milieu des « vieux prêtres ». Occasion d'une belle conversation. L'homme est direct, sans aucune affectation. Celui dont le rayonnement est beaucoup passé par la parole a pratiquement perdu la voix. Un cancer des cordes vocales, peut-être. Mais je n'ai pas de difficultés à le comprendre. J'apprends de lui que Jean-Paul II avait désigné quatre personnes, sans doute des évêques ou des cardinaux, à qui il avait donné *par écrit* le pouvoir de le démettre s'ils ne le jugeaient plus capable d'exercer sa mission. Un acte encore peu connu, me dit le cardinal, qu'il évoque afin de conforter mon sentiment sur l'œuvre de l'Esprit-Saint pour comprendre le sens de la maladie du pape, sentiment que j'avais exprimé un jour où René Rémond avait parlé à la radio du dysfonctionnement du Vatican comme s'il s'agissait d'un État comme les autres. Ce jour-là, le chrétien, c'était moi, et non pas l'historien. L'ancien archevêque de Paris me parle aussi de l'humour du Souverain Pontife disparu, une facette peu connue de sa personnalité.

25 mars 2006

Dans l'avion avec le cardinal Lustiger, qui vient de participer à Rome aux cérémonies d'intronisation des nouveaux cardinaux créés par Benoît XVI. Un brin de causerie avec lui sur la crise des vocations sacerdotales. Il semble avoir des solutions en tête : c'est le « modèle rural » de la prêtrise qui serait en question. Quoi qu'il en soit, j'ai beaucoup de respect pour cet homme.

Achevé de lire le livre d'Antoine Basbous, *L'Arabie saoudite en guerre*. Bien documenté et intéressant, mais à mon avis trop porté au pessimisme aussi bien sur la famille royale que sur les oulémas. En d'autres termes, Basbous accorde un poids excessif à la bêtise des hommes. D'une manière générale, les Libanais ont tendance à assombrir les choses. Il est vrai qu'ils en bavent depuis plus de trente ans.

7 juin 2006

Un homme qui s'y connaît me raconte comment, conformément à ce que lui avait annoncé son voyant, Catherine de Médicis est bien morte « à côté de Saint-Germain ». Mais ce ne fut pas le genre de Saint-Germain auquel elle s'attendait. C'est un certain abbé de Saint-Germain qui lui donna les derniers sacrements.

17 juin 2006

J'avance dans *La Structure absolue* de Raymond Abellio[1], qui m'enchante. Une découverte merveilleuse. Je me sens en résonance avec cet auteur dont je n'avais jamais vraiment entendu parler avant les références répétées de JPL. Quand il m'a offert un exemplaire de ce livre, il y a un an je crois, je l'ai mis de côté, pour ne l'ouvrir sérieusement qu'après notre dernière rencontre. Sans doute n'étais-je pas prêt avant. Abellio, polytechnicien et gnostique, méprisait à voix haute les « philosophes universitaires », quoiqu'il admirât Husserl et Heidegger. Il pensait avoir découvert le principe universel de la montée en connaissance. C'est ce principe qu'il expose avec une belle écriture dans *La Structure absolue*, un ouvrage

1. Publié par Gallimard en 1965, cet ouvrage se présente comme une sorte de gnose dans la ligne de Husserl, et radicalement opposée à la philosophie de Sartre.

qui d'ailleurs ne fait aucune place au structuralisme alors triomphant. Abellio fait partie de ces grands penseurs solitaires et ombrageux dont l'œuvre, pour cette raison, risque de rester insuffisamment connue.

Samedi 24 juin 2006

Pour Michel-Ange, le caractère divin de la beauté ne faisait aucun doute. Le plus grand des artistes n'est qu'un passeur. C'est l'un des aspects du mystère de la relation entre la partie et le tout auquel je souscris sans hésitation. J'aime bien ce poème du sculpteur de la Piéta (qui en a beaucoup écrit) : « La beauté qui t'est propre, Amour, n'est pas mortelle : il n'est visage parmi nous qui soit l'égal de cette image intime au cœur que tu enflammes d'un autre feu et que tu meus sur d'autres ailes. »

5 juillet 2006

Conversation avec JPL. Nous parlons évidemment d'Abellio, dont il me sert une formule qui donne à réfléchir, probablement issue de son Journal ou de ses Mémoires : « Je n'aime pas les spécialistes ; ils sont toujours contre quelque chose. » Nous dissertons sur les trois maturités : intellectuelle, affective, sexuelle. Ces sujets n'ont pas la simplicité des histoires d'amour entre princesses et princes charmants. JPL compare le déroulement de la vie à l'activité d'un jongleur, qui s'acharne à ne laisser tomber aucune boule, tout en sachant parfaitement que ce combat est perdu d'avance. Cela m'amuse, car j'utilise moi-même souvent cette métaphore à propos de mes activités. Je note aussi que mon ami psychiatre n'aime pas les psychanalystes, dont les schémas sont beaucoup trop réducteurs, et en conséquence les attitudes souvent sectaires. Ils peuvent faire énormément de mal, comme plus généralement les psychologues, qui parfois se soignent eux-mêmes à travers leurs clients.

25 juillet 2006

Déjeuner dans un jardin avec JPL. La température doit friser les quarante degrés. Conversation néanmoins passionnante sur Abellio, dont je comprends que la fin de vie a été affectée par une mauvaise oxygénation du cerveau... Il faut distinguer l'aptitude à concevoir que d'autres vivent la transcendance et accèdent à la connaissance – et à théoriser dessus –, et le fait de vivre cela soi-même. Il y a là deux types d'« incarnation » possibles. JPL, qui fait référence à des travaux très actuels, pense que l'imbrication du corps et de l'esprit ne se produit pas seulement dans le cerveau, mais dans toutes les parties du corps, ce qui s'accorde à mon intuition, dans ma conférence à la Société française de philosophie[1], lorsque je parle de la conscience d'un être dont la tête aurait été tranchée et serait reliée à des périphériques artificiels. Des expériences de ce genre auraient été menées en Union soviétique. Plus précisément, on aurait tenté de greffer une tête sur un « autre » corps, mais JPL n'en connaît pas les résultats. En extrapolant ce genre de considération, on en arrive à l'idée que toute particule matérielle peut être le support d'une forme d'énergie spirituelle, et comme la matière elle-même n'est qu'une forme d'énergie... J'évoque

1. *Op. cit.*, voir note p. 132.

la question fascinante du mode de transmission (émetteurs, milieux intermédiaires dans « l'espace-temps » ou entre plusieurs espaces-temps, récepteurs) de cette « énergie spirituelle ». Peut-être quelques lumières jailliront-elles sur ce type de question au cours du XXIe siècle. Nous abordons encore le problème de la mémoire, ou plutôt des mémoires, du point de vue du support matériel. Hormis le cas de lésions cérébrales majeures, JPL pense que rien ne s'oublie vraiment. Et dans le cas de pareilles lésions, tout est-il vraiment « perdu » ?

3 décembre 2006

Chez des amis, rue des Saints-Pères. La fenêtre de leur salon donne sur une pièce remplie de livres, de l'autre côté d'une petite cour sombre. Là vit un « professeur de la Sorbonne » à la retraite, qui passe l'essentiel de ses journées et même une bonne partie de ses nuits à lire. Cela me plaît, quoi qu'il faille dans une certaine mesure – j'en sais quelque chose – choisir entre la lecture (ou l'étude) et la vie, qui est création. Je relève qu'en Italie des comiques mettent le pape Benoît XVI en boîte, sur le thème qu'il a passé toute sa vie dans une bibliothèque.

5 janvier 2007

Lu le dernier ouvrage de Jacqueline de Romilly, dont elle m'a fait hommage. Il s'agit d'un livre d'entretiens avec un journaliste du *Figaro*, intitulé *Actualité de la démocratie athénienne*. Dans ses propos pleins de sagesse je note que, pour elle, l'immortalité de la littérature grecque tient à l'art des grands auteurs de formuler des messages universels à partir de situations contingentes, et ceci dans tous les domaines, y compris la politique.

10 janvier 2007

Le *mens sana in corpore sano* se décline en trois, et non pas en deux : l'esprit, le corps et la respiration.

13 janvier 2007

Achevé *Les Rouages du Yi Jing* (Le Classique des changements), un excellent petit livre que l'auteur, Cyrille Javary, m'a envoyé il y a quelques années[1]. Vastes horizons. Liens manifestes avec l'astrologie chinoise et l'astrologie tout court. Je vois aussitôt un autre lien possible, avec le tarot. En fouinant dans mes affaires, je retrouve le *Tarot jungien* de Robert Wang (américain… et non chinois – ce n'est pas un hasard) qui m'avait été offert il y a quelques années. Je savais bien qu'un jour je m'y mettrais. Ce qui est commun à tout cela : l'idée de correspondance entre le microcosme et le macrocosme, et une conception du hasard bien différente de celle du rationalisme occidental, mais avec laquelle je n'ai pas de difficulté fondamentale. « Le hasard est en Chine la plus belle matérialisation qui se puisse voir de la qualité particulière de l'instant. Loin d'être haïssable, il est au contraire apprécié puisqu'on peut y lire la configuration qu'à chaque instant le flux du Tao prend spontanément lorsqu'on lui laisse libre cours » (*op. cit.*, p. 46). Qu'est-ce que le Tao ?

1. Éd. Philippe Picquier, 2001.

Réponse du *Grand commentaire* (Xi Ci) : « Une fois Yin une fois Yang cela est appelé Tao » (*id.*, p. 22). Quant au Yin et au Yang, ils ne se réduisent pas à la caricature principe féminin *versus* principe masculin…

28 janvier 2007

Rien n'est plus volatil que les humeurs, et il n'est pas facile de les décrire. Il faut être un grand écrivain (Benjamin Constant, dans *Adolphe*) ou… un bon biologiste (Jean-Didier Vincent, dans sa *Biologie des passions*) pour y parvenir, plus ou moins bien.

Promenade bienvenue vers l'avenue Malakoff, avant d'aller chercher Alexandra chez elle pour nous rendre ensemble à l'hôpital Ambroise-Paré. Malgré l'absence d'accueil, nous finissons par trouver la chambre que le père de MCh partage avec un brave homme, beaucoup plus jeune. Ce dernier regarde la télévision, pendant que le cher homme dort d'un sommeil profond, paisible en apparence. Nous ne voulons pas, en le réveillant, le ramener à la dure réalité, et je confie à son camarade de chambrée quelques lignes rédigées à son intention sur un bout de papier. Tristesse des hôpitaux. Dans les prochaines années sinon décennies, il faudra bien apprendre, non seulement à mieux les gérer au sens proprement économique du terme, mais encore à traiter les patients en tenant compte de l'intégralité de leur personne. Aujourd'hui, les médecins n'apprennent pas le verbe aimer. Je ne suis même pas sûr qu'ils apprennent correctement le verbe aider. Pour trop d'entre eux, qu'importe que le malade souffre, moralement ou physiquement, s'il meurt « guéri » de ses dysfonctionnements locaux.

15 mai 2007

Trouvé dans *Le Figaro magazine*, sous la plume de Matthieu Ricard, à propos de l'abbé Pierre, cette leçon du Dalaï Lama : « Quand on est centré sur soi-même, la souffrance que l'on éprouve vous décourage. Mais quand on est principalement préoccupé par la souffrance d'autrui, elle décuple votre courage. » Et, en ouvrant « au hasard » le *Plaidoyer pour le bonheur* du même Matthieu Ricard, je tombe sur ce mot d'Albert Schweitzer : « L'amour est la seule chose qui double à chaque fois qu'on le partage. »

15 mai 2007

Reçu Jean Chélini, le spécialiste de l'histoire de l'Église, qui pose sa candidature à l'Académie pour la deuxième fois. Il me parle du « sérieux » de Benoît XVI, dont le pontificat devrait selon lui être bref « parce qu'il est de constitution fragile », et prévoit pour lui succéder un homme jeune (le cardinal Schönborn de Vienne ?) et beaucoup plus ouvert, notamment sur le mariage des prêtres. Il y a tout ce qu'il faut pour évoluer dans ce sens, qu'il s'agisse de la théologie ou de l'histoire.

3 juin 2007

Lu dans *Le Monde* la page consacrée à l'élection de Max Gallo à l'Académie française et aux adieux du cardinal Lustiger. « Vous ne me reverrez pas. [...] Là où je serai, je serai très présent pour m'occuper de l'Académie, je vous donne l'assurance de mes prières, ici et ailleurs. » Et l'auteur de l'article d'ajouter : « "Quand je dis adieu, je dis à Dieu, à vous, à tous", l'entend-on glisser à son ami, l'avocat Jean-Denis Bredin. » Jean-Denis Bredin, qui n'a pas la foi.

7 juin 2007

En fin de journée, reçu un philosophe théologien candidat au fauteuil de Roger Arnaldez. Non sans intérêt, comme cette observation au demeurant pas très originale concernant la Trinité : puisque Dieu ne peut pas s'aimer lui-même, il faut le père et le fils (deux) et donc la relation (trois). Élémentaire, mon cher Watson. Cela dit, cet homme parle, au sens propre, les yeux tournés vers lui-même, et il m'est impossible de capter son regard autrement que par accident. Je doute qu'il fasse beaucoup de voix.

21 juin 2007

Été. Entendu à la radio un beau témoignage de Jean Piat sur Sacha Guitry. L'idée que les voix et les styles de Sacha Guitry et de Maurice Druon se ressemblent me traverse l'esprit. Ce n'est pas seulement une question de génération. Il y a aussi, d'une certaine manière, le côté « russe ». Cette remarque a-t-elle déjà été faite ?

MCh rentre tard, après avoir passé une journée excitante au Bourget avec, entre autres cinglés ou demi-dieux, le célébrissime John Travolta, dont j'avoue avoir ignoré l'existence avant qu'elle ne se lance dans un projet de film sur l'histoire de l'aviation. Tant il est vrai que, même dans l'espace-temps humain, la notoriété et même la célébrité sont de mesure nulle, pour employer une métaphore mathématique.

24 juin 2007

Le soir, un peu de géométrie riemannienne pour me distraire. Mon émerveillement pour les temples mathématiques et leur mystérieuse adéquation au réel ne cessera jamais.

28 juin 2007

Se référant à je ne sais quel grand philosophe, un ami me parle de « la mystérieuse intentionnalité organisatrice » qui se cache derrière les phénomènes, qu'il s'agisse de la physique ou des manifestations de type synchronicité. La formule, et chacun des trois mots qui la composent, me plaisent.

31 août 2007

Quelques lectures taoïstes le soir. De belles choses, comme ces trois lignes de Lao-Tzu (dans le *Tao-te Ching*), que je traduis de l'édition (en anglais) de Thomas Cleary : « Des très grands leaders dans leur domaine, on sait seulement qu'ils existent. Viennent ensuite ceux qui sont aimés et loués. Les moins bons sont craints et méprisés. » Toute la conception moderne du management se trouve dans ces quelques mots.

26 septembre 2007

La presse évoque beaucoup le suicide du philosophe et journaliste André Gorz et de sa femme Dorine. Une belle histoire d'amour, sûrement, mais je ne vois pas seulement la lumière dans l'excès de fusion. Comment toutefois ne pas être touché par ces lignes dans *Lettre à D. Histoire d'un amour* : « Tu viens juste d'avoir quatre-vingt-deux ans [...]. Tu es toujours belle, gracieuse et désirable. Cela fait cinquante-huit ans que nous vivons ensemble et je t'aime plus que jamais. Récemment, je suis retombé amoureux de toi une nouvelle fois et je porte de nouveau en moi un vide débordant que je ne comble que ton corps serré contre le mien. » Et encore : « Cette présence fut décisive dans la construction d'une œuvre dont la visibilité ne porte qu'un nom alors qu'elle fut celle d'un couple, le fruit d'un long dialogue. »

21 octobre 2007

Après dîner, une bonne heure d'informatique. Bugs et énervement, aux dépens de MCh qui se donne du mal pour m'expliquer le comportement de la bête. Un peu de consolation en tombant par hasard sur cette pensée de Pascal : « Nous ne pouvons prendre plaisir à une chose qu'à la condition de nous fâcher si elle réussit mal. » Il faut persévérer et considérer l'ordinateur comme un exercice de maîtrise de soi...

2 décembre 2007

Les livres sont comme les pierres et les films comme le bois. Le bois se décompose plus vite que la pierre. Au bout du compte, s'agissant de leur conservation, il n'y a aucune différence de principe. Dans tous ses aspects, la mémoire est une affaire de volonté constamment activée.

18 décembre 2007

Déjeuner avec JPL. Nous évoquons toutes sortes de sujets, à commencer par cette « équation » simple s'il en est : Persévérance + Vitalité = Chance. La Chance, c'est de pouvoir se tenir droit. Méditation sur l'allégorie de la porte étroite. *Ad augusta per angusta.* À des résultats grandioses par des voies étroites. C'est le mot de passe des conjurés dans le quatrième acte d'*Hernani*, de Victor Hugo.

5 janvier 2008

Soirée cinéma, aux Champs-Élysées. Nous voyons *Elizabeth, ou l'âge d'or*. Un film hollywoodien fort bien fait, à la fois divertissant et stimulant. Le caractère de la reine est remarquablement rendu : prudente, toujours à la recherche de solutions équilibrées, rongée par la peur mais capable de la surmonter aux moments décisifs. Ce film expose bien, également, le contexte de la politique européenne à la fin du XVIe siècle et, en ce qui concerne le naufrage de l'Invincible Armada, la part du destin est habilement suggérée.

Je termine la journée en parcourant une édition de 1806 des œuvres complètes de Vauvenargues, qui vient de la bibliothèque de mon père. Elle est précédée d'une « notice sur la vie et les écrits de Vauvenargues, par M. Suard, secrétaire perpétuel de la classe de la langue et de la littérature françaises de l'Institut (c'est-à-dire de l'Académie française, selon la réorganisation décidée par Napoléon), membre de la Légion d'honneur ». Je reproduis quelques lignes du Carrère d'Encausse de ce temps-là, parce qu'elles sont justes et profondes : « Il est des écrivains dont on peut aisément consentir à ignorer la vie et le caractère, tout en jouissant des productions de leur esprit et des fruits de leur talent ; mais l'écrivain moraliste n'est pas de ce nombre. Il ne suffit pas au précepteur de morale de faire usage de sa raison et de ses lumières ; il faut que nous croyions que sa conscience a approuvé les règles qu'il dicte à la nôtre ; il faut que le sentiment qu'il veut faire passer dans notre âme paraisse découler de la sienne ; et avant d'accorder à ses maximes l'empire qu'elles veulent exercer sur notre conduite, nous aimons à être persuadés que celui qui les enseigne s'est soumis lui-même à ce qu'elles peuvent avoir de rigoureux. »

Plus généralement, c'est toute la notice de M. Suard que je trouve remarquable. Et la personnalité de Vauvenargues, telle qu'elle s'en détache, est en effet des plus attachantes.

4 avril 2008

Dans un article du *Figaro* de ce jour sur Hugues Gall[1], deux citations succulentes d'Edgar Faure. L'une, si adaptée à la France : « L'immobilisme est en marche, on ne saurait l'arrêter. » L'autre, profonde : « Toute brouille est un échec. »

5 avril 2008

Ce soir, nous regardons *Mon oncle d'Amérique*, un film d'Alain Resnais qui date de 1980. Le grand réalisateur

1. Hugues Gall, né en 1940, a notamment dirigé le Grand Théâtre de Genève et l'Opéra de Paris. Il a commencé sa carrière dans les cabinets d'Edgar Faure au ministère de l'Agriculture puis au ministère de l'Éducation nationale.

avait été fasciné par Henri Laborit (1914-1995), le découvreur du Largactyl et l'un des héros de JPL, à côté de figures comme Abellio ou Husserl. Les idées de Laborit sont certainement dépassées, mais restent fort intéressantes. Le célèbre psychiatre distingue quatre comportements fondamentaux : la satisfaction des besoins de base (manger, boire, copuler), ce qui conduit nécessairement, pour les animaux et donc pour les hommes, contrairement aux plantes, à des rivalités territoriales ; l'apprentissage (ou le « dressage ») des relations sociales – au départ, question de survie – assorti de systèmes de récompenses (plaisir) ou de punition (face à la punition, on réagit soit par la fuite/évitement, soit par la lutte – ce qui fait deux comportements) ; enfin le blocage ou l'inhibition de l'action, qui conduit à l'angoisse et à des réactions psychosomatiques, avec l'exutoire possible de vaines bagarres (cela ne fait-il pas en réalité cinq comportements au total ?). Le film lui-même illustre magnifiquement ces quatre (ou cinq) comportements, sans négliger de mettre en scène des souris, ces mammifères qui nous sont si proches.

Laborit estime que la plupart de nos comportements sont en fait déterminés inconsciemment (mais, précise-t-il, ce n'est pas l'inconscient freudien) et rationalisés par le langage (le langage joue chez lui le rôle de l'inconscient collectif de Freud, selon JPL en réponse à l'une de mes questions). Je retiens deux autres idées également admirablement illustrées dans le film : d'une part, l'importance des « référents » ou des *role models*, comme on dirait en anglais (Jean Marais ou Jean Gabin dans le film) ; d'autre part, la fonction capitale de la relation dominants/dominés.

On peut reprocher au film de trop réduire l'homme à la bête et de généraliser hâtivement aux collectivités les comportements que Laborit croit avoir identifiés pour les hommes (images finales de villes détruites par des guerres...). Il n'en reste pas moins qu'il apporte une remarquable base de réflexion.

12 avril 2008

Cerisiers japonais en fleur dans le jardin. Cela va durer à peine quelques jours. Il y a un an, c'était hier. Dans un an, c'est demain... Mais entre aujourd'hui et ce demain si proche, il y a toute l'épaisseur de la durée et de la vie.

15 avril 2008

Déjeuner très détendant avec JPL. Nous parlons d'Henri Laborit, dont la théorie des trois cerveaux [« reptilien », affectif (mammifères) et supérieur] et des trois stades [oral, c'est-à-dire demande pure sans offre ; anal, c'est-à-dire offre et demande ; génital, c'est-à-dire offre sans demande], etc. Sa générosité et son enthousiasme sont toujours aussi impressionnants.

18 avril 2008

Conversation avec MCh, à la suite d'un film : comment enseigner l'histoire aux enfants ? Que « comprennent »-ils ? Les enfants « comprennent » beaucoup de choses ; ils captent, intuitivement et donc directement, beaucoup de situations, et ne craignent pas l'évocation des pires horreurs quand elles leur paraissent distanciées, pour ne pas dire abstraites. Mais il en va là comme de toute connaissance : on progresse (quand on progresse !) par le franchissement de paliers successifs et par un processus d'intensification qu'on peut décrire par la métaphore de l'hélice (on monte en tournant) ou, de façon plus sophistiquée mais dans le même sens, par la méthode qu'Abellio développe dans *La Structure absolue.*

19 avril 2008

Il est beaucoup question, ces jours-ci, d'Aimé Césaire qui vient de mourir à l'âge de quatre-vingt-quatorze ans. Je parcours son ouvrage le plus célèbre, le *Cahier d'un retour au pays natal*, dans le beau volume des éditions du Solstice, illustré par Daniel Buren, le premier livre publié par ce club depuis que j'en suis membre. L'œuvre commence par cette phrase violente, célèbre : « Au bout du petit matin… Va-t'en, lui disais-je, gueule de flic, gueule de vache, va-t'en, je déteste les larbins de l'ordre et les hannetons de l'espérance. » L'inventeur, avec Senghor[1], du concept de négritude est crédité avoir donné le sentiment de l'existence à des millions d'individus sur cette planète. De la puissance de la parole, de la littérature, de la poésie… On parle d'un transfert de ses cendres au Panthéon, mais les Martiniquais veulent le garder chez eux.

1. Léopold Sédar Senghor (1906-2001). Homme politique et écrivain sénégalais, il fut ministre français, président du Sénégal (1960-1980) et membre de l'Académie française.

8 juin 2008

Conversation d'avion avec Henri de Castries[1]. Je retiens cette remarque qu'il tient d'un vieil avocat : dans la vie, à part les femmes, il y a l'argent, le pouvoir et la lumière ; on peut avoir l'un des trois, rarement deux, mais si l'on veut les trois, c'est la prison ou la mort. Ce fut le destin de Fouquet. Je fais toutefois remarquer à Henri que le mot « lumière » a plusieurs sens. Il s'agit manifestement ici des feux de la rampe, non de la lumière intérieure…

28 juin 2008

La maturité tardive est la conséquence statistique de l'éloignement des dangers vitaux particulièrement aux bas âges et de l'allongement de l'espérance de vie. Que se passerait-il si l'on devait faire coïncider l'âge légal de la majorité et celui de la maturité ? Reste évidemment à définir ce qu'on entend par maturité…

1er août 2008

Après le dîner, nous regardons avec MCh *La Môme*, un film sur la vie d'Édith Piaf. C'est un chef-d'œuvre. Nous ignorions à quel point le destin de cette femme (voilà un vrai destin) fut tragique. Un peu comme dans le cas d'un Verlaine, le souffle inouï qui est passé à travers elle produit encore ses effets.

1. Président-directeur général du groupe Axa depuis 2000.

7 août 2008

Déjeuner avec JPL. Il a l'expérience directe des phénomènes de transe – un mode particulier, me semble-t-il, de l'« ek-stase » chère à Abellio. Il lui est arrivé, un soir du temps de sa jeunesse, après avoir examiné près de quatre-vingts patients au cours d'une même journée, de savoir exactement de quelles pathologies précises souffrait un ultime visiteur avant même de lui avoir posé la moindre question ou de l'avoir examiné, et d'avoir immédiatement rédigé l'ordonnance !

J'établis le lien avec les expériences de Serge Feneuille face à son ami Serge H. Un jour, le second, qui venait dîner chez le premier, lui apporta en cadeau un objet parfaitement improbable – disons une bouteille d'un certain vin millésimé. Bien qu'enveloppé, Serge Feneuille « vit » immédiatement de quoi il s'agissait. Son invité, sans doute trop rationaliste pour envisager la situation, accusa aussitôt sa femme d'avoir vendu la mèche. Le même scénario se répéta quelque temps après entre les mêmes acteurs, avec un objet différent – disons un livre ancien tout aussi improbable. Appelons cela la claire-voyance. Il y a aussi la claire-audience.

La transe nous conduit au chamanisme, au polythéisme, aux vertus thérapeutiques des plantes (à peine explorées par la science), et j'en passe.

21 août 2008

En lisant *Managing with Power*, écrit par Jeffrey Pfeffer, un universitaire américain, je m'attarde sur une section intitulée « An Alternative Perspective on Decision Making », dont on pourrait rendre en français l'idée centrale par l'expression de Napoléon : « La guerre est un art simple, mais tout d'exécution. » Le plus dur est dans l'exécution. Je rapproche cela d'un autre chapitre, excellent : « The Individual Attributes as Sources of Power ». L'auteur en distingue six : *Energy and Physical Stamina; Focus; Sensitivity to others; Flexibility; Ability to Tolerate Conflict; Submerging one's Ego and Getting Along.* Aucune de ces qualités n'appartient à l'ordre de l'intellect.

Lu le grand roman de François Cheng, *Le Dit de Tianyi.* Trois parties. La première, sans doute largement autobiographique, sur la vie d'un jeune peintre chinois avant la « libération » de 1949. Beaucoup de sensibilité et de délicatesse, tant sur l'analyse des sentiments que sur l'esthétique. Cheng facilite au lecteur français l'accès à la conception chinoise de la partie et du tout, pris dans le souffle circulant de l'univers, ou dans la même veine du couple hasard-destin. Il a des fulgurances quand il s'agit de pinceaux, d'encre, de calligraphie, de peinture, ou quand il exalte le « vide médian » qui s'insère entre le Yin et le Yang, et forme avec eux la Trinité du *Livre des changements.* La deuxième partie, probablement elle aussi inspirée de la propre vie de Cheng, se passe en France entre 1948 et 1957. D'excellents passages, mais dans l'ensemble à mon sens un peu trop scolaire et/ou maniéré quand il évoque la peinture flamande ou italienne. Dans la troisième partie – fondée sur des témoignages directs accumulés par l'auteur, si j'en crois Marc de Smedt, son découvreur –, le héros rentre en Chine à la recherche de son Graal (symbolisé par Yumeï, « l'Amante »). Nous nous trouvons graduellement plongés dans le dernier cercle de l'enfer. En écrivant ceci, je pense bien sûr à Soljenitsyne, mais le titre d'un livre de mon père revient encore dans ma mémoire : *Les Dernières Marches de l'enfer*. Il était loin du compte ! François Cheng peint l'univers atroce de la folie maoïste en pratique (le nom de Mao n'est jamais cité explicitement). L'enfer est vécu ici dans une autre mentalité que chez Soljenitsyne. On retrouve toutes les subtilités du début sans que jamais disparaisse l'espérance, la foi dans la beauté ultime du grand Souffle. Une œuvre magnifique, que je place à côté de la trilogie de Shalom Asch... Je n'ai certainement pas fini de m'intéresser aux grands drames du XXe siècle et à la complicité des intellectuels, donneurs de leçons ou politiciens occidentaux qui ont alors chanté les vertus du communisme...

Parmi les autres ouvrages lus ou parcourus, celui, touchant, du cardinal Stanislaw Dziwisz, *A Life with Karol*. Secrétaire de Jean-Paul II, il l'accompagna jusqu'à la fin. Très humain. Rien d'ampoulé, ici.

29 août 2008

Après dîner, nous regardons le premier film sur la vie d'Élisabeth Ire d'Angleterre, avec autant d'intérêt et de plaisir que le deuxième, sorti sur les écrans il y a quelques mois. L'épisode décrit l'accès au pouvoir, au sens formel et au sens réel, de l'héroïne, et l'origine de son surnom de « reine vierge ». Son caractère apparaît d'emblée très fort : du bon sens et de la pondération, un instinct très sûr pour discerner les bons et les mauvais conseils dans un environnement redoutable, la propension à rechercher le compromis si possible et la capacité de se battre avec toutes les armes disponibles si nécessaire, une aptitude à surmonter les crises de panique auxquelles elle était sujette, enfin ce qu'en langage moderne on appellerait un grand sens de l'État.

15 octobre 2008

Londres, par avion en raison des perturbations durables sur Eurostar. Je passe d'abord un long moment à la librairie de Malet Street. Parmi mes trouvailles, le dernier livre d'Evan Thompson, professeur de philosophie à l'université de Toronto, joliment intitulé *Mind in Life*. Ce qui me frappe d'emblée, c'est l'importance qu'il accorde à la phénoménologie husserlienne, que je recoupe aussitôt avec l'approche d'Abellio (dont Thompson ne connaît sans doute pas l'existence). Je constate également avec un immense intérêt que les savants qui se consacrent au problème de la conscience commencent à se pencher sérieusement sur les traditions orientales et notamment sur les approches du bouddhisme. Tout cela va dans le sens de ma propre démarche et m'enthousiasme. En écrivant ces lignes, mon esprit se porte brusquement sur Serge-Christophe Kolm, une vedette confidentielle de la théorie économique dans mon jeune temps, qui a, je crois, dérivé activement vers le bouddhisme et a même écrit au moins un gros livre inspiré[1]. Qu'est-il devenu ? S'est-il retiré dans un monastère ?...

1. Kolm S.-C., *Le Bonheur-liberté. Bouddhisme profond et modernité*, PUF, 1982.

20 octobre 2008

Je vais à l'Académie, pour la première fois depuis un certain temps. Mireille Delmas-Marty lit sa notice sur Jean Cazeneuve, « un homme qui a tant aimé la vie », normalien, ethnologue, sociologue, patron de TF1 puis ambassadeur auprès du Conseil de l'Europe. Elle en décrit minutieusement les ouvrages et parvient presque à donner envie de les lire. Je retiens une jolie formule : « Les rites sont dans le temps ce que la demeure est dans l'espace. »

22 octobre 2008

Remarquable conférence de Danièle Hervieu-Léger à Monaco, intitulée « Renouveau des identités religieuses en Europe : une menace politique ? ». Sociologue des religions, présidente de l'École des hautes études en sciences sociales, cette femme m'avait frappé par la clarté de ses vues et sa tranquille fermeté lors des réunions du Livre blanc[1]. C'est pourquoi j'avais proposé à Enrico Braggiotti de l'inviter[2]. Elle développe excellemment le thème de la modernité comme « rupture de l'enveloppement religieux du monde » et s'interroge sur les conséquences du phénomène radicalement nouveau de la prolifération des formes

1. Il s'agit de la commission du Livre blanc sur la sécurité et la défense nationale, dont Danièle Hervieu-Léger et l'auteur étaient membres.

2. Dans le cadre de la Monaco Méditerranée Foundation, présidée par Enrico Braggiotti. L'auteur y a succédé à Raymond Barre pour faire ou animer des conférences sur des sujets divers.

des croyances : aujourd'hui, chacun se fabrique sa petite religion (« bricolage individuel des sens »), le plus souvent – c'est moi qui le précise – sans que cela ne résulte d'un parcours spirituel authentique. Une situation potentiellement instable d'un point de vue politique, qui crée des « conditions idéales pour des remontées d'affirmations identitaires imprévisibles ». Du point de vue sociologique, en effet, « le propre du religieux est d'établir un enracinement dans une continuité ». C'est pourquoi, en son temps, le communisme a tenté de se poser comme une religion. À ce propos, il est remarquable que notre République n'ait jamais établi ses propres rites, ne trouvant rien d'autre que le *Te Deum* pour les très grandes occasions. C'est le thème d'un livre d'Olivier Ihl à propos de la célébration du premier centenaire de la Révolution[1].

24 octobre 2008

Retour à Paris en compagnie de Danièle Hervieu-Léger. Conversation très riche sur la sociologie, les sociologues, l'EHESS, etc. Considérations générales sur les « sciences de l'homme ». Chaque discipline constitue une manière particulière de regarder les phénomènes (religieux par exemple), ni plus ni moins. Il convient ainsi de distinguer le point de vue « fondamental » de l'anthropologue, à la recherche d'invariants sur « l'Homme » ; celui de l'ethnologue, à base d'études de cas ; celui du psychologue ou encore du sociologue, concernés par les régularités, etc.

---

1. O. Ihl, *La Fête républicaine*, Gallimard, 1996.

3 novembre 2008

Vu un ami de longue date qui est content de lui. Il me fait penser à l'équation que pose William James dans son célèbre *Précis de psychologie* :

$$\text{Estime de soi} = \frac{\text{Succès}}{\text{Prétentions}}$$

Par « prétentions », il faut ici entendre les aspirations, à la réalisation desquelles on mesure le « succès ».

Ceux dont le numérateur est trop faible ou le dénominateur trop élevé par rapport à l'autre terme souffrent. Ce n'est pas le cas de mon interlocuteur, qui se satisfait d'un dénominateur modeste, et comme le numérateur qui lui correspond est favorable, le résultat est bon.

20 décembre 2008

Dîner avec MT au Bristol. Soirée remarquable en vérité (et excellente du point de vue gastronomique). Nous parlons de nos multiples projets, mais aussi de spiritualité. MT est issu d'une grande famille et son grand-père était un sheikh de tendance libérale fort respecté et craint. Il a lui-même beaucoup médité, dans un esprit proche du soufisme. Il me parle de trois concepts fondamentaux et inséparables dans l'islam : l'unité (ou la vérité), la force de l'intention (*niyya* en arabe) et la raison. Je relie pour ma part l'intention à l'intuition. Lorsque l'intention est juste, lorsque le sujet est conscient de l'absolu et agit selon la raison, quand ces trois conditions sont réunies, selon le Coran (ou plus vraisemblablement selon le *Hadith*), les adversaires tombent dans la trappe.

Schéma à l'appui, mon ami rattache tout cela au Yin et au Yang via l'oscillation perpétuelle autour de l'entre-deux. Le merveilleux du Coran, selon lui, tient dans les découvertes sans cesse renouvelées que l'on y fait à chaque ligne en « vivant » sa lecture, si je puis dire, dans l'esprit de ce schéma.

21 décembre 2008

Réflexions sur l'islam, suite au dîner d'hier. En reprenant, une fois de plus, la lecture de quelques sourates, mon regard est nouveau. Après tout, ce n'est pas forcément plus difficile que bien des passages de l'Ancien Testament. Il reste que le Coran pose de sérieux problèmes de traduction, tant il est vrai, comme disait Baudelaire, que seul un poète peut traduire un poète. Mais quel traducteur pourrait se mesurer à Dieu ?

25 décembre 2008

Messe à Cabrières. Le père F., le curé, est remarquable. Originaire de la Réunion. Ne paraît pas ses soixante-six ans. Voilà le genre de prêtre qu'il faut à l'Église d'aujourd'hui : dans la vie, joyeux, un parler naturel et simple, un vrai sens de la communication, une grande prudence vis-à-vis du prosélytisme, et néanmoins une capacité d'aller à l'essentiel et d'inspirer le sens du mystère. Nous nous réjouissons que ce soit cet homme-là qui mariera Alexandra et Denis le 18 juillet prochain.

12 janvier 2009

À l'Académie, je remercie Bertrand Saint-Sernin de sa carte de vœux, où mon confrère me souhaite ce que « Platon, à la fin des *Lois*, appelle la "connaissance parfaite", qu'il définit comme "le mélange de l'intelligence et de la perception, se fondant au point de ne plus faire qu'un" ». C'est magnifique.

19 janvier 2009

À l'Académie, communication de Michel Zink sur le Collège de France, la seule institution du savoir à avoir traversé – quasiment intacte – tant de siècles, puisque la Sorbonne n'est plus aujourd'hui qu'un lieu et une marque. Ce qui est remarquable, soit dit en passant, c'est que son image soit restée si forte qu'on est toujours fier de se proclamer élève ou professeur « à la Sorbonne ». Cela sonne infiniment mieux que « Paris II ». La devise du Collège est *Docet omnia*, c'est-à-dire « Il enseigne toute chose » (celle du Cnam est *Docet omnes ubique*, « Il enseigne à tous »). Maurice Merleau-Ponty parlait d'*enseigner la recherche en train de se faire*, ce qu'on ne fait pas à l'université, même en troisième cycle, comme le fait justement remarquer l'orateur en réponse à une question que je lui pose. Zink explique en détail les réformes que le Collège s'est imposées à lui-même. La diffusion des cours par la radio ou par Internet a démultiplié le public et tout professeur au Collège de France doit plus que jamais se méfier d'auditoires où se niche(nt) toujours quelque(s) savant(s)...

16 février 2009

Lu l'époustouflant discours de réception de Claude Lévi-Strauss à l'Académie française, où il succéda à Henry de Montherlant. Incidemment, je comprends mieux maintenant ce que mon obsession de rendre « utiles » les institutions a de réductionniste. Dans certains cas, il suffit qu'elles contribuent aux rites identitaires. En cela peut se justifier leur « utilité ». En matière d'utilité, tout est question de définition. Cela dit, les rites ne se valent qu'entretenus. Dans *Madame Bovary*, Flaubert écrit : « Il ne faut pas toucher aux idoles, leur dorure en reste aux mains. »

21 février 2009

En fin de journée, nous allons Porte Maillot voir (revoir pour MCh) *Slumdog Millionaire*, le film anglo-indien (d'après un roman, lui, complètement indien) en train de s'établir comme un triomphe mondial. C'est la première fois qu'une œuvre au moins partiellement « bollywoodienne » atteint une dimension universelle. Très beau mais aussi très dur. On peut y voir un documentaire sur la face sombre du sous-continent. De nombreuses scènes ravissantes aussi. L'universel, on le trouve dans le traitement du destin, le thème central du film. Pour qui a un peu réfléchi à la distinction entre hasard et destin, l'histoire de Jamal est bien davantage qu'un conte de fées. Et l'accomplissement du destin ne va pas sans efforts. De fait, Jamal est un tendre au caractère d'acier. De quoi méditer aussi sur le problème du mal. Selim, le frère de Jamal, est à sa manière un beau personnage. Il devient un caïd, mais c'est grâce à cela que son frère est plusieurs fois sauvé. Finalement, il donne littéralement sa vie pour Jamal et Larissa. Ce faisant, il expie ses fautes sinon ses crimes. La lumière finit toujours par triompher des ténèbres. En tout cas, en ces temps d'incertitude pour ce qui me concerne, *Slumdog Millionaire* me fait le plus grand bien.

Je termine de lire le recueil d'Émilie Joulia sur Lévi-Strauss. Elle a choisi quelques extraits d'un entretien oral du grand homme en 1972 pour ce qu'était alors l'ORTF. Le texte n'est pas toujours très clair, car il s'agit d'une transcription, certainement corrigée. Et à la différence d'un Raymond Aron, l'illustre personnage ne parlait pas comme un livre. Non sans intérêt, je constate que Lévi-Strauss n'a pas fait d'études éclatantes (il était mauvais en grec et en maths, et a renoncé à préparer Ulm), et qu'il a un peu erré pour trouver sa voie. Il a été deux fois battu au Collège de France (grâce à quoi il a écrit *Tristes tropiques*...) avant d'être finalement élu. La façon dont les choses se sont passées pour lui illustre aussi fort bien la notion de destin.

9 avril 2009

Réflexions générales sur le pouvoir, ces jours-ci, à propos de Mazarin et de Richelieu. Pour mener à bien des entreprises complexes, un individu doit lutter en cohérence sur trois sortes de fronts : des fronts intérieurs (typiquement, la Fronde), des fronts extérieurs (typiquement, des États), et des fronts personnels (par exemple, ses émotions). À l'origine, le mot *djihad* se rapporte à ce troisième front. La clef de voûte du succès est toujours en soi. Chacun à son échelle peut en faire l'expérience.

27 avril 2009

L'autre jour, Bernard Bourgeois me parlait des deux grands courants de la philosophie (*top-down* ou *bottom-up*, c'est-à-dire de haut en bas ou de bas en haut). Je partageais son adhésion à celui qui va de l'unité vers la diversité. Au niveau transcendantal, donc, je penche vers le *top-down*. Au niveau de l'action humaine concrète, vers le *bottom-up*. La jonction entre les deux conduit au problème du destin.

9 mai 2009

Après dîner, nous allons aux Champs-Élysées voir *Good morning England* (titre français et non pas anglais ! Le titre original est *The Boat that Rocked*). Ce film, dont le démarrage en salles est foudroyant, porte sur la saga des « radios pirates » en Angleterre, à la fin des années soixante. L'histoire se déroule en 1966, peu d'années donc après l'éclosion des Beatles. Débuts d'une culture d'étourdissement et de transgression, après le choc des guerres mondiales et à la faveur de la croissance économique. Comédie distrayante, mais aussi document socio-historique, car, dans ce bain de rock, de pop et de drogue, on sent les prémices de l'explosion soixante-huitarde. Un phénomène mondial s'il en fut, dont MCh et moi avons en 1967-1968 vécu à la source le versant américain lorsque j'étais étudiant en doctorat à Berkeley, barbu et cheveux longs, au point le 31 décembre 1967 de nous voir refuser l'accès à l'hôtel de Furnace Creek, au cœur de la vallée de la Mort : l'hôtel était interdit « aux hippies et aux chiens ». Ce soir-là, nous dûmes reprendre notre vieille voiture et rouler encore pendant deux heures avant de nous poser dans un motel à Shoshone, un petit village en bordure de la fameuse vallée. Bien fatiguant pour MCh, qui était enceinte. De l'autre côté de la grande rue, un restaurant où nous nous précipitâmes pour réveillonner d'un *T-bone steak*. Quand vint le moment de payer, le serveur nous dit qu'un client anonyme, nous trouvant sympathiques, avait réglé notre addition. Furnace Creek, Shoshone : le contraste de l'Amérique.

À l'autre bout du monde, ce fut la révolution culturelle dans la République dite populaire de Chine. En France, la libéralisation des ondes n'est intervenue qu'à l'ère Mitterrand.

Je me demande parfois s'il n'y a pas, dans la période que nous vivons depuis les débuts de la construction européenne, une sorte de lutte entre anciens et modernes comparable à la longue transition (de Jeanne d'Arc à Louis XIV) entre la géopolitique médiévale et celle de l'État moderne. Mais cette fois, les nationalistes sont du côté des anciens. Les partisans de l'intégration européenne regardent dans la direction de la flèche du temps. Peut-être faudra-t-il encore un bon siècle pour trancher cette nouvelle grande querelle, à laquelle j'ai d'ailleurs fait allusion avant-hier dans ma « leçon finale » à l'École polytechnique, après quarante années d'enseignement sous des formes diverses[1].

---

1. Voir « La géopolitique entre guerre et paix », dans Thierry de Montbrial, *L'Action et le système du monde*, 4e édition, coll. « Quadrige », PUF, 2011.

24 mai 2009

Reprise de la lecture du *Mazarin* de Simone Bertière, que j'ai dû laisser tomber depuis une bonne dizaine de jours. Je touche à la fin. Mon héros du moment n'aura pas eu le temps de savourer sa gloire. Du moins aura-t-il accompli son destin. Le successeur de Richelieu, avec des méthodes beaucoup plus indirectes que celles du précédent cardinal-duc (d'où mon entreprise de lire ce livre de très près), aura donc poursuivi jusqu'à son terme l'œuvre inachevée de ce dernier, en réussissant – à travers d'incroyables péripéties – à soumettre les « Grands » et à établir la paix avec les deux branches de la maison des Habsbourg. Pour couronner le tout, c'est le cas de le dire, il aura su préparer le jeune Louis XIV à la responsabilité de l'État royal. Je note en passant que la biographe, avec une finesse très féminine, fait justice des ragots qui ont entaché la réputation du grand homme, à commencer par la nature de sa relation avec Anne d'Autriche et la motivation de ses actions quand il s'agissait de personnes proches de lui. En s'appuyant notamment sur les travaux de Claude Dulong[1], les analyses de Simone Bertière touchant à la fortune de Mazarin situent la question dans son contexte, alors que tant de commentateurs pèchent par anachronisme. Au bout du compte, j'éprouve une grande sympathie pour le Mazarin avec lequel j'ai vécu de beaux moments au cours des dernières semaines.

1. Historienne, consœur de l'auteur à l'Académie des sciences morales et politiques.

1er juin 2009

Avant de me coucher, lecture des dernières pages de *Mazarin*. Dans son ultime portrait psychologique, Simone Bertière met l'accent sur l'extraordinaire souplesse et ouverture de son intelligence du monde (aussi peu spéculative, à ce que je comprends, que celle de Napoléon) ; sur une force de caractère « peut-être plus remarquable encore » (contrairement aux dires de ses détracteurs, il était physiquement courageux et, lorsqu'il s'était fixé un but, il le poursuivait par des chemins détournés mais avec une ténacité sans faille ; pour couronner le tout, en toutes circonstances, sa maîtrise de soi était impressionnante) ; sur son énorme capacité de travail, aux dépens de toute vie privée, comme on dirait aujourd'hui (en particulier, point de sexe – sa libido semble avoir été entièrement concentrée sur le pouvoir et sur les arts). Qui pourrait s'étonner, dans ces conditions, des épisodes où il somatisait, apparemment moins d'ailleurs que Richelieu ? En fait, c'est tout l'épilogue de ce beau livre que je serais tenté de recopier. En le refermant, je me dis que, s'il y a toujours place pour de nouvelles biographies des hommes d'exception, ce n'est pas seulement en raison de l'approfondissement continu des sources documentaires. Il y a aussi le *regard* du biographe, marqué par sa propre culture. Celle de Simone Bertière est bien éloignée de celle de Karl Federn. En ce début du XXIe siècle, typiquement, le point de vue psychologique s'est profondément renouvelé. Que *regardera* l'auteur du prochain grand *Mazarin* ?

22 août 2009

Achevé la biographie de Franco par Bartholomé Bennassar[1]. J'en retire l'impression que les responsabilités de la guerre civile furent vraiment partagées, en conséquence de la très longue période de décadence de l'Espagne, en gros depuis Napoléon. Le « Caudillo » apparaît ici comme un personnage hyper-conservateur, plutôt falot, pas très intelligent, mais courageux, bon tacticien, manipulateur et chanceux. Il a certes tout fait, avec succès, pour garder le pouvoir jusqu'à sa mort, et a longtemps tergiversé pour mettre sa succession en place, mais cette succession a remarquablement fonctionné. Or rien n'était moins évident au milieu des années soixante-dix, à l'époque de « l'eurocommunisme » triomphant. Que Juan Carlos ait été *the right man, at the right place, at the right time* est une sorte de réussite posthume pour Francisco Franco, alors que l'avènement d'une démocratie relativement paisible ne faisait certes pas partie de ses hypothèses. Avait-il d'ailleurs une quelconque vision ? En tout cas, l'Espagne est aujourd'hui un des États les plus importants de l'Union européenne. Telles sont les ruses du destin.

28 août 2009

Parcouru le dernier livre de Jean-Pierre Changeux : *Du vrai, du beau, du bien*[2]..., tiré de ses cours au Collège de

1. Publiée par Perrin en 1995.
2. Édité par Odile Jacob en 2008.

France. C'est évidemment le titre qui m'a attiré, à cause de mon « triangle ». Son point de vue est évidemment très différent du mien, puisqu'il prend les trois mots dans leur sens habituel (la logique, l'esthétique, la morale) et que son but est d'établir un isomorphisme entre les « états de conscience » correspondants (de la Conscience avec un grand C, il n'est apparemment pas question) et la structure physico-chimique du cerveau. Cela dit, c'est fort intéressant.

30 août 2009

J'avais promis à MCh de faire un dessin. Je prends donc la boîte de pastels de ma mère (mon premier et unique croquis date de 1996 !) et m'installe sur la pelouse, face à l'auvent, avec la maison à main droite. Ce petit moment me donne un vrai plaisir. Le dessin ou la peinture obligent à *regarder*, l'un des maîtres mots du vocabulaire de MCh, qui se réfère souvent à Colette à ce sujet. Regarder, écouter, sentir. Autre observation : je m'aperçois que je dessine comme j'écris, c'est-à-dire que je me lance sans « faire de plan », mais une cohérence finit par apparaître. Pendant les quelque quatre-vingt-dix minutes avec mon croquis, je ne pense à rien d'autre, et ma relation avec les petits bâtonnets est purement sensuelle. Après, je réfléchis au rapport des peintres avec les couleurs et les matières qui leur donnent naissance, je pense à Renoir dont MCh m'a parlé tous ces jours-ci à propos des souvenirs rédigés par son fils, ou encore au chimiste Chevreul dont j'ai dans ma bibliothèque, à moins de deux mètres du siège où j'écris ces lignes, l' « exposé d'un moyen de définir les couleurs ». Et je conçois aisément que la passion s'empare des artistes, comme des savants…

26 décembre 2009

Réflexions sur les péchés, autour du problème de la place de l'orgueil par rapport aux autres péchés et notamment par rapport à la « luxure ». Par exemple, quelle est la place de l'orgueil dans les rapports de séduction et les rapports sexuels ? N'y a-t-il pas confusion fréquente entre peines d'amour et peines d'amour-propre ? Oui, assurément, mais on n'épuise pas ainsi le sujet du désir.

27 décembre 2009

J'avance dans la biographie du dominicain Jacques Arnould sur Pierre Teilhard de Chardin, dont je découvre le cheminement difficile. Les pages sur « La nostalgie du front » sont impressionnantes. « J'affirme, pour moi, que, sans la [Grande] guerre, il est un monde des sentiments que je n'aurais jamais connus ni soupçonnés », avoue le géologue-poète-mystique pour qui donc ce formidable choc des masses humaines n'a pas engendré que du mal. Cela va loin ! Je suis sensible, évidemment, au thème *L'Église doit « sentir avec le monde »*, et à des phrases comme celle-ci : « L'action humaine a une valeur nutritive normalement irremplaçable (= éveil, urgence, sérieux…). Une vie passée uniquement en Dieu risque d'être puérile, ou anémique… » La vie monastique n'est qu'un idéal relatif. D'une manière générale, l'originalité et l'immense audace de la pensée teilhardienne, tout imprégnée par le phénomène de l'évolution et par les tentations « panthéiste » ou bouddhiste, sont bien rendues dans ce livre. L'auteur insiste cependant sur « l'obéissance sans faille» du jésuite à son engagement religieux mais ne donne aucun détail, du moins jusqu'au point où j'en suis dans ma lecture, sur ses rapports avec ses supérieurs.

30 décembre 2009

En fin de journée, lecture d'une partie du chapitre IV de *L'Évolution créatrice*, où Bergson se livre à un exercice époustouflant de synthèse de la philosophie grecque. C'est Rémi Brague qui l'autre jour m'a mis sur cette piste, à propos de mes remarques sur les biens collectifs ou publics réels comme biens collectifs ou publics «dégradés». Je suis dans le juste dans mon interprétation de la théorie des «Idées[1]». Et je vis un moment intellectuel d'une grande intensité.

9 janvier 2010

Je finis cette journée avec *L'Évolution créatrice* par ces formules célèbres autour de la notion de temps : «Le temps est invention ou il n'est rien du tout.» Ou encore : «La durée de l'univers ne doit donc faire qu'un avec la latitude de création qui y peut trouver place.» La création n'apparaît pas seulement comme *continuée* mais *continue*. La distinction est importante. Je me souviens d'une conversation au

1. Voir Thierry de Montbrial, *L'Action et le système du monde*, *op. cit*; et Thierry de Montbrial, *L'Économie politique entre science, idéologie et gouvernance. Réflexions autour de la première grande crise du XXIe siècle*, discours de réception à la Real Academia de Ciencias Económicas y Financieras (Barcelone), le 18 mars 2010 (https://racef.es/archivos/discursos/discurs_montbrial.pdf ou www.thierrydemontbrial.com).

cours de laquelle Robert Dautray[1] me disait que, selon la physique actuelle, tout est histoire, une affirmation conceptuellement révolutionnaire. Bergson avait raison d'écrire : « L'avenir [n'est plus] déterminable en fonction du présent ; tout au plus [peut-on] dire qu'une fois réalisé, il [est] retrouvable dans ses antécédents. » Cela va bien au-delà des considérations habituelles sur les difficultés de la prospective dans les affaires humaines et l'impossibilité radicale de prévoir la plupart des événements[2]. Je me risque à remarquer que, rapportée aux dimensions de l'espace-temps à quatre dimensions tel qu'on peut le concevoir dans le cadre de la relativité, toute l'histoire humaine, et a fortiori celle de la science, est quasiment un point. L'ensemble de ce qui a été « vu » dans le cosmos est fort peu de chose par rapport à l'espace-temps tout entier. Par exemple, lorsque nous arrive un signal lumineux émis par un objet il y a un milliard d'années, nous pouvons dire que l'essentiel de l'histoire ultérieure de cet objet nous sera à jamais inaccessible. C'est pourquoi l'extraordinaire solidité des résultats acquis par la physique n'infirme pas a priori la conception bergsonienne de la durée/création, même à l'échelle de l'« univers ». Il vaudrait la peine d'approfondir à ce sujet le rapport entre Bergson et Teilhard. L'idée qui ressort de tout cela est qu'en tant que science, la cosmologie n'est pas sans parenté avec les

1. Né en 1928, une grande figure de l'histoire du Commissariat à l'énergie atomique en France. Membre de l'Académie des sciences. Ses Mémoires ont été publiés en 2007 chez Odile Jacob.

2. Voir Thierry de Montbrial, *La Prévision : sciences de la nature – sciences morales et politiques*, Communication à l'Académie des sciences morales et politiques, le 16 juin 2014 (www.thierrydemontbrial.com).

sciences de la terre (géologie, paléontologie...) ou même les sciences de l'homme comme l'anthropologie, l'ethnologie ou la linguistique. Toutes ces disciplines visent à constituer un tout explicatif cohérent à partir de « traces ».

27 janvier 2010

Déjeuner avec Michel Prigent[1] à La Méditerranée. Nos retrouvailles sont agrémentées de beaux rayons de soleil qui parviennent jusqu'à notre table. Comme toujours, nous commençons par ratisser large. Je retiens que Bergson, l'un des plus grands auteurs de Félix Alcan puis des PUF, écrivait sans jamais faire de plans. Ce détail m'intéresse, car je fonctionne moi aussi comme cela.

14 mars 2010

MCh m'offre le dernier livre de François Cheng, sur son expérience de la calligraphie. J'aime cette idée que le *souffle* (Qi, l'énergie) devient signe, à travers le corps et l'esprit du calligraphe. Voir mes notations antérieures à propos de Verlaine, etc. : les hommes sont traversés par un flot cosmique qui les dépasse. Parfois, cela donne du génie. Mais où siège le génie ?

2 avril 2010

Réflexions à propos de la crise de l'Église catholique, sur le gril notamment avec les affaires de prêtres

1. Michel Prigent (1950-2011). Il dirigea avec un grand talent les Presses universitaires de France.

pédophiles. Le problème n'est pas seulement que tant de clercs ne parviennent pas à assumer leurs engagements. Plus grave à mes yeux est que l'institution n'a cessé de couvrir les coupables, et se comporte souvent (dans les affaires financières aussi) comme une mafia. Ce qui ne l'empêche pas de donner au monde des leçons de morale. Il est certes difficile de prévoir les conséquences de cette crise gravissime, mais, comme on dit, il y aura un avant et un après. Pour commencer, elle va devoir s'interroger sur les critères de sélection des cardinaux et… du pape ! Dans les années quatre-vingt, je plaisantais sur les ressemblances entre les systèmes de pouvoir du Parti communiste de l'Union soviétique, d'IBM et du Vatican. Les deux premiers systèmes sont tombés. Le troisième est sérieusement ébranlé.

4 avril 2010

Pâques. Comme toujours, nous écoutons l'homélie du pape et la bénédiction *urbi et orbi*. Pas un mot sur la crise. C'est d'autant plus regrettable qu'hier le prédicateur du Vatican a fait une bourde en comparant les critiques actuelles contre l'Église à l'antisémitisme ! Mais on voit mal Benoît XVI et ses cardinaux recourant aux services d'une société de communication…

29 avril 2010

Ces jours-ci, on parle beaucoup de l'interdiction de la burka. Je n'ai pas voulu participer au débat sur l'identité nationale[1], mais la question me paraît plus simple qu'on ne le dit : l'identité repose sur une Culture (C majuscule, ASM[2]), c'est-à-dire, concrètement – dans des proportions variables –, une langue, une certaine interprétation commune d'une histoire et d'une géographie, et un socle de pratiques partagées. La burka n'a pas sa place en France. Toute société peut accepter une dose de marginaux, les États-Unis sont remarquables à cet égard. L'importance du phénomène de la burka n'est pas quantitative, mais tient à ce que le vêtement est l'un des révélateurs de la non-intégration d'une fraction de la population musulmane.

1er mai 2010

Rédaction de quelques pages sur Keynes en vue d'un ouvrage ultérieur. En parcourant un livre de Jiddu Krishnamurti que m'a offert Alain Lahmani il y a quelques mois, je trouve ces trois citations (je connaissais bien sûr celle de Montaigne) : « Quiconque regarde en lui connaît les pensées et les passions de tous les autres hommes » (Thomas Hobbes) ; « Chaque homme porte la forme entière de l'humaine condition » (Montaigne) ; « Nous sommes le monde » (Krishnamurti). J'applaudis, mais avec un bémol : les hommes sont malgré tout très différents. Ils n'ont pas tous le même champ de vision et ne sont pas sujets aux mêmes passions. J'avais écrit quelque chose du même genre à

---

1. Allusion au débat lancé par Nicolas Sarkozy, hélas sans la hauteur nécessaire. Il a donc fait long feu.

2. ASM : abréviation de *L'Action et le système du monde*, ouvrage déjà cité de l'auteur.

propos du livre du père de La Morandais sur les sept péchés capitaux. En d'autres termes : nous naissons presque tous sous des étoiles différentes. Et nous n'avons pas les mêmes blessures originelles. L'homme total, ou la conscience absolue, ne saurait être imaginé qu'à travers une sorte de communion des saints.

18 mai 2010

C. m'invite à m'occuper de mon *prana* (le corps subtil), ce qui, par association d'idées, stimule mes réflexions sur « l'incarnation », au sens où tout individu ne fait qu'un avec ce que j'appellerai, pour faire court, un mode filtré de la totalité de l'univers. « Dieu » se manifeste (plus ou moins) à l'intérieur de cette unité. Il me semble que ce schéma trouve sa place dans le paradigme d'Abellio[1].

7 août 2010

L'actualité de ces journées est dominée par les incendies en Russie. Moscou étouffe. Certaines installations nucléaires sont menacées. Les autorités sont débordées et donnent une impression d'impuissance. Conséquence d'un excès de centralisation et d'investissements publics insuffisants. Pendant ce temps, le Pakistan connaît les plus graves inondations de son histoire. Une quinzaine de millions de personnes affectées. Là encore, impuissance de l'État. Les fondations islamiques occupent le terrain. Sur l'océan Arctique, des blocs de glace grands comme des

1. Cf. *La Structure absolue*, *op. cit.*, p. 187.

villes se détachent. On parle d'une hausse du niveau des mers. Un rêve noir : le Gulf Stream pourrait-il bifurquer soudainement ? En quelques mois ou quelques semaines peut-être, le climat de l'Europe de l'Ouest pourrait alors changer radicalement. Nous subirions, si je puis dire, le sort du Canada. Adieu, la France « éternelle ». On imagine de grandes migrations, bien au-delà de ce que nous connaissons aujourd'hui pour des raisons politiques ou économiques.

10 août 2010

Je relève cette jolie citation de Khosrow Chadan, un « auteur persan du IIIe millénaire », que Jean-Louis Basdevant[1] a mise en exergue de ses *12 Leçons de mécanique quantique :* « Le temps presse avant l'éternité, il ne faut pas le gaspiller. »

19 août 2010

Achevé la lecture annotée de la première partie des *Mémoires* d'Aron, intitulée : *L'éducation politique (1905-1939).* L'auteur y évoque, parfois avec tendresse, des figures célèbres qu'il a plus ou moins connues. Je relève particulièrement son admiration pour André Malraux. Évidemment, je suis intéressé de retrouver des personnalités que j'ai croisées dans mon jeune temps, comme Bertrand de

1. Professeur de physique à l'École polytechnique quand l'auteur y était président du département d'économie.

Jouvenel[1] ou Alfred Fabre-Luce[2], et j'en rencontrerai bien d'autres dans la suite. J'accorde la plus grande attention à la méthode d'Aron, dans ce livre. Pour une bonne part, il reprend et commente ses écrits, avec parfois un souci à peine dissimulé de justification. Et, bien sûr, il analyse les événements dont il a été contemporain, de sorte que ces *Mémoires* sont aussi un regard sur l'histoire du XXe siècle, et pas n'importe lequel. Ce qui en fait l'intérêt durable. Dans cette première partie, il s'agit de l'entre-deux-guerres. L'auteur montre que, dans la France déclinante de l'époque (et même décadente, selon ses propres termes), le fascisme n'a jamais été un danger sérieux. Il démontre que le véritable tournant de la marche à la guerre a été 1936, et non 1938. 7 mars 1936 : l'armée allemande pénètre dans la Rhénanie démobilisée... 29-30 octobre 1938 : conférence de Munich – Chamberlain et Daladier cèdent aux exigences d'Adolf Hitler, après l'Anschluss. Entre les deux, en France, l'expérience du Front populaire. Toujours soucieux de justice, Aron se garde de toute condamnation sommaire des « Munichois ». Je cite quelques phrases représentatives de sa modération : « La politique dite de Munich signifie donc aujourd'hui tout à la fois la faute morale et l'erreur intellectuelle, la lâcheté, la guerre retardée mais d'autant plus

1. Bertrand de Jouvenel (1903-1987) est décrit ainsi par son biographe Olivier Dard : « Homme du monde, journaliste brillant, essayiste à succès, théoricien politique, pionnier de l'écologie, républicain militant tenté par le fascisme, il a eu tant de facettes qu'il semble défier l'analyse » (O. Dard, *Bertrand de Jouvenel*, Perrin, 2008).

2. Alfred Fabre-Luce (1899-1983). Journaliste et écrivain français. Il fréquenta assidûment l'Ifri à ses débuts. L'auteur eut de nombreuses conversations avec lui.

coûteuse et fatale. Je n'ai pas la prétention de corriger cette interprétation ; après tout, en dépit des faits les mieux établis, les historiens n'ont pas réussi à refouler la légende du partage du monde à Yalta » (p. 147 de l'édition originale). Je me suis moi-même exprimé sur Yalta dans mon livre *Mémoire du temps présent*[1]. Et un peu plus loin : « Ironie de l'histoire et folie des passions : les Munichois demeurent des criminels alors que ceux qui applaudirent la "sagesse" des Français en mars 1936 [passivité devant la remilitarisation de la Rhénanie] ne sont jamais mis en accusation » (p. 148). Or : « La résistance à Hitler, en mars 1936, comportait le minimum de risques : nous savons aujourd'hui qu'il n'y en avait aucun et nous devions savoir à l'époque que le péril était faible » (p. 147). Le « spectateur engagé » rend hommage à la lucidité d'Alfred Fabre-Luce, dont la prise de position de 1936 explique et justifie, selon lui, l'approbation que ce grand commentateur donne à l'accord de Munich de 1938 (p. 140-141). Je suis naturellement très attentif à ce qu'Aron écrit sur Charles Maurras[2], lui aussi lucide à certains égards au printemps 1936, et auteur pourtant de ces lignes (le 10 mars) : « Et d'abord, pas de guerre. Et d'abord, nous ne voulons pas la guerre. Il est triste et cruel d'avoir à dire cela, à l'écrire, et surtout à le publier » (Aron, p. 139). Maurras n'était pas pronazi. Il prévoyait la défaite française et ne s'en réjouissait pas, mais sa haine de la République, des juifs et des francs-maçons

1. Publié en 1996 chez Flammarion. Voir dans le chapitre III, « Yalta, mythe et réalité ».

2. Charles Maurras (1868-1952). Écrivain, essayiste politique et âme de l'Action française, mouvement nationaliste et royaliste, il eut une influence considérable dans l'entre-deux-guerres.

l'emportait sur les autres considérations. Je note cependant qu'Aron, aux antipodes d'un Maurras pour toutes les raisons du monde, n'hésite pas à confesser : « Il m'est arrivé par instants de penser, peut-être de dire tout haut [dans les « années de décadence » c'est-à-dire 1931-1938] : s'il faut un régime autoritaire pour sauver la France, soit, acceptons-le, tout en le détestant » (p. 151). J'ai envie de recopier bien d'autres passages, et j'épargne cet effort à mon poignet. Mais je n'ai sûrement pas fini de revenir sur l'entre-deux-guerres et de penser à la nature des engagements de mon père, dont la fidélité à Maurras est restée sans faille. Je me bornerai ici à noter qu'Aron s'efforce d'exprimer un jugement équilibré sur le Front populaire, aussi inconscient en politique extérieure et incompétent en économie qu'il fût. Sur ce dernier point, l'auteur souligne, comme le faisait Jean Ullmo dans nos innombrables conversations des années soixante et soixante-dix, que l'administration française était totalement démunie à l'époque. Les hommes politiques étaient abandonnés à leur ignorance. Les bons conseillers comme, dans des genres très différents, Jacques Rueff[1] ou Alfred Sauvy, étaient peu nombreux, isolés, et n'avaient guère d'appareils d'observation à leur disposition. D'où les efforts de l'après-guerre, avec des institutions comme le SEF (Service d'études financières) puis la direction de la Prévision, la création de l'INSEE, le Commissariat au plan, etc. Autant d'innovations qui avaient suscité l'enthousiasme de Jean Ullmo, et accompagné la vocation de toute une génération de hauts

1. Jacques Rueff (1896-1978) fut comme Maurice Allais l'un des rares représentants français de la pensée économique libérale. Il inspira les réformes du général de Gaulle en 1958 et fut chancelier de l'Institut de France.

fonctionnaires, parmi lesquels son fils Yves. On pense, bien sûr, à la création de l'ENA. J'ai baigné dans cette ambiance à l'époque de mes débuts, autour de 1970, alors que le monde était sur le point de subir un nouvel ébranlement (la crise du pétrole). Plus tard, les meilleurs éléments de la génération Mitterrand ont pensé qu'ils pourraient faire aussi bien que le Front populaire sur le plan social, sans commettre les erreurs de leurs prédécesseurs. Mais ceci est une autre histoire...

J'en reviens à Hitler. Comment ne pas méditer, surtout par contraste avec le bilan du Front populaire, sur cette remarque d'Aron : « En septembre 1938, la plupart des Allemands s'étaient ralliés au régime à cause des succès remportés, à savoir la liquidation du chômage [la politique du fameux Dr Schacht], le réarmement, la création du Grand Reich, le rattachement de l'Autriche et des Sudètes *sans guerre* [souligné par l'auteur] : l'œuvre dépassait en apparence celle de Bismarck. S'il était mort, soudainement, au lendemain des accords de Munich, n'aurait-il pas passé pour un des plus grands Allemands de l'Histoire ? » (p. 151-152). Mesuré comme toujours, Aron développe aussitôt la restriction *en apparence*. La thèse – celle de l'historien Sébastien Haffner – n'en mérite pas moins très sérieuse considération.

22 août 2010

J'avance un peu dans Aron. J'apprécie le chapitre sur « sa » guerre, à Londres, parfaitement assuré. Ses jugements, aussi bien sur Pétain et Vichy que sur de Gaulle et les divers mouvements de résistance, sont lucides et équilibrés. Lorsque, dans mes vingt ans, j'ai cherché à me faire une opinion personnelle sur cette phase tragique de notre histoire – à travers notamment des livres de Robert Aron[1], qui n'a d'ailleurs rien à voir avec Raymond –, j'étais arrivé à la conclusion que c'est en novembre 1942 que Pétain aurait dû quitter l'Hexagone et établir la capitale à Alger. Je pense pareillement après mes lectures de ces jours-ci. Mais, comme l'écrit mon auteur du moment, « le Maréchal s'était interdit de jamais quitter le sol du pays ; il s'imaginait capable, par sa seule présence, de protéger le peuple français des rigueurs extrêmes de l'Occupation » (p. 181). Je retiens la distinction entre « le premier Vichy », d'inspiration maurrassienne, et celui de 1944, avec des hommes comme Déat ou Doriot. Aron respecte l'un, évidemment pas l'autre. Je note aussi cette remarque, qui va très loin, et justifie certains aspects du « nationalisme intégral » du général de Gaulle : « La cause française ne se *séparait* pas de la cause alliée, mais elle ne se *confondait* pas avec elle » (p. 188). On pourrait, aujourd'hui encore, établir une différence du même ordre au sujet du rapport entre l'Alliance atlantique et l'Union européenne, par rapport au reste du monde. J'aime ces lignes, à la fin du chapitre justement intitulé « La tentation de la politique » : « En même temps [à la fin de la guerre], je m'interrogeai sur moi-même, sur mon penchant à la solitude [...]. Mon allergie à toute vision mythique de l'histoire, ce faisant, me vouait à la destinée qui fut la mienne au cours des trente-sept années écoulées depuis la fin de la guerre [les *Mémoires* ont été publiés en 1983]. Je ne le savais pas aussi clairement qu'aujourd'hui à l'instant où, le cœur battant, je mis le pied sur la terre de France. Il me fallut encore quelques années

1. Auteur notamment d'une *Histoire de Vichy* et d'une *Histoire de la Libération*, tous deux publiés chez Fayard.

pour m'accepter ou, plus exactement, pour faire la part exacte qui revenait respectivement à l'analyse et à l'engagement» (p. 193). Comment ne pas penser à mon propre destin?

23 août 2010

Marseille avec MCh. Nous parlons dans la voiture de la façon dont enfants et adultes regardent leur environnement immédiat : rapport concentration/observation; émotion de la découverte; échelle physique (taille de l'observateur et qualité de sa vision)...

12 septembre 2010

Un long moment à flâner dans les beautés de la géométrie. Je rapproche les considérations de Robin Hartshorne[1] sur le passage de «l'expérience» à la «démonstration» et les pages de Marcel Berger[2] intitulées (je traduis) : «Le plus beau théorème sur les coniques : les polygones de Poncelet». En dessinant un triangle et ses trois hauteurs ou ses trois bissectrices, on peut constater «expérimentalement» qu'elles se rencontrent en un même point. À partir de là, la «démonstration» est un acte supérieur de la pensée, qui présuppose une représentation mentale idéale des points, des lignes, etc., et un cadre approprié (axiomes de base,

1. Robin Hartshorne, *Geometry : Euclid and Beyond*, Springer, 2000, p. 8 à 13.

2. Marcel Berger, *Geometry Revealed*, Springer, 2010, p. 216 et sq. Marcel Berger est le maître de l'École française de géométrie.

règles logiques...). Dans les exemples mentionnés (hauteur, bissectrices), les démonstrations sont faciles. L'intérêt du théorème de Poncelet est que l'énoncé est simple et compréhensible pour tout un chacun, la vérification expérimentale aisée, mais la démonstration difficile. Et puisque je parle de géométrie, j'ajouterai que, de toutes les approches des mathématiques, c'est évidemment celle qui s'apparente le plus avec les arts plastiques.

25 septembre 2010

Nous allons au cinéma voir *Des hommes et des dieux*, l'admirable film sur le martyre des moines de Tibhirine. Magnifiques figures, en particulier, que celle de frère Luc, le médecin, et frère Christian, le supérieur. Fallait-il rester ou partir devant la quasi-certitude d'un assassinat collectif? Deux réponses, deux logiques possibles. Impossible de trancher de l'extérieur. Moins dur, tout de même, que *Le Choix de Sophie*, cette femme que l'on condamne à désigner elle-même celui de ses deux enfants qui sera exécuté. Tout cela est parfaitement rendu. Le scénario est fort bien construit. Ainsi comprend-on clairement que la question de savoir qui a perpétré le crime collectif – les autorités gouvernementales ou les terroristes – est également indécidable.

29 septembre 2010

En parcourant la presse de ces jours derniers, où le Saint-Siège est de nouveau sur la sellette, cette fois pour des magouilles financières, je repense une fois de plus à ma comparaison d'autrefois entre les systèmes de pouvoir du

Parti communiste de l'Union soviétique, d'IBM et du Vatican. Il ne reste plus que le Vatican. Ce morceau-là sera plus résistant…

31 octobre 2010

Conversation avec MCh sur l'industrie du luxe (à propos d'Hermès et de Vuitton) et la comparaison avec l'art. Je réfléchis occasionnellement sur ces sujets dans le cadre d'un projet de livre sur la science économique. Certainement sous l'influence de ces réflexions, j'ai fait allusion quelque part à la « très contestable théorie néoclassique ». Ayant dégoté cela, Marcel Boiteux m'a adressé une lettre, datée du 21 octobre, au demeurant fort courtoise, me reprochant ce « coup de patte ». Mon confrère écrit : « Ce n'est pas à la théorie mais à l'usage débile que certains en font qu'il faudrait s'attaquer. » La position de l'ancien président d'EDF est trop dogmatique. J'en reviens au luxe et à l'art. Cela nous conduit aux artistes… et à leur succession, parfois difficile. Ainsi pour Picasso, qui a tout compliqué à plaisir, et pour Colette. Voilà comment nous en venons à Bertrand de Jouvenel et sa dernière maîtresse Jeannie Malige qui partageait son temps entre lui et son mari, à la vie très libre de Colette qui avait identifié au paradis terrestre sa brève idylle avec Bertrand, aux rapports entre Colette, sa mère Sido – auteure de très belles lettres – et son père, le docteur Colette, qui faisait semblant d'écrire son journal après ses consultations – après sa mort, on a retrouvé sa collection de carnets… tous vierges ! –, au lien possible entre la Gigi de Colette et ma tante, à l'accent bourguignon de Colette – aujourd'hui, les accents régionaux sont en voie de disparition en raison de la révolution des communications, etc. Il est toujours amusant de reconstituer les méandres des conversations. J'ai rencontré Bertrand et Jeannie dans les années soixante-dix, sans doute à l'occasion d'un colloque. J'avais été fort sensible au charme, à la prestance mais aussi à la bienveillance de Bertrand. Jeannie ne m'avait pas non plus laissé indifférent. Je revois vaguement la scène. Bien plus tard, MCh a traité avec elle dans le cadre de sa série sur Colette (il s'agissait de discuter des droits). Elle se souvenait de notre rencontre. Par association d'idées, encore, ces remontées de mémoire ravivent l'épisode de Cancale, sans doute en 1983, où le sieur Pierre-Émile Buron, qui se définissait comme « un vieil historien inconnu » (je pense à la dédicace à sa *Vie de Socrate l'admirable* publiée comme ses autres livres à compte d'auteur), nous avait bien involontairement révélé que ma grand-mère [« Votre grand-mère aussi était écrivain ? »] avait un penchant pour la drogue… Ami(e), ainsi l'appelions-nous, avait comme sa rivale un tempérament de feu. Mais elle cachait ses « vices[1] »… Et comme les enchaînements sont sans limites, nous voilà abordant les années soixante-dix, les déjeuners du samedi chez Jacques Rueff ou chez Alfred Fabre-Luce, les conférences de la rue Ferrus[2] où ce dernier, comme aussi Léo Hamon[3] et tant d'autres, venaient pour s'informer…

---

1. La grand-mère maternelle de l'auteur, de son nom de plume André Corthis (1885-1952, André au masculin), était romancière (prix Femina en 1906 ; grand prix du roman de l'Académie française en 1920). Sa fille aînée, Gilberte (1911-2013), était appelée Gigi.

2. Où siégea l'Ifri, de sa création en 1979 jusqu'à son déménagement rue de la Procession en 1995.

3. Léo Hamon (1908-1993). Homme politique français. Il fut secrétaire d'État près le Premier ministre, porte-parole du gouvernement Jacques Chaban-Delmas.

7 novembre 2010

Repris la lecture de *Notre Père* de Marc Philonenko[1], dont le projet est de retrouver cette prière « dans sa teneur première ». Mon confrère de l'Académie des inscriptions et belles-lettres, doyen honoraire de la Faculté de théologie protestante de Strasbourg, m'avait offert ce livre à l'issue de mon année de présidence. Il m'intéresse en soi et surtout par rapport à mon itinéraire spirituel. L'important, semble-t-il, est que, selon l'érudit, les six « demandes » de cette prière (les trois premières, de Jésus au Père, mais aussi celles dont Jésus a fait don à ses disciples) ont un caractère eschatologique.

8 novembre 2010

Taïwan. Cérémonie d'ouverture d'une conférence sur les négociations climatiques, où j'interviens aux côtés de dignitaires locaux. Je passe ensuite deux heures extraordinaires avec Benoît, comme tout le monde appelle ici le jésuite Benoît Vermander. Nous ne parlons à peu près que du christianisme. Il en a une vision forte avec une perspective eschatologique, un peu teintée par l'esprit teilhardien. Je me demande d'ailleurs si l'eschatologie n'est pas ce qui distingue fondamentalement le judéo-christianisme des religions orientales. Cela renvoie à la philosophie du temps, et au double sens du sens : flèche du temps, sens de l'existence. Mon interlocuteur insiste sur le lien entre

1. Publié chez Gallimard.

le Nouveau et l'Ancien Testament, qu'il aime et dont Jésus avait une connaissance parfaite. Il souligne l'importance de l'aspect narratif dans les livres saints (« Dieu aime raconter des histoires »). Le Credo lui-même est une histoire. La violence de l'Ancien Testament est la réalité de l'histoire des hommes – après tout, je ne manque moi-même jamais une occasion de rappeler que l'histoire n'a jamais cessé d'être tragique –, mais il faut bien interpréter les messages. Quelques symétries magnifiques. Par exemple, sur la Croix, Jésus – Jésus *Christ*, c'est-à-dire *oint* – se « vide », s'abandonne à Dieu (« Que Ta volonté soit faite »), et c'est à ce moment-là que se forme le lien trinitaire. Et le rien (Jésus « vidé ») se transforme en infini avec la résurrection. Il y a résurrection « de la chair », mais c'est à des gestes que les disciples reconnaissent le Christ quand il se manifeste à eux, etc. Le mal est un mystère, dans l'histoire de l'homme et de l'univers il y a certes des choses qui nous échappent, et si Dieu a pris du plaisir à accoucher de l'homme (Mozart, *messe en* ut *mineur* ; Bach...), il a dû « descendre aux enfers »... Satan existe-t-il ? Dans le *Notre Père*, on peut dire « délivre-nous *du mal* » mais aussi *du malin*. Ce n'est pas la même chose. Je note que Benoît est un passionné de Pascal et de la puissance d'une pensée formidablement concentrée et cohérente, qu'à son avis celui-ci « méprisait » Descartes mais admirait Montaigne auquel, pourtant, tout l'opposait. Pour Pascal, le risque de la foi est une aspiration – certes souvent à son insu – de tout homme. L'agnosticisme ou l'athéisme seraient donc des apparences. Au contraire, Montaigne se satisfaisait du confort de sa tour... Les études pascaliennes sont actuellement en pleine expansion, ce qui pourrait expliquer partiellement qu'au-delà de sa tendance naturelle à la dispersion, mon confrère Jean Mesnard se trouve paralysé face à son édition des *Pensées*[1]. Je lui en parlerai à l'occasion. Sur un tout autre plan, j'ajoute que BV partage sans réserves mon avis que l'Église est entrée dans une immense crise de purification, qui durera des décennies et des décennies, et que dans cent ou cent cinquante ans son organisation et les modalités de son enseignement seront fort différentes. Mais aujourd'hui, dans leur ensemble, les chrétiens ont peur d'une remise en cause qui les déstabiliserait encore plus. J'en reste là sur ma grande rencontre de ce jour, qui à elle seule justifie à mes yeux mon passage à Taipeh.

5 décembre 2010

Nous allons voir l'exposition Monet au Grand-Palais. Une exceptionnelle réunion d'œuvres du plus grand des impressionnistes. Ce qui me frappe le plus, aujourd'hui, c'est le travail passionné de l'artiste à la recherche d'une fusion avec la nature, ce qui est pour moi la définition même de la quête de la beauté. Monet s'attache avec ferveur à capter l'instantanéité. Mais à ce niveau-là, l'idée d'instant fait corps avec celle d'éternité. Derrière tout cela, je reconnais évidemment une conception orientale de la spiritualité. À noter qu'il y a une dimension intellectuelle chez l'immense

1. Jean Mesnard, confrère de l'auteur à l'Institut de France, a entrepris en 1964 de publier une nouvelle édition critique des œuvres de Pascal (chez Desclée de Brouwer), incomplète à ce jour, des *Provinciales* et des *Pensées*.

peintre de la nature, qui est absente chez son ami Renoir, davantage dans le travail manuel – comme il disait lui-même – et dans une sensualité humaine, certes sublimée.

10 janvier 2011

À l'Académie, Rémi Brague parle de « la légitimité de l'humain » dans des termes qui me ramènent à mes interrogations sur « la morale non euclidienne ». Nous manquons, dit-il, d'arguments moraux qui justifieraient la poursuite de l'aventure humaine. Cela dit, sa communication autant que ses réponses me laissent sur ma faim. François d'Orcival observe que Brague ne sort pas de la philosophie occidentale. L'orateur affirme que « l'aventure occidentale a tendance à se généraliser ». Certains d'entre nous sautent au plafond.

24 janvier 2011

À l'Académie, Alain Besançon parle brillamment de « la religion de Flaubert ». Extrêmement sévère sur les prêtres (pas seulement chrétiens !), incapables de sentir et de transmettre le divin (« le prêtre est un grotesque entre tous les grotesques dans son univers »), il n'en est pas moins lui-même obsédé par le problème de Dieu. Flaubert est assurément un homme de justice et de pitié, à situer du côté des humiliés et des offensés, et déteste les bourgeois. À ce stade, Besançon pourrait citer Jean-Paul Sartre, mais il ne le fait pas. Tout cela ne me scandalise pas. « Je suis un mystique qui ne croit en rien », écrit quelque part Flaubert. Ce mysticisme, selon Besançon, est « un sentiment océanique ». Joli. L'orateur décortique *La*

Tentation de saint Antoine, mais aussi certains aspects de *Bouvard et Pécuchet* et des *Trois Contes*.

7 mars 2011

Calcutta. Cette journée commence par une visite de *Mother House*, c'est-à-dire le siège des Missionnaires de la Charité (MC). On ne distinguerait pas le bâtiment, si l'on n'y prenait garde. Une agréable cour intérieure qui pourrait faire penser à un cloître, une circulation bien conçue. Nous sommes accueillis par sœur Mary Prema, une Allemande qui est la deuxième à avoir succédé à la fondatrice de l'ordre. Cette femme d'une cinquantaine d'années a une certaine beauté et possède le feu sacré. Elle est rayonnante. Un regard bleu, doux et superbe. Un témoin crédible de la foi, s'il en est. Elle parle magnifiquement un caractère « radical » des femmes qui s'engagent dans cet ordre – un choix, affirme-t-elle, qui donne la liberté absolue. Elle n'esquive aucune des questions que nous pouvons lui poser (sur l'organisation du travail, la formation et l'activité des missionnaires, le départ de certaines d'entre elles, etc.). Comme je lui demande si elle n'a jamais été déçue par Mère Teresa – j'imagine qu'on ne lui pose pas souvent une question de ce genre –, la réponse arrive instantanément, le plus simplement du monde : « C'est Jésus que je suis. » Dans la même veine, elle n'est nullement obsédée par le prosélytisme. Mais les Indiens ont naturellement tendance « à respecter les gens consacrés » et « s'ils ne connaissent pas Jésus, Jésus les connaît ». Nous nous recueillons avec elle devant le tombeau de « la Mère » et parcourons l'exposition qui lui est consacrée. Sœur Mary Prema nous montre la chambre minuscule et spartiate où elle dormait et où elle s'est éteinte. Malgré le manque d'air, elle a toujours refusé qu'on y installe le moindre ventilateur, « pour vivre comme les pauvres ». Finalement, elle m'offre un livre frappé du tampon de la mission et qui n'était apparemment pas destiné à en sortir, avec cette dédicace : « Dear Prof. Thierry de Montbrial and family, God loves you very much. Be His Light to all you meet. God bless you. Sr M. Prema M.C. 7.3.2011. » Le livre a d'ailleurs pour titre *Mother Teresa, Come Be My Light.* Il s'agit des *Private Writings of the « Saint of Calcutta »*, précise le sous-titre. J'aime depuis longtemps cette notion de lumière, portée par les témoins crédibles... Au passage, nous en avons vu un certain nombre, de ces sœurs souriantes, parmi lesquelles une très vieille dame, la quatrième – nous précise la supérieure – à avoir suivi « la sainte de Calcutta »...

13 mars 2011

Vol de nuit. Nous quittons l'Inde en éprouvant fortement ce sentiment d'indo-européanité qui m'a plus d'une fois saisi en visitant ce pays. Sans doute nos racines communes ressortiront-elles davantage à mesure que l'Inde se développera. Espérons qu'en chemin ce pays ne perdra pas son âme et qu'il saura non seulement limiter ses conflits intérieurs mais préserver son appétence naturelle pour la spiritualité.

13 avril 2011

J'achève la lecture du dernier livre de Rémi Brague, *Les Ancres dans le ciel*[1]. Il « démontre » que l'Homme (au sens

1. Le Seuil, 2011.

du genre humain, et non pas de tel ou tel individu) mérite de survivre car il existe un Bien supérieur à l'Être (l'être de l'Homme), que l'Homme est libre d'accueillir ou de rejeter. Reste l'incarnation de tout cela. Mon confrère est pudique. Cela dit, son petit livre est excellent et mérite lecture et relecture.

17 avril 2011

En passant devant une librairie avenue Raymond-Poincaré, mon regard s'accroche sur une carte postale avec ce mot de Saint-Exupéry : « Aimer, ce n'est pas se regarder l'un l'autre, c'est regarder ensemble dans la même direction. »

1er mai 2011

Regardé sur France 2 la cérémonie de béatification de Jean-Paul II, en ce deuxième dimanche de Pâques consacré par le défunt pape à la divine miséricorde. Foule immense et protocole impeccable. Beaucoup d'émotion, mais d'une nature plus réfléchie, si l'on peut dire, qu'au moment de la mort du nouveau bienheureux. J'avais noté, il y a six ans, qu'en son temps la disparition de Staline avait elle aussi bouleversé les foules. Six ans après, en Union soviétique, la perception collective était tout autre. En matière d'émotion comme en littérature, le tribunal du temps joue son rôle de discrimination. C'est la raison pour laquelle, jadis, l'Église prenait son temps pour désigner ses bienheureux et ses saints. Et il est vrai que pour cela, six années, c'est peu. L'accélération de l'histoire vaut également pour le Vatican, et le choix des saints est aussi une affaire politique, même s'il faut en principe un ou deux miracles. Sur un tout autre plan, il n'est pas sans intérêt de rapprocher le mariage d'avant-hier à Westminster (William et Kate) et la cérémonie d'aujourd'hui. Il y a quatorze ans, il y avait eu, à peu de distance, la mort de Diana et celle de Mère Teresa... Je suis sensible à l'homélie de Benoît XVI, à la fois profonde et humaine. Depuis son élection, le pape allemand en a vu de toutes les couleurs. Lui aussi a été soumis à rude épreuve. Sans doute le métier de pape n'a-t-il jamais été facile, mais de nos jours la tâche paraît écrasante. Fera-t-il un jour lui aussi l'objet d'un procès en béatification ? J'imagine difficilement qu'on puisse lui attribuer un miracle.

6 mai 2011

Dans l'avion, commencé la lecture d'un des derniers ouvrages de Jacqueline de Romilly, un petit livre intitulé *Les Révélations de la mémoire*. Je l'avais repéré à sa parution, certain qu'il serait bienvenu au moment adéquat. Ce moment est venu, à cause de Proust, ou plutôt grâce à Eugen Simion[1].

7 mai 2011

J'achève de lire *Les Révélations de la mémoire*. L'auteur, qui se défend de refaire le coup de la madeleine, c'est-à-dire

1. Eugen Simion (né en 1933), auteur de plusieurs ouvrages dans le domaine de la critique littéraire, ancien président de l'Académie roumaine, avait demandé à l'auteur une préface pour la publication en roumain d'une nouvelle traduction d'*À la recherche du temps perdu*.

la dissection des remontées de mémoire provoquées par de tout petits « ponts », si je puis dire, rapporte des expériences vécues (par elle) de surgissements d'apparence totalement contingente ou, comme elle dit, « en surprise » (s'il y a des « ponts », ils sont encore beaucoup plus ténus que la madeleine), non pas de tableaux mais de scènes à la fois en dehors du temps et sensuellement perçues, des flashes d'éternité, quoique le rapprochement de ces deux mots soit apparemment paradoxal, de bonheur pur, bref des « moments parfaits » non pas reproduits mais sublimés, transposés dans un autre univers. N'y a-t-il pas là une sorte d'incarnation de la théorie platonicienne des Idées à laquelle je me réfère beaucoup depuis quelque temps ? Les meilleurs moments de la vie « réelle » ne sont-ils pas davantage des illusions dégradées d'une réalité supérieure que les fulgurances dont je parle ne sont des idéalisations fugitives de moments perdus ? La grande helléniste, qui ne paraît pas avoir outre mesure été travaillée par la métaphysique au cours de sa longue vie, pense cependant depuis toujours qu' « il y a autre chose » – elle confie même avoir toujours été attirée par les humains accrochés à cette forme primitive de la foi, les hommes et les femmes d'une même espèce (animaux politiques par exemple) se reconnaissent d'ailleurs toujours entre eux –, et pour elle ces surgissements ou ces éclairs, sans doute favorisés par les loisirs forcés du grand âge et des infirmités après une vie sur-occupée pendant laquelle tant de fenêtres étaient restées fermées, en apportent des éléments de preuve. Elle cite à l'appui *Le Voyage dans le passé*, une nouvelle de Stefan Zweig tardivement découverte. Qu'il existe des mondes parallèles auxquels certains parviennent de temps à autre à se connecter, qu'il y ait là un rapport possible avec

« l'éternité » et le bonheur parfait, que l'espace-temps de la perception normale ne soient pas le fin mot de l'histoire, j'y crois depuis longtemps, et je pense même qu'il y a là un invariant commun à toutes les grandes religions. Je fais le lien avec le *bardo* analysé dans le livre des morts tibétain et dont bien des personnes qui ont frôlé le grand passage ont fait l'expérience. Je pense notamment au grand rabbin Kaplan qui m'en avait parlé avec extase lors de ma visite de candidature à l'Académie des Sciences morales et politiques au printemps 1992. Lien aussi avec les fulgurances de la création artistique et scientifique, ou même de la cristallisation dans la compréhension synthétique, comme celle que j'ai vécue, élève à l'X, autour de la théorie mathématique de la mesure. Ce dont parle Jacqueline de Romilly, n'est-ce pas aussi la « troisième mémoire », celle des résidus ultimes et impérissables, au tréfonds du creuset où se déroulent nos trajectoires chaotiques insérées dans l'espace-temps tel que nous le percevons, mémoire au-delà des mémoires à court et à long terme analysées par les biologistes du cerveau, elles, mémoires banales qui s'appuient sur des mécanismes physico-chimiques fondamentalement différents dans l'un et l'autre cas, activation de structures existantes dans le premier cas, création de nouvelles structures dans le second[1]. Reste que tout ce qui précède a trait au côté positif de la vie, au Bien, au Beau et au Vrai, et encore à la fongibilité entre ces trois notions (Rémi Brague). Quid du Mal, du Laid et du Faux ?

1. Voir les travaux d'Eric Kandel (né en 1929), prix Nobel de médecine en 2000 pour ses recherches sur la mémoire, auteur de *In Search of Memory*, Norton, 2006.

10 juillet 2011

Conversation avec MCh sur le jardin, auquel elle donne tant : travail arbre par arbre ou presque branche par branche et fleur par fleur ; connaissance et anticipation. C'est très émouvant. J'admire toujours la diversité des verts, le scintillement de la lumière dans le peuplier, les éclairs cristallins à travers le chêne sous lequel nous sommes allongés pendant le café. J'imagine la réflexion des peintres, à la recherche d'une représentation de la Vie et donc de l'énergie, c'est-à-dire du mouvement, ou encore sur le rapport entre la matière qu'ils observent et celle qu'ils utilisent dans leur art. Le jardin et son entretien, c'est l'image même de l'œuvre humaine, éphémère et éternelle comme les temples d'Isé. Mon esprit vagabonde aussi sur d'autres thèmes qui me sont chers : l'Espace-Temps-Événement, la conscience...

28 juillet 2011

Petit déjeuner avec JPL. Il me parle de récents progrès de la psychiatrie, de plus en plus étroitement liée à la neurologie. Je comprends que la schizophrénie, par exemple, est désormais clairement identifiée comme une pathologie physique, que l'on pourra vraisemblablement guérir par des méthodes purement biologiques. C'est fantastique. Nous abordons aussi le problème de la mémoire et particulièrement de la « troisième » mémoire, que je définis aujourd'hui, en paraphrasant un lieu commun sur la culture, comme « ce qui reste quand on a tout oublié ». JPL dit que, pour Husserl, le problème du temps et celui de la conscience (au sens radical des termes, bien sûr) ne font qu'un. Je fais mienne cette idée, autour de laquelle je tourne ces dernières semaines.

3 août 2011

Dîner très gratifiant, à la maison, avec le père F. C'est Alexandra qui l'a souhaité. Comme la première fois, nous sommes conquis par cet homme simple et chaleureux, mais aussi discrètement cultivé et visiblement inspiré. Il parle de l'Église, en tant qu'institution, avec une remarquable liberté de langage. Sans doute l'institution évoluera-t-elle radicalement dans les temps à venir, mais le message de l'Évangile est immortel. Comme le Dalaï Lama, le père F. pense qu'il faut laisser chacun approfondir sa propre religion. Plus d'un chemin peut mener à Dieu, et c'est Dieu qui est imprimé dans la nature humaine. Comme moi, il observe que les mystiques se ressemblent tous. Il évoque son évêque (en l'occurrence très critiqué dans la presse – c'est moi qui l'observe) ou même le pape, comme d'autres leur manager ou leur PDG. Avec ce qu'il faut de respect, mais l'œil ouvert. Pour lui, l'activité pastorale est locale. J'aime la façon dont il parle du curé d'Ars – qu'il visite régulièrement (la prochaine fois, c'est demain) et avec lequel il entretient une véritable relation –, ou encore du *Dialogue des carmélites* où Bernanos met en scène deux nonnes, à fronts renversés devant la mort. Nous commentons longuement la sérénité et la foi de mon beau-père face à cette échéance. Le prêtre estime à juste titre que nous avons de la chance d'avoir connu directement un tel être. Et d'ajouter qu'il espère pour lui-même, quand son heure viendra, de mourir d'une façon qui soit un don et une source de vie et de lumière, pour celles ou ceux qui en seront les témoins. Je fais le même vœu pour moi. Le père F. a deux mois de plus que moi. Dans un an, il devrait être appelé à de nouvelles fonctions. Ce soir, Alexandra est heureuse.

6 août 2011

On doit apprendre à identifier ce qu'on veut vraiment et donc, quand il le faut, à dire non sans remords ni culpabilité. J'en connais qui continuent de s'empoisonner la vie parce qu'ils n'osent pas protéger leur terrain. Sur le plan tactique, cela rejoint une conversation d'autrefois avec Michèle Morgan : dans la vie, m'avait-elle dit, il est essentiel de savoir dire non sans blesser son interlocuteur. J'ai, non loin de moi, le livre de William Ury, *The Power of a Positive No*. Cet auteur a acquis la célébrité pour son *Getting to Yes*.

7 août 2011

Ce matin, le ciel est chargé, mais la lumière argentée qui perce à travers les nuages exerce sur moi son charme un peu mélancolique. De bons moments avec Saint-Simon, dont on peut profiter même au premier degré, qui fascinait évidemment Proust et continue d'attirer de grands esprits connus ou méconnus, je pense à Robert Dautray. L'Histoire peut se lire aux deux bouts d'une lorgnette. Chaque lecture a sa vérité. Moi-même, entre mon Journal et mes « perspectives » annuelles[1], je joue avec les deux. Celle

1. Il s'agit des *Perspectives* sur la situation internationale rédigées chaque année par l'auteur pour le *Ramses*, publication de l'Ifri. Voir

du duc se loge au petit bout. Parce qu'il est un écrivain (« Il avait un tour à lui ; il écrivait à la diable pour l'immortalité », dit Chateaubriand), cette petitesse atteint à l'universalité. J'essaie aujourd'hui de mieux comprendre la genèse de cette œuvre que son auteur a voulue posthume, comme plus tard celui des *Mémoires d'outre-tombe*. Seuls les plus grands peuvent s'offrir le luxe de laisser délibérément leur chef-d'œuvre derrière eux. Sur un tout autre plan, voilà un certain temps que je voulais noter ce qui suit. Depuis l'âge de vingt ans, ou même avant, je réfléchis sur le thème « réforme et révolution », dans le contexte de l'Histoire. En fait, la problématique sous-jacente est universelle. Dans l'ordre psychologique, par exemple : si elle ne cherche pas à surmonter son problème (réforme), une personne « caractérielle » est condamnée à l'alternative de la reproduction indéfinie d'un même schéma pathologique ou de l'explosion (révolution) si un incident vient contrarier ladite reproduction. Dans l'ordre économique, c'est tout le problème du changement, sur lequel la littérature du management met aujourd'hui l'accent, surtout avec la mondialisation. Dans un univers compétitif, le mode cyclique n'a aucune chance de perdurer, et le choix est entre l'innovation (réforme) et la disparition (révolution). Dans ces exemples, toute la difficulté est de conduire le changement. C'est ce que j'ai toujours essayé de faire dans ma vie, personnelle et professionnelle. Sur le plan personnel, qu'est-ce que progresser, sinon toujours mieux se connaître et agir pour renforcer ses points forts et

---

aussi Thierry de Montbrial, *Vingt ans qui bouleversèrent le monde*, Dunod, 2008.

corriger ses défauts ? Plus fondamentalement, c'est monter dans la spirale du beau, du bon et du vrai. Souvent, les facteurs déclenchant des « réformes » sont contingents. On en revient à la « non-linéarité ».

Après promenade, par association d'idées, l'envie me prend de jeter quelques lignes sur Montaigne, auquel j'ai consacré un certain temps ces dernières semaines. N'ayant rien noté de mes lectures, je vais à l'essentiel. L'homme Montaigne me plaît parce qu'il est en quête de l' « équilibre général » et de l'harmonie en toute chose, à une époque où tout tourbillonnait, et parce qu'il s'exprime toujours sans prétention et avec bon sens (sur l'éducation par exemple). Sa modestie elle-même, et symétriquement son légitime orgueil, sont bien équilibrés. Le proverbe africain que m'a enseigné jadis Alain Vernay, « Ne te fais pas si petit, tu n'es pas si grand », ne s'applique certes pas à lui. Il ne cherche pas à se montrer plus grand qu'il n'est, par exemple à propos du courage. Il dit des choses justes sur la nécessité de conjurer la peur de mourir – ainsi seulement ne meurt-on qu'une fois, disait déjà Shakespeare (dans *Jules César*). La mort, nous rappelle-t-il, est d'ailleurs tellement naturelle. En cela, comme dans sa recherche pour amadouer la douleur, plus généralement dans sa façon d'appréhender les rapports entre le corps et l'esprit, je décèle les principes essentiels des sagesses orientales (le yoga). Montaigne n'accorde pas une grande place à l'action. On le sent conservateur, c'est-à-dire qu'en matière de réformes point trop n'en faut, et s'il a dans sa vie exercé quelques responsabilités, cela a été a minima. *Les Essais* ne sont pas une philosophie de l'action. Pour autant, on aurait tort, me semble-t-il, de le voir comme un joyeux dilettante allant et venant au gré de son plaisir immédiat. Il est épicurien par choix (le *Carpe diem*) et stoïcien (attitude face à la douleur et à la mort) par nécessité. En fait, il s'est bel et bien donné un but dans sa vie, on pourrait dire que c'était sa mission sur cette terre : la rédaction d'une œuvre qu'on peut qualifier d'« immortelle », puisqu'elle a déjà survécu plus de cinq siècles à son auteur. Homme d'un livre (je n'oublie pas cependant son journal de voyage en Italie), Montaigne aurait continué de l'enrichir et de l'augmenter s'il avait vécu davantage. C'est le destin qui a décidé du mot fin. Moins clairement d'ailleurs que dans le cas de Proust, qui a mieux pressenti sa mort, de ce point de vue. En un temps où la religion était omniprésente, pour le meilleur et pour le pire, il est remarquable que la spiritualité occupe si peu de place, pour ne pas dire aucune, dans *Les Essais*. Telle est évidemment la raison pour laquelle Pascal, qui par ailleurs l'admirait et a plus d'une fois repris ses thèmes dans les *Pensées*, a rabaissé Montaigne. Pour reprendre ma métaphore de tout à l'heure sur les deux bouts de la lorgnette, cette fois à propos de l'observation et de l'édification des hommes, au-delà de l'Histoire, je dirais que Montaigne tient le petit bout, et Pascal le grand. Ils se complètent, et j'irais jusqu'à dire que les deux « points de vue » sont aussi inséparables que les pôles négatif et positif d'un aimant. Montaigne voit les hommes par le petit bout de la lorgnette, mais son regard est positif (contrairement souvent à Saint-Simon, Retz ou La Rochefoucauld) et son humour tendre. J'ajouterai enfin que son style est plaisant ; l'obstacle du « moyen français » est aisément surmontable. J'arrête là pour aujourd'hui sur « mon » Montaigne.

8 août 2011

Quelques mots pour compléter mes propos d'hier autour de l'idée de « lorgnette ». Chacun de ses deux bouts a un mode positif et un mode négatif. Pour le petit bout, Machiavel ou parfois les « moralistes » français du XVIIe appartiennent au genre négatif. Un contemporain comme Robert Greene (auteur entre autres d'un ouvrage intitulé *The 48 Laws of Power*) également. La littérature contemporaine sur le leadership, typiquement les best-sellers d'un John Maxwell, appartient majoritairement au genre positif : les auteurs s'appuient sur une meilleure compréhension de la nature humaine pour enseigner à en tirer le meilleur. Quant au grand bout de la lorgnette, cela nous renvoie à la question du sens de l'Histoire : le genre humain est-il condamné à retomber indéfiniment dans les mêmes ornières, ou la recherche méthodique du « progrès » collectif a-t-elle un sens, en dehors de ces « roseaux » que constituent les institutions ?

Reste de la journée sans histoire. Je poursuis mes réflexions sur divers sujets : 1) le problème du temps « quasi leibnizien », la notion d'événement, la différence radicale entre *la connaissance* du temps et l'espace-temps de la physique, qui est une construction mathématique, la distinction entre la durée, au sens intervalle de temps ou, au-delà, le ds^2 de la relativité, et la durée créatrice bergsonienne, etc. Tout cela devrait aboutir à une synthèse entre mon travail sur Leibniz et celui sur Proust, avec aussi le thème de la mémoire ; 2) la spirale de la connaissance. Je me suis replongé dans Abellio. La fin de *La Structure absolue* est difficile, mais il y a en germe, me semble-t-il, l'homologie entre toutes les religions (voir aussi Dumézil, etc.), ce qui n'exclut pas le fait qu'on ne peut approcher du « sommet » que par un effort intense d'intériorisation, mais justifie peut-être l'idée chère au Dalaï Lama et de plus en plus à d'autres personnalités spirituelles [comme l'autre jour le père F.] que chacun doit approfondir *sa* religion – on pourrait faire la même remarque pour la culture, le problème de la « traduction » des cultures, etc., ce qui renvoie aussi, typiquement, aux débats identitaires ; on pense encore à la locution « La culture est ce qui reste quand on a tout oublié », culture voulant dire ici le cadre intériorisé et donc dépouillé de références pédantes ou même savantes, auquel une personne éduquée se réfère plus ou moins consciemment face aux circonstances de la vie ; 3) les relations entre hasard, destin, *kairos* et la puissance comme les limites de la théorie mathématique des probabilités – le *Yi Jing* fournissant une admirable base de réflexion là-dessus ; 4) fécondité et limites du « cartésianisme », auquel on a souvent tendance à réduire – caricaturalement – l'esprit français. Voilà donc quelques sujets que j'aimerais continuer d'approfondir.

10 août 2011

Je passe l'essentiel de la journée sur la théorie de la relativité et sur Pascal, lequel tombe à pic parce qu'il rappelle la vanité de la recherche d'une théorie du tout, mirage derrière lequel nombre de physiciens continuent de courir. La quête d'une montée en connaissance, à travers des théories toujours plus synthétiques et englobantes, est à la fois belle, vraie et possiblement bonne, à condition de ne pas la confondre avec celle de l'Absolu. Quant à la relativité, restreinte ou générale, on doit à mon avis la regarder comme un cadre approprié pour l'analyse de phénomènes particuliers et pour la formulation de théories partielles qui leur correspondent, théories auxquelles il impose des contraintes, comme tout cadre (d'où le problème de l'invariance des équations de Maxwell, à l'origine de la formulation einsteinienne de la relativité restreinte). La plupart de ces phénomènes sont suffisamment confinés dans l'espace-temps pour qu'on puisse se placer dans « l'espace tangent mobile » associé à un « mobile » de référence (les amateurs reconnaîtront la méthode du trièdre mobile en géométrie analytique ou en cinématique élémentaire, sauf qu'ici il s'agit d'un espace à quatre et non pas à trois dimensions, avec une notion de distance assez éloignée des données immédiates de la conscience).

12 août 2011

Écritures et lectures. Le soir, j'attaque *The Power of a Positive No*. L'ouvrage est construit sur un schéma tripolaire oui-non-oui. Pour commencer, chacun doit identifier clairement ce qui lui est essentiel et qu'il ne doit en aucun cas sacrifier à la volonté d'autrui. On peut voir dans cette démarche une recherche identitaire ou plus simplement une application du précepte « Connais-toi toi-même ». Le premier oui est un oui à soi-même : on se représente clairement sa volonté de préserver et de cultiver ce à quoi on tient vraiment. De là résulte le non à toute demande susceptible d'abîmer cet essentiel, quitte à accepter la perspective du combat. Mais souvent on tient aussi à sauver la relation avec « l'agresseur », d'où l'intérêt de lui offrir un espace de négociation (le second oui). William Ury déploie son schéma sur trois parties : la préparation (réfléchir à la stratégie du non avant de la mettre en œuvre) ; l'exécution (quand et comment formuler le non) ; le suivi (la cohérence de la démarche dans le temps, en particulier pour la mise en œuvre du deuxième oui). Comme souvent avec ce genre de livres, on ne peut en profiter immédiatement que si l'on en connaissait déjà plus ou moins l'enseignement. Sinon, une phase préalable d'éveil est nécessaire.

13 août 2011

Je réfléchis beaucoup, ces jours-ci – à cause de mes lectures « classiques » (Pascal, etc.) –, à la notion de culture, que j'utilise dans ASM dans son acception ethnologique. Pour en parler avec précision, il faut pour commencer clarifier ce qu'on entend par civilisation. Braudel et bien d'autres réduisent l'idée de civilisation à l'ordre matériel et aux techniques. Ce n'est pas seulement ni même principalement ce qu'on a en tête quand on parle de civilisation européenne ou occidentale. Il s'agit aussi et peut-être surtout des liens à l'intérieur d'un ensemble de cultures systémiquement liées, d'un patrimoine d'œuvres d'« art » au sein duquel la littérature tient une place fondamentale. Les œuvres, comme les liens, sont évidemment marquées par la science et par la technique, mais aussi, dans le sens le plus large du terme par l'environnement, de manière flagrante dans l'architecture par exemple. D'autres aspects familiers de la culture au sens ethnologique (manières de se nourrir ou de se vêtir, par exemple) trouvent facilement leur place dans cette conception. En tant que système, une culture représente de façon cohérente l'ensemble des préoccupations de l'Homme. À différents niveaux, on peut y distinguer des sous-systèmes (voir par exemple l'influence de la pensée grecque et latine dans la littérature française), qui reflètent les traces plus ou moins facilement identifiables de cultures diverses, antérieures ou contemporaines. Dans sa manière d'être, de savoir-être ou de savoir-vivre, ou dans sa manière d'agir, toute personne est tributaire d'une culture, souvent à son insu. Mais quiconque veut progresser en connaissance et donc s'élever doit approfondir la culture dont il a émergé par l'éducation (famille, école), de même que quiconque veut progresser en spiritualité doit approfondir la religion ou la spiritualité dans l'ambiance de laquelle il a commencé à respirer, fût-ce la « religion » de la laïcité. Certains vivent cependant une vraie conversion (voir de plus près, à cet égard, le cas de Matthieu Ricard). Je n'ai pas voulu intervenir dans le débat public maladroitement lancé par Sarkozy, et plus encore mal piloté, sur le thème de l'identité française. Affirmer son identité, c'est approfondir sa culture, sans jamais s'arrêter. Mais l'approfondir de façon ouverte, c'est-à-dire en comprenant que les cultures – même appartenant à des civilisations éloignées dans l'espace ou dans le temps – se correspondent par le genre d'opération que les mathématiciens appellent isomorphisme (cette idée est à la base du structuralisme), et qu'elles tendent à s'interpénétrer. Et traduire une culture dans une autre est comme traduire un poème. Seul un poète peut traduire un poète, disait Baudelaire, qui s'y connaissait. Il faut un haut degré de connaissance de sa culture naturelle pour bien entrer dans une autre, et en tirer matière à monter encore d'un cran. Affirmer son identité, c'est enfin s'attacher à transmettre, par toutes les voies possibles, cette culture ouverte qui vous nourrit, et vous aide à vivre.

Tout cela dit, je suis persuadé depuis longtemps que le grand défi du nouveau millénaire, à la fois chance et risque, est la dynamique de l'interpénétration des civilisations et des cultures. Chance parce que le jour viendra (dans combien de siècles ?) où l'on pourra parler d'*une* civilisation planétaire, qui naturellement continuera d'évoluer et, parce que n'étant jamais figée, ne pourra jamais être qualifiée d'universelle, sinon à travers l'isomorphisme déjà évoqué. Les cultures occidentales commencent déjà à s'ouvrir aux civilisations orientales, une direction fort peu explorée dans le passé. Des cultures régionales ou locales continueront de survivre, mais à des étages subordonnés, ce qui ne signifie pas qu'elles seront inférieures. Et j'imagine aussi, s'il en existe encore, un érudit du Collège de France, en l'an 2300 ou 2400, dispensant des cours sur les pépites culturelles isolables dans le grand tout. Risque aussi, comme on le voit déjà avec l'accroissement de l'hétérogénéité ethnique ou religieuse en Europe. En France, bien sûr, mais partout ailleurs. L'actualité de cet été est riche en incidents à cet égard : fusillade traumatisante en Norvège, émeutes en Grande-Bretagne. En Hongrie, le gouvernement de Viktor Orban passe pour une réincarnation du fascisme de l'entre-deux-guerres. Les signes les plus traumatisants viennent du Moyen-Orient, où la religion musulmane est manipulée à des fins identitaires et politiques. Sans doute faut-il en passer par là, avant l'avènement de cette civilisation planétaire qui permettra au monde de s'organiser en tant qu'unité politique. Par là, j'en reviens à mes thèmes d'ASM, de la WPC[1],

1. Il s'agit de la *World Policy Conference*, lancée par l'auteur en 2008.

etc. J'ajouterai qu'on doit s'attendre à un phénomène à la fois parallèle et interdépendant dans le domaine de la spiritualité. Là aussi, le mouvement est commencé. Reste la question majeure de la place et de l'avenir des langues dans tout cela…

21 août 2011

Je médite une fois de plus sur le peuplier qui s'agite et scintille. Parviendrais-je à rendre cela avec des pastels sans beaucoup de travail ? N'était-ce pas le projet des impressionnistes que de transposer une vision du double mouvement, celui de la matière et celui de la lumière ? Hier soir, justement, je relisais le célèbre passage du *Rire*, où Bergson associe la création artistique à sa conception de la durée comme « invention ». Tout se tient.

22 août 2011

Réflexion à propos de mes cogitations sur la culture : chaque homme ne peut savourer que quelques gouttes ou quelques grains de sa propre culture. De même, au mieux, ne peut-il consommer que quelques gouttes ou quelques grains de cette potion magique qu'est l'amour, le vrai, celui qui change une vie. Mais, au moins sur le plan intellectuel, l'intuition permet une vie pleine à partir de ces fragments.

2 septembre 2011

Dans mes vagabondages littéraires actuels (après Péguy, Mauriac et Bernanos), une idée me revient. La religion chrétienne vit la condition humaine sur le mode dramatique, la rédemption par la souffrance, l'Amour dans le déséquilibre absolu. Au contraire, le bouddhisme cherche l'équilibre et s'intéresse à l'élimination de la souffrance *hic et nunc*. Espérance dans l'au-delà d'un côté, recherche immédiate de l'harmonie avec le Cosmos, à travers le cycle des renaissances, de l'autre. Tout cela me ramène, comme souvent, à Teilhard de Chardin. Je suis touché par ce que Bernanos appelle « l'esprit d'enfance ». J'en parle souvent moi-même, et peut-être m'est-il arrivé de dire, comme l'auteur du *Journal d'un curé de campagne* : « Qu'importe ma vie ? Je veux seulement qu'elle reste jusqu'au bout fidèle à l'enfant que je fus. »

4 septembre 2011

Paul Valéry : une autre manière (par rapport à Proust) de recherche de l'Absolu.

7 octobre 2011

Après dîner, nous regardons un documentaire sur Daniel Toscan du Plantier, réalisé par une de ses admiratrices que MCh a récemment rencontrée. On y voit, dans sa superbe, ce « fils de pub » (il a fait ses classes avec Marcel Bleustein-Blanchet) devenu un géant de la production cinématographique française, légitimement fier de la liste des œuvres qui n'auraient probablement pas existé sans lui, dont il parle avec un incomparable talent. S'il me fallait choisir un seul mot pour le qualifier, ce serait : séducteur. S'il était permis de nuancer, j'ajouterais : un séducteur qui adorait être séduit. Ainsi était en effet son style de producteur. Il produisait les auteurs qui le séduisaient, et séduisait les autres parties prenantes nécessaires pour y parvenir. En matière féminine, plus séducteur que consommateur, davantage don Juan que Casanova (pour autant qu'on puisse distinguer clairement entre les deux), il proclamait lui-même (dixit MCh) que le meilleur moment, c'était celui où il montait les escaliers… Mais je parle de séduction dans un sens beaucoup plus général. Il a séduit les auteurs, les réalisateurs, les financiers, les journalistes… Avec cela, d'ailleurs, peu courageux, car il avait horreur des conflits, qu'il fuyait à l'image de son menton. Il fuyait avec un art consommé. Bien fuir n'est pas donné à tout le monde. Phraseur génial, il essayait ses formules sur les gens qu'il rencontrait, nullement gêné de terminer sur quelqu'un le discours qu'il avait commencé sur un autre. J'en avais moi-même fait les frais à New York – à l'époque de la grande aventure (financièrement désastreuse) de Gaumont aux États-Unis – à l'occasion d'un de mes voyages. Et beaucoup de ses formules, une fois rodées et lancées avec une apparente spontanéité, faisaient mouche. Les grands artistes, disait-il, sont des êtres en rupture – avec la société, avec leur famille… Ce sont des êtres libres. Lui qui, comme moi, disait préférer la réforme à la révolution, est assez bien parvenu à vivre librement. MCh s'apprête à enrichir son livre sur le métier de producteur d'un chapitre dont il sera l'un des héros[1]. Elle saura restituer la forme de génie de cet épicurien de grande culture, passionné par la musique peut-être plus encore que par le cinéma et à qui

1. Marie-Christine de Montbrial, *Cadavres exquis dans le septième art. La vie tumultueuse de quatre empereurs du cinéma*, Jacques-Marie Laffont, 2015.

seul Bach avait réussi à donner l'idée de Dieu, un homme dont le mélange de vanité et d'humilité – comme peut le refléter tout créateur qui, de temps à autre, a le sentiment de soulever, comme nul autre, un coin de voile – ressort avec éclat dans ce beau film.

13 octobre 2011

Départ en milieu de matinée pour l'université de Bucarest, où va m'être conféré le grade de *docteur honoris causa*. Après un moment dans le bureau du recteur – un professeur de littérature française auquel succède bientôt un spécialiste de la philosophie analytique –, nous revêtons les toges et entrons dans une grande et belle salle bien remplie où je repère aussitôt plusieurs de mes amis roumains et d'autres compagnons du séminaire « Penser l'Europe », cependant que l'on chante le *Gaudeamus igitur*, un moment toujours émouvant. Le recteur prononce les paroles d'usage, et passe la parole à Eugen Simion, chargé du *Laudatio*. Après avoir reçu mon diplôme, rédigé dans une calligraphie superbe, je prends la parole sur Proust, comme me l'a demandé Eugen. Je m'inspire évidemment de mon texte rédigé pour la nouvelle et magnifique édition de *La Recherche*, tout juste sortie de l'imprimerie et dont le président de la Fondation pour les arts et les sciences nous a remis hier soir deux jeux d'exemplaires. Je m'attache surtout à commenter la dernière phrase de l'ouvrage – où l'auteur compare les hommes à des géants occupant en fait une vaste portion de l'espace-temps – en la rattachant à la double dialectique de Pascal : l'infiniment grand et l'infiniment petit d'un côté, avec la capacité que nous avons à appréhender les deux ; au passage je fais quelques commentaires sur la notion de prévision ; la grandeur et la misère, c'est-à-dire l'aspiration à Dieu et la dérive vers la mondanité, de l'autre. En m'appuyant sur le texte de la mort de Bergotte devant le « tout petit pan de mur jaune », je suggère que Proust pouvait aussi pencher vers Dieu, de même que Pascal n'a jamais totalement dédaigné la mondanité, laquelle, dans son esprit, incluait l'attachement aux sciences. Plus rapidement, j'aborde le problème de la mémoire, non pas bien entendu la *working memory*, la mémoire de travail, mais la mémoire de long terme avec ses reconstructions permanentes (petite madeleine, intermittences du cœur). J'insiste, enfin, sur une troisième dialectique dans tout cela, la sensualité et l'intellectualité, avant de conclure sur l'essentiel : Proust était d'abord et avant tout un écrivain, qui tenait la littérature pour la forme suprême de l'art. Pendant la petite réception dans le bureau du recteur qui suit la cérémonie, de nombreuses marques d'amitié me sont prodiguées. Jacques de Decker, le président de l'Académie royale belge de littérature, peut-être légèrement irrité qu'un profane traite pareil sujet dans pareilles conditions, me dit qu'il fallait « oser », usant ainsi du même verbe que mon confrère Bernard Bourgeois quand, il y a exactement dix ans, j'avais traité de « L'informatique et la pensée » devant les membres de la Société française de philosophie[1] ! En fait, je suis bien décidé à « oser » de plus en plus dans le temps qui me reste à vivre, et j'ai suffisamment l'intuition de la Roumanie pour savoir que ce pays est plus ouvert que d'autres à la démarche pluridisciplinaire. Dans le cas de Proust (et certainement dans d'autres cas, je pense typiquement à Pascal) – comme me le dira Irina

1. *Op. cit.*, voir note 1, p. 132.

Mavrodin[1] qui a consacré vingt années de sa vie à cette traduction de *La Recherche* (en s'interdisant de consulter celle qui existait déjà pour ne pas se laisser influencer, mais ceci est une autre histoire) –, c'est justement le point de vue différent de celui des littérateurs professionnels qui peut faire l'intérêt d'une réflexion comme la mienne, réflexion d'ailleurs avant tout spirituelle, comme l'a bien vu l'archevêque catholique de Bucarest, Mgr Ion Robu, que j'ai la joie de retrouver.

Après une brève escale à l'hôtel, Académie roumaine, où depuis maintenant un certain temps je me sens comme chez moi. Là, je dois traiter devant un public postdoctoral d'un sujet imposé : « Le centre et la marginalité dans la culture européenne ». Je précise les concepts systémiques de centre et de périphérie, avant de les appliquer à la culture en général, puis à la culture européenne, tout en brodant une fois de plus sur le thème fondamental de la dimension culturelle de la construction européenne, au cœur de l'ambition de notre séminaire de « Penser l'Europe ». Toute culture est un système, les œuvres se renvoient les unes aux autres, et l'on n'imagine guère les cultures européennes se fondant en une seule, c'est-à-dire se confondant. Mais certaines sont plus influentes que d'autres. Quel sens, donc, donner à l'expression d'*une* culture européenne ?

14 octobre 2011

Eugen Simion et moi ouvrons ensemble cette dixième édition de notre séminaire « Penser l'Europe », consacrée à

---

1. Comme Proust, sa traductrice est morte peu après avoir écrit le mot Fin.

une projection à un horizon de cinquante ans. Dans ma propre allocution, je parle d'abord du problème général de la prévision, en distinguant soigneusement les causes fondamentales et les causes immédiates (typiquement pour les tremblements de terre) et en insistant sur les diverses temporalités, les effets de génération, etc. Parmi les prévisions les plus faciles à un horizon d'un demi-siècle, il y a évidemment la démographie, et dans une moindre mesure la technologie. Reprenant une métaphore que j'ai utilisée hier, je dis que vers 2060 « chacun aura le monde au bout de ses doigts ». Le savant israélien Jean Askenazy, avec qui je sympathise, me dira que, de son point de vue de neurologue, cette expression est très riche. Je rappelle aussi que l'avenir dépend au moins partiellement des stratégies mises en œuvre, avant de développer le thème majeur de la gouvernance, puis de conclure sur l'idée qui m'est chère de l'Europe comme laboratoire de gouvernance mondiale.

15 octobre 2011

En avion vers Paris, je passe tout mon temps ou presque à lire un beau livre hors commerce consacré à Paul Morand que l'ambassadeur Henri Paul a produit à l'occasion d'une exposition consacrée à cet auteur, dont il avait lui-même pris l'initiative. Initiative heureuse, car la Roumanie est un point focal de la vie de ce grand voyageur cosmopolite, qui y eut une partie de son cœur et y a même passé une année cruciale comme ambassadeur de Vichy, dont il n'est d'ailleurs resté aucune trace autre que la honte, justifiée ou non. Le Bucarest de Paul Morand est comme le Trieste de Chateaubriand (voir l'*Itinéraire de Paris à Jérusalem*), c'est-à-dire le point de jonction entre l'Occident et l'Orient. L'écrivain avait une excellente vue et une rare capacité de discernement. Mieux que tout autre, il savait démêler en chacun les influences primordiales à l'œuvre dans son âme. Je lis avec plaisir les deux essais consacrés dans ce volume à sa nouvelle *Flèche d'Orient*. L'un de Catherine Douzou, l'autre de Dominique Fernandez. Je ne résiste pas à l'envie de recopier quelques lignes de celui-ci (auteur, par ailleurs, d'une *Rhapsodie roumaine* publiée par Grasset en 1998). La nouvelle en question est admirable à plusieurs titres, écrit l'académicien français. En particulier « ce glissement de la raison française à l'âme russe [sujet de l'ouvrage], Paul Morand le raconte par l'intermédiaire d'un paysage qui est lui-même une sorte de transition entre l'Occident et l'Orient. Le Danube, qui a traversé les terres les plus "civilisées" d'Europe, l'Allemagne, l'Autriche, la Hongrie, finit dans un épanouissement indéfinissable, un abandon de la terre ferme à l'eau, une langueur aquatique, une perte, dans le vague et l'inculte, un effacement dans l'informel ». C'est là que le héros, un Russe émigré, décide de tourner à jamais le dos à sa patrie d'emprunt et au confort d'où il vient, et s'embarque sur un bateau minable pour aller se perdre « en territoire soviétique ». Le récit se situe au début des années trente. Il me plaît de terminer sur l'évocation de ce delta et d'y laisser vagabonder mon imagination, alors que l'avion s'apprête à toucher le sol de Paris.

31 octobre 2011

Plongée dans le *Catéchisme de l'Église catholique*, publié en 1992. Lancé par Jean-Paul II en 1985, à l'occasion du vingtième anniversaire de la clôture de Vatican II, et mené sous la direction du cardinal Ratzinger, ce travail a donc abouti après sept ans. Plus j'avance dans mes réflexions, plus je suis sensible à la difficulté de parler de Dieu avec un vocabulaire issu des données immédiates de la conscience, typiquement celui qui tourne autour de l'espace et du temps : création du monde et fin des temps, création *versus* évolution, le premier homme (Adam) et le péché originel, la résurrection de la chair, le purgatoire, la vie éternelle, etc. Je pressens que la théologie du XXIe siècle, en tenant compte des perspectives vertigineuses de la science sur l'espace et sur le temps (je lis également, ces jours-ci, sur la théorie des cordes), sera conduite à des reformulations susceptibles de rapprocher le christianisme des traditions orientales (incarnation du Christ et réincarnation des êtres vivants, Immaculée Conception et filiations par l'esprit et non seulement par la chair, etc.). De son côté, la science devra reconnaître les phénomènes actuellement considérés comme « surnaturels » auxquels elle s'est fermée, non sans raisons, depuis la révolution scientifique, et s'y intéresser. Le problème que pose le catholicisme du cardinal Ratzinger, c'est sa sécheresse.

13 novembre 2011

J'ai trouvé récemment, dans un livre consacré à Mère Teresa (*Mother Teresa, CEO*), cette pensée de la nonne albanaise, que je traduis : « Nous pensons que ce que nous faisons n'est qu'une goutte d'eau dans l'océan. Mais il manquerait quelque chose à l'océan sans cette goutte. » Cela rejoint la philosophie d'ASM.

23 novembre 2011

Conversation avec des amis financiers, auxquels je donne des raisons d'espérer. D'une part la nature veut que, pour sauver l'euro et donc l'Europe, le risque de leur éclatement soit perçu comme réel. Ce paradoxe est comparable à celui de la dissuasion nucléaire, du temps de la Guerre froide. D'autre part, soyons lucides par rapport à la météorologie de l'âme qui détermine la lumière sous laquelle nous regardons le monde. À l'Académie, avant-hier, on parlait de la psychologie du choix. Aujourd'hui, je parle de la psychologie des anticipations. Je ne doute pas que la neuro-économie s'emparera un jour de ce sujet. On s'intéresse déjà à la façon dont certaines molécules peuvent modifier les préférences. Comment la chimie peut-elle affecter la capacité de prévoir, en faisant la part des « humeurs » dans la perception de la « réalité » ?

5 décembre 2011

Iouri Roubinski[1] m'accompagne à pied jusqu'à l'Institut, où je me rends pour entendre la « notice » de Jean-Claude Trichet sur son prédécesseur Pierre Messmer. Discours remarquable, sobre, précis, équilibré, auréolé d'humanisme et d'humour. Un vrai destin que la vie de Messmer, qui possédait entre autres talents celui de la formule, comme celle-ci : « Les hommes d'État doivent aimer les tempêtes

1. Ami de l'auteur, souvent cité dans Thierry de Montbrial, *Journal de Russie*, *op. cit.*

de l'Histoire. » On pourrait aisément transposer, pour les hommes d'action en général.

24 décembre 2011

Réveillon chez Thibault et Sophie. Mon beau-frère Jacques Bodin déplore l'islamisation de la France et prophétise un phénomène comparable à celui qui a marqué la christianisation de l'Empire romain après la conversion de Constantin, cette fois au profit du monde musulman. L'échange ne va pas plus loin, mais me donne envie de me plonger dans l'ouvrage de Paul Veyne, *Quand notre monde est devenu chrétien (312-394)*[1], que, comme beaucoup d'autres livres, j'ai mis de côté pour usage, le moment venu. En l'occurrence, aujourd'hui. Je m'y plonge donc sitôt rentré à la maison, après une soirée un peu chargée sur le plan alimentaire mais enveloppée de bonnes ondes et d'intentions positives. Paul Veyne, qui se dit incroyant, conclut à l'authenticité et à la richesse de la démarche de Constantin. Il montre comment, partant d'une situation où la secte chrétienne était largement minoritaire (un habitant sur dix environ) et mal vue du reste de la population, un siècle d'une politique systématiquement favorable à l'Église, tout en restant relativement neutre à l'égard des païens, a abouti à une transformation, consolidée par « la Providence » en l'an 394[2], en tout cas historiquement unique dans son genre

1. Éd. Albin Michel.

2. Pour Paul Veyne, le destin du christianisme a été scellé par la défaite militaire du parti du paganisme, lors d'une bataille livrée le 6 septembre 394.

malgré une comparaison possible avec la révolution de 1917 en Russie et ce qui s'en est suivi, mais curieusement le professeur honoraire au Collège de France ne développe pas ce en quoi justement la révolution bolchevique peut être interprétée comme une transposition ratée de l'histoire du christianisme. En revanche, il montre fort bien qu'aux origines de la chrétienté, les rapports entre les religions, la société et le pouvoir politique étaient radicalement différents de ce qu'ils sont devenus par la suite. En adoptant à titre privé une religion fortement minoritaire mais intellectuellement supérieure (Paul Veyne parle de « l'invention du christianisme » et de la construction de l'Église comme de « chefs-d'œuvre »), Constantin ne s'aliénait pas nécessairement les païens. Mieux encore, en unifiant et en pacifiant l'empire, en introduisant la pratique peu romaine de la tolérance (si tant est que l'on puisse employer ce concept moderne), il pensait mettre en œuvre le message évangélique. Tout cela pour dire qu'aujourd'hui, je ne vois pas venir en Europe les conditions propices à un équivalent musulman du phénomène constantinien. En revanche, je tiens pour vraisemblable et d'ailleurs largement en cours la dislocation des mythes identitaires de la France et la montée de conflits potentiellement dramatiques entre Français enracinés et nominaux. Quitte à dramatiser, on doit envisager, ne serait-ce que pour la réduire, la possibilité d'affrontements sociaux débouchant sur des « guerres de religions » aussi graves que celles du XVIe siècle, lesquelles pourraient même apparaître, par comparaison, de simples querelles de famille. Tout cela est à l'horizon des toutes prochaines générations. Sur le très long terme, on ne peut rien prédire, si ce n'est, en se référant toujours à Paul Veyne, que le développement historique, et d'ailleurs toute religion y compris le christianisme, procède par épigénèse, et non pas de germes. Dans les siècles à venir, l'islam évoluera comme tout, et les religions s'interpénétreront entre elles et avec d'autres facettes des sociétés humaines. J'attends des circonstances propices pour pousser mes élucubrations sur ce thème. En lançant un débat sur l'identité de la nation, Nicolas Sarkozy voulait sans doute conjurer le sort, du moins à l'horizon des prochaines décennies. Mais l'actuel président de la République n'est pas un homme de culture. Médiocrement conçu, le débat s'est enlisé dans d'insolubles contradictions. Il reviendra inévitablement, je l'espère sous des formes constructives. Voilà une belle tâche pour une académie. Si je devais à nouveau présider l'Académie des sciences morales et politiques, je serais tenté de prendre l'identité de la France comme sujet de l'année.

2 janvier 2012

Je suis de plus en plus attentif, dans mon emploi du temps, au micro-*kairos*, c'est-à-dire que, certes sans m'affranchir du cadre contraignant sans lequel il n'est pas d'action efficace possible, je me laisse mieux porter dans la déclinaison de l'exécution par le mouvement naturel de mes vaguelettes intérieures, afin que leur énergie propulse mes micro-actions, au lieu de les contrarier. Rapport de cela, sans doute, avec la chronobiologie.

14 janvier 2012

Cinéma en fin de journée : *Edgar* (Hoover), de Clint Eastwood. Ce film un peu chaotique raconte la vie du patron légendaire du FBI. Passionnant sur les plans historique, social et psychologique. Mondes souterrains, celui du grand banditisme, des trafics en tous genres, des illuminés politiques. Interactions entre ces mondes ténébreux et les scènes illuminées où se joue l'Histoire, celle par rapport à laquelle les historiens se situent. Mon esprit vagabonde vers les triades chinoises ou encore les yakuzas japonais, ces gigantesques mafias qui ont, mieux que l'État, porté secours aux populations sinistrées par le tsunami de mars 2011. Je pense aux équilibres entre les deux mondes, dont on parle si peu, d'une part parce que les historiens travaillent avec des archives par nature biaisées, d'autre part parce que reconnaître que les sociétés s'accommodent de situations structurellement contraires à l'idéal de l'État de droit est dérangeant. Surtout quand les États se prétendent démocratiques. Quant aux équilibres internes à l'URSS de Staline ou la Chine de Mao, c'est une autre histoire…

16 janvier 2012

En vol vers Budapest, je lis d'une traite le fameux texte de Sartre : *L'existentialisme est un humanisme*. Un exposé concis d'une doctrine primaire qui exprime un degré zéro de la spiritualité et a influencé une, voire deux générations, avec un appel simpliste à l'engagement politique, au nom d'une liberté en trompe-l'œil. Sans doute ne s'agit-il que d'un texte de vulgarisation. Mais l'avantage de la vulgarisation, c'est qu'elle ne saurait dissimuler qu'un roi est nu. Que de braves gens se sont engouffrés d'un air béat sous le slogan « L'existence précède l'essence », en clamant la dictature du relativisme de la condition humaine. Dans l'édition que j'ai entre les mains, Naville, le traducteur de Clausewitz, rentre dans le chou du grand philosophe. Au contraire d'un Raymond Aron, le philosophe-écrivain au strabisme divergent n'était qu'un grand enfant infatué, certes hyper doué. Ceux qui ne s'inclinaient pas devant son génie étaient des « lâches » ou des « vaniteux ». Que restera-t-il de profond de l'existentialisme ? Que quelqu'un postule l'antériorité de l'existence par rapport à l'essence, il le fallait. Affirmer que l'homme n'est que ce qu'il « fait », voilà un postulat tentant. Les idées se découvrent comme les maths ou a fortiori les « réalités » du monde physique. Toute idée trouvée ici par quelqu'un l'a peut-être été précédemment et ailleurs par quelqu'un d'autre. Certes, autrement. Et toute idée susceptible d'être formulée le sera. Mais je ne crois pas que les idées de Sartre continueront de mobiliser des foules comme cela fut le cas dans le climat intellectuel du second après-guerre, jusqu'à 1968…

2 février 2012

Lu quelques pages de Cioran (volume de la Pléiade). Les êtres spirituels devraient-ils être ou bien « croyants », ou bien « désespérés » ? Une meilleure formulation serait peut-être la suivante : ou bien tout a un sens, ou bien rien n'a un sens ; entre les deux camps, il faut choisir. Pour moi, c'est fait depuis longtemps. Mais c'est un fait que beaucoup d'hommes se satisfont de *fuir* la question.

11 février 2012

Méditation sur les rapports entre physique et mathématiques. Les constituants fondamentaux de la matière sont des particules rigoureusement dépourvues d'identité et donc intrinsèquement dépourvues d'adresses, qui de surcroît peuvent naître à partir de l'« énergie », se transformer ou disparaître. Les compter n'a guère de sens. Ce qui en a un, ce sont les « objets » identifiables par les observateurs que nous sommes, à toutes les échelles, comme le cahier sur lequel j'écris, l'automobile que je conduis, telle étoile ou telle galaxie. Peut-on concevoir « l'Univers » comme l'ensemble de tous ces objets ? Non, pas plus que n'existe l'ensemble de tous les ensembles. Je crois qu'il y a beaucoup à creuser derrière ces quelques lignes. Je pense aussi à la distinction entre l'Univers (U majuscule) et les univers (u minuscule) à laquelle je me réfère ici ou là.

13 février 2012

Réflexion basique : ce ne sont pas seulement les « maffieux » qui se reniflent avant de s'engager. Toute parole, tout écrit, ne peut être reçu que par ceux qui y sont préparés : cheminement, étapes, « conversions ». Mystère de la faculté de communiquer.

18 février 2012

Soirée avec Blanche et Ève[1] : *Les Liaisons dangereuses* au théâtre de l'Atelier. L'adaptation a d'abord été faite en anglais par Christopher Hampton, il y a peut-être un quart de siècle. Mise en scène très originale de John Malkovich. L'ensemble est remarquable et les réactions des filles dénotent

1. Deux des petites-filles de l'auteur.

une maturité surprenante. Pour une personne avertie de l'histoire de la pensée économique, l'œuvre est doublement intéressante. D'une part, on y discerne clairement le calcul des plaisirs et des peines. Dans sa « fonction d'utilité », le pervers (ou plutôt la perverse, Mme de Merteuil – car Valmont est davantage un ludion) jouit de la souffrance qu'il inflige, sans regrets ni remords (je renvoie en économie au problème de la stabilité des fonctions d'utilité, négligé par les fondateurs du calcul utilitariste comme par les économistes classiques). D'autre part, le militaire qu'était Choderlos de Laclos explicite les stratégies mises en œuvre par les deux compères, ou plutôt, là aussi, par Mme de Merteuil. Peut-être pour mieux faire passer sa pilule, l'auteur a choisi une issue morale, conforme à une justice immanente à laquelle il croyait peut-être.

8 avril 2012

Je me plonge dans la lecture d'un livre du physicien Lee Smolin, *The Trouble with Physics*, publié en 2006[1]. L'auteur critique la stagnation de la physique théorique depuis un quart de siècle, et l'attribue à un phénomène sociologique qui fait que, hors la théorie des cordes, aucune carrière ou presque n'est devenue possible. Cela est d'autant plus fâcheux selon lui que nulle expérience n'est venue valider ou invalider ladite théorie, laquelle n'a par ailleurs encore conduit à aucune prédiction originale.

1. Publié par Allan Lane.

19 avril 2012

Gordes. Dîner (très arrosé !) avec nos sympathiques voisins du dessus. Nous en venons à parler des relations hommes-femmes. Nous tombons d'accord que, dans neuf cas sur dix (c'est bien sûr une façon de parler), l'homme « chasseur » autant que géniteur profite des bonnes occasions pour sauter, trouvant dans l'acte sexuel sa propre finalité, sans donc se croire obligé d'imaginer la moindre suite, pas même une balade *la mano en la mano* sur la plage. Reste le cas où l'homme va tomber sous la dépendance (ou l'interdépendance !) sexuelle ou amoureuse. Pour la femme, d'abord préoccupée du nid (passons sur les nymphomanes), c'est l'inverse, ou si l'on préfère le complément. Ce n'est pas qu'elle ne soit pas sujette, comme l'homme, au désir sexuel. Il peut arriver que les circonstances du moment – une vengeance ou un dépit, le besoin de se rassurer, une fantaisie, etc. – favorisent une aventure sans lendemain, qui se suffit donc à elle-même. Normalement, plus spontanément intéressée et calculatrice que l'homme, elle tend des pièges et cherche donc éventuellement à provoquer, à l'insu du mâle conquérant, une relation qui va lui rapporter quelque chose, dans l'ordre affectif et/ou temporel. Typiquement dans les relations avec les puissants – riches « comme Crésus » ou pas, animaux politiques... Tout cela est évidemment un peu caricatural, car la séduction, avec ses effets de miroir, est un jeu complexe pour tous les genres. Caricatural, mais essentiellement juste. Nous nous interrogeons sur les conséquences de l'immense révolution en cours autour de l'idéologie de

« l'égalité » entre les hommes et les femmes. Et les dangers réels auxquels s'exposent désormais les chasseurs imprudents ou les nigauds qui croient bêtement tenir les femmes par leur charme ou par leur queue et tombent dans les filets des « garces ». Celles-ci ont maintenant la justice de leur côté, et n'hésitent pas en abuser. Juste retour de siècles et de millénaires de soumission ? Peut-être. Entre les coqs et les poules, pour la première fois dans l'histoire, l'avantage a changé de camp…

29 avril 2012

Attaqué cette fois sérieusement la lecture de *QED*, sous-titre : *The Strange Theory of Light and Matter*, de Richard Feynman[1]. Ce petit chef-d'œuvre est passionnant parce qu'il parvient à donner une idée assez précise de l'électrodynamique quantique, domaine où l'auteur s'est illustré, mais aussi en raison de sa posture philosophique. Il choisit en effet de rester humble devant l'apparente absurdité des lois de la physique, et donc leur caractère fondamentalement mystérieux. J'écris les lignes qui précèdent avant un déjeuner tardif. Dans l'après-midi, je révise mon introduction pour l'édition anglaise d'ASM, dont je suis relativement satisfait. Une de mes priorités maintenant est d'en finir avec cette publication.

---

1. Princeton University Press, 1985. Richard Feynman (1918-1988) fut l'un des plus grands physiciens théoriciens du XXe siècle, prix Nobel en 1965, également très intéressé par la pédagogie. Les *Feynman Lectures on Physics* sont restées célèbres.

1er mai 2012

J'avance dans *QED*. On peut dire de Richard Feynman ce qu'on disait de Laurent Schwartz, lui aussi un immense pédagogue : il a l'art de rendre apparemment accessibles les sujets les plus difficiles. En l'occurrence, il s'agit de comprendre les interactions entre particules, parmi lesquelles les photons, c'est-à-dire celles de la lumière. En me situant sur un plan a priori radicalement autre, je m'amuse à comparer les portraits de nos hommes politiques dressés par les journalistes Christophe Barbier, Alain Duhamel et Éric Zemmour dans les ouvrages qu'ils publient à l'occasion de la prochaine élection présidentielle. Trois regards talentueux mais fort différents. Le jugement que X porte sur Y est toujours une interaction (dans certains cas symétrique, comme le pensait Maurice Allais), et donc une « fonction » des deux. En cela, je rejoins *QED* !

5 mai 2012

Visite en fin de journée du nouvel appartement de Thibault et Sophie. Ils sont allés hier soir au théâtre des Deux-Ânes pour écouter des chansonniers. Nous glosons sur cet art, qui tient de la caricature et de la farce. Ce qui me ramène à l'un de mes thèmes favoris, celui de l'intuition : comment, dans certains cas, un détail infime peut activer la constitution ou la reconstitution d'un tout...

8 mai 2012

J'éprouve soudain l'envie de noter cette prière de l'eucharistie, qui je ne sais pourquoi me vient souvent à l'esprit, spontanément, depuis longtemps : « Seigneur, je ne suis pas digne de te recevoir, mais dis seulement une parole et je serai guéri. » Je la mets évidemment en relation avec le « Seigneur, prends pitié », dans lequel le moine du mont Athos voyait l'essence de la demande chrétienne...

11 mai 2012

Bucarest. Nous partons pour le patriarcat. J'avais bien aimé ma rencontre avec le vieux patriarche Théoctiste. Son successeur, Daniel, a soixante ans. Il passe pour un homme à poigne et un excellent gestionnaire, comme savent l'être certains pasteurs protestants. C'est donc avec une réelle curiosité que j'aborde cette rencontre, à laquelle assiste aussi « notre » Dan Dungaciu. Nous allons passer près d'une heure et demie avec « Sa Sainteté » (et encore est-ce nous qui devrons donner le signal du départ). Le patriarche Daniel me plaît immédiatement. Personnalité puissante. Un grand sens de l'humour, et une façon très naturelle de s'exprimer. Longue conversation d'abord sur les aspects temporels des affaires ecclésiastiques, l'organisation des patriarcats et leurs relations. Je note sa mention des églises qui se vident en raison des mouvements de population, en particulier la fuite des cerveaux. Mgr Robu m'en avait parlé aussi. Quelques anecdotes savoureuses, comme cette conversation entre Jean-Paul II et Ion Iliescu[1] au sujet des querelles sur les biens de l'Église. « Comment allez-vous les résoudre ? » demande le pape. « Chrétiennement », répond le président, laissant le Saint-Père sans voix. La référence à

1. Président de la Roumanie de 1990 à 1996 et de 2000 à 2004.

Iliescu nous conduit incidemment à gloser sur les distinctions athée-agnostique-libre penseur[1]. Pour moi, le libre penseur se distingue essentiellement de l'agnostique en ce qu'il est moins indifférent que lui vis-à-vis des questions spirituelles, et qu'il entend faire librement son *shopping* en la matière, à l'écart des institutions religieuses. Tout cela ne nous empêche pas d'aborder au passage des sujets plus fondamentaux, comme le problème de l'envie ou de la jalousie. Non pas du point de vue de l'envieux, mais de celui de la victime de ce mauvais sentiment. J'apprends ainsi que saint Jean Chrysostome a écrit de belles choses là-dessus, qu'il me fera parvenir. Dieu enverrait des grâces spéciales aux victimes. Cette idée me réjouit ! Surtout, j'adore la manière dont l'homme d'Église en parle. De mon côté, je lui apprends sans doute quelque chose en me référant à l'avant-dernière sourate du Coran (sourate 113, *le Point du jour*) où il est question de l'envie, selon mon interprétation dans les deux sens (l'envieux et la victime). Voici la traduction de Jacques Berque, qui fut professeur au Collège de France :

> « Au nom de Dieu, le Tout miséricorde, le Miséricordieux
> 1 Dis : « Mon refuge soit en le Seigneur du point du jour
> 2 contre le ravage causé par Sa créature
> 3 contre le ravage de l'heure où la nuit s'épaissit
> 4 contre le ravage de celles qui soufflent sur des nœuds
> 5 contre l'envie de l'envieux. »

1. Dans une conversation avec l'auteur, le président Iliescu avait tenu à préciser qu'il n'était pas athée ni agnostique, mais libre penseur.

11 mai 2012

Je veux mettre le patriarche sur des terrains plus spirituels. Je le prie ainsi de me parler de la communion des saints. Manifestement heureux de ma demande, il se livre à un développement sur cette idée d'un club de tous les saints – institutionnels ou non, d'ailleurs les protestants n'ont pas de saints « officiels » – au-delà du temps, à qui on demande effectivement de prier pour nous (on n'aurait pas à prier pour eux !). Je pousse le patriarche à aller plus loin. Il accepte l'idée de saints non chrétiens ou qui, ne connaissant pas le Christ, ont d'abord comme les yeux fermés, et établit une distinction claire entre les saints et les sauvés. (Mais comment le Royaume de Dieu peut-il être cloisonné ?) Je ne cherche pas davantage à rendre compte de cette discussion. Ce qui me frappe le plus, c'est que cet homme à qui on reproche ses talents entrepreneuriaux se voit aussi comme un réformateur spirituel. Il veut que l'Église et ses messages s'inscrivent dans un monde ô combien en mouvement. N'est-il pas vrai, d'ailleurs, que tout chef d'entreprise (y compris moi !) doit trouver un bon équilibre entre le management au sens technique et le souffle « qui donne la vie » ? Dans cet esprit, j'utilise souvent l'image du chef d'orchestre comme celui qui fait circuler l'énergie. N'est-il pas également vrai que l'un des drames de l'Église catholique aujourd'hui, c'est justement que les papes (Jean-Paul II ou Benoît XVI pour ne parler que d'eux) négligent le management, et laissent ainsi le champ libre à la prolifération de toutes sortes de turpitudes ? En tout cas, le chef de l'Église orthodoxe que j'ai en face de moi – docteur en théologie de l'université de Strasbourg (de son passage en France, il a aussi rapporté un don d'imitation pour certains de nos hommes politiques !) – ne cache pas son plaisir d'avoir rencontré quelqu'un qui l'interroge sur des questions spirituelles. Même les cardinaux romains ne le font pas ! Il répète cela plusieurs fois et m'invite, peut-être sincèrement, à revenir le voir.

12 mai 2012

Un peu de temps aujourd'hui avec le livre de Roland Omnès, *Understanding Quantum Mechanics*. L'auteur souligne l'importance d'une certaine connaissance de l'histoire stylisée (il ne s'agit pas de suivre tous les méandres et tâtonnements, dans des langages de surcroît vite incompréhensibles) pour comprendre la physique, en tout cas la mécanique quantique. Je partage depuis toujours cette opinion, au point que dans mon jeune temps, j'ai milité pour qu'on introduise un cours d'histoire et de philosophie des sciences à l'École polytechnique.

13 mai 2012

Longue discussion avec MCh, pendant le petit déjeuner, autour de ma conversation avec le patriarche Daniel. Elle a une remarquable culture religieuse, mais, face à la vie, elle a développé un rejet des gens d'Église. Pour elle, le message chrétien perd son sens si le Royaume de Dieu n'est pas également ouvert à tous les hommes, si les sauvés ne sont pas égaux avec les saints. Le purgatoire, dit-elle, c'est le « moment » de la prise de conscience de tout ce qu'on a fait de mal dans sa vie. Quant à l'enfer… À noter une fois de plus que, lorsqu'on parle de ces choses, on est toujours prisonnier d'un vocabulaire très terrestre, à commencer par la notion de temps...

13 juin 2012

Conversation sur le corps humain. Tout l'art de l'ostéopathie (au sens large du terme, incluant les traditions orientales, notamment chinoise) est l'intuition des « points d'entrée » par où les maux vont se faufiler. À la limite, une simple imposition des mains bien placée va suffire à dénouer une situation inextricable du point de vue de la médecine classique. Gérard, qui est croyant, est sensible à mes remarques sur les miracles du Christ. Celui-ci devait avoir une intuition absolue de ces choses, c'est-à-dire qu'il était en fusion avec le cosmos. D'où la guérison du paralytique : « Lève-toi et marche »...

24 juin 2012

Mes méditations matinales me conduisent à la dialectique désordre (création) *versus* ordre (conservation). Une sorte de réaction chimique réversible conduisant non pas à un équilibre (statique) mais à un chemin de constant dépassement (suite de synthèses). Cela vaut dans tous les domaines de la vie, personnels, intellectuels (la langue, la science...), politiques, etc.

13 juillet 2012

Lu quelques pages du recueil *Provence* de Jean Giono. J'aime bien m'y plonger de temps en temps, au hasard.

Giono est certes un écrivain et un poète, mais il a aussi la précision d'un géographe d'autrefois.

Soirée à Orange avec MCh : le *Requiem* suivi de l'*Ave Verum*, de Mozart, avec le même chef coréen que mardi dernier. J'ai toujours adoré *regarder* l'orchestre. La musique s'entend mieux quand elle se voit. Une petite émotion en particulier pour l'*Ave Verum*, au son duquel je suis entré avec Alexandra à l'église de Gordes le jour de son mariage, il y aura trois ans le 18 juillet.

14 juillet 2012

Lecture du livre de Jeremy Gray, *The Hilbert Challenge*[1]. Il s'agit de la conférence donnée par l'immense savant David Hilbert le 8 août 1900 à Paris, dans laquelle celui-ci identifia vingt-trois problèmes non résolus et porteurs d'avenir pour les mathématiques. Une passionnante introduction à l'histoire de cette discipline au XXe siècle, qui touche aussi, évidemment, à la philosophie. Ainsi en est-il du « problème n° 2 », celui de la compatibilité des axiomes de l'arithmétique, à la base de ce qui deviendra la logique mathématique, ou encore du « problème n° 6 », sobrement intitulé « traitement mathématique des axiomes de la physique ». En ce qui concerne la logique, je pense souvent aux théorèmes de Gödel. Le plus célèbre dit en substance qu'il est impossible de démontrer toutes les propositions vraies de l'arithmétique sans sortir du cadre des axiomes de l'arithmétique. C'est peut-être pourquoi la célébrissime conjecture de Fermat formulée il y a trois cent cinquante ans (le nombre

1. Oxford University Press, 2000.

entier *n* étant donné supérieur ou égal à 3, il n'existe pas de nombres entiers *x*, *y* et *z* tels que $x^n+y^n=z^n$) n'a pu être résolue par Andrew Wiles en 1994 qu'au moyen de techniques mathématiques ultrasophistiquées, bien loin du champ de l'arithmétique. D'où aussi la question du chemin le plus naturel pour atteindre un résultat donné. Mine de rien, tout cela ouvre des abîmes à la philosophie. Quant aux axiomes de la physique, cela renvoie au problème fascinant de l'adéquation des mathématiques à la nature et donc à la nature ultime des mathématiques.

3 août 2012

Père F. à dîner. Un moment auquel Alexandra attache du prix. Ce prêtre lumineux et fort intelligent, qui manifeste une dévotion particulière au curé d'Ars, un tout petit bonhomme de trois mois mon aîné, s'apprête à quitter Gordes et les autres villages dont il a la charge pour devenir curé de Pertuis. Il rêvait d'une position de chapelain à Fourrières, près de Lyon, mais l'évêque d'Avignon en a décidé autrement. J'aime cet homme bon et positif, dépourvu de l'onctuosité encore trop répandue chez les gens d'Église ou, en politique, chez les démocrates-chrétiens. En écoutant notre invité, je mesure à quel point la France s'est déchristianisée. En quelque sept années d'activité pastorale dans cette région, il n'a donné le sacrement des malades (l'extrême-onction) que deux fois. Les confessionnaux sont déserts ou, comme il le dit avec humour, à moitié pleins (le côté du confesseur). Ce ne sont là que des exemples. Le père F. se rend bien compte qu'un tour de la grande roue s'achève, et il se garde de prédire à quoi ressemblera le cycle suivant. Après avoir évoqué une fois de plus Bernanos, le tour de la conversation me conduit à parler des différentes formes de la connaissance (la connaissance objective, l'expérience spirituelle), de l'extraordinaire capacité du cerveau humain à modéliser l'infiniment grand comme l'infiniment petit, mais aussi de ses limites (le problème de l'inaccessibilité radicale, peut-être, de certains pans de la « réalité » au-delà de ce que mon confrère Bernard d'Espagnat appelle le « réel voilé »), et du processus d'avancement des sciences par simplification et unification. J'évoque ainsi le premier sommet de la physique, autour de 1860, avec la théorie de Maxwell – cette synthèse géniale de l'électricité et de la lumière qui, de surcroît, contient en germe la relativité restreinte –, la gravitation (connue depuis Newton), enfin les lois (macroscopiques et donc statistiques dans leur essence) de la thermodynamique (conservation de l'énergie et principe de (Sadi) Carnot – dont est sorti le concept d'entropie). On ne connaît alors que deux forces fondamentales, l'interaction électromagnétique – responsable de la quasi-totalité des phénomènes qui importent dans la vie courante, ce qui n'a rien d'évident et n'était pas mis en relief à l'époque de mes études, même à l'École polytechnique –, et celle de la gravitation. Impossible, à la fin du XIXe siècle, de rendre compatibles Charles Darwin, qui, partant d'un point de vue de naturaliste, commençait à compter l'âge de la Terre en millions d'années – avec les physiciens comme lord Kelvin, alias William Thomson, dont les calculs rendaient impossible un âge supérieur à quelques centaines de milliers d'années (beaucoup plus élevé, tout de même, que l'enseignement littéral de la Bible !). Il fallut la découverte de l'équivalence masse-énergie dans le cadre de la relativité restreinte pour réconcilier Darwin et Kelvin, au bénéfice du premier. Au XXe siècle, la physique se développa dans trois directions. Vers l'infiniment grand, avec la relativité générale et l'idée d'un espace-temps courbé par la masse-énergie. Vers l'infiniment petit, avec la mécanique quantique dans laquelle l'incertitude s'introduit au niveau le plus fondamental, indépendamment de toute référence statistique. Vers la physique statistique enfin, qui généralise la vieille thermodynamique phénoménologique. Incidemment, il est remarquable que ce soit par la physique statistique, plus précisément la physique thermique (le rayonnement du « corps noir »), que Max Planck ait ouvert la première brèche vers ce qui allait devenir la mécanique quantique. Les progrès technologiques aidant, nos connaissances empiriques se sont immensément étendues au XXe siècle aussi bien du côté de l'infiniment grand (représentations de plus en plus fines de la constitution du cosmos et de son histoire) que de l'infiniment petit (constitution du noyau atomique, particules élémentaires). Ainsi a-t-on identifié deux nouvelles forces fondamentales, très intenses mais de portée infinitésimale, qui agissent au niveau subatomique et n'ont pas d'équivalent macroscopique : les interactions dites « faible » et « forte ». Selon la pente naturelle de l'esprit – simplification et unification –, la physique théorique est à la recherche d'un principe unique dont dériveraient les quatre forces fondamentales. À la date d'aujourd'hui, ce programme est partiellement réalisé avec le « modèle standard » qui synthétise l'interaction électromagnétique et les deux interactions nucléaires, mais la gravitation résiste. De ce point de vue, on en revient à l'époque de Maxwell. La plus récente victoire du modèle standard est la confirmation de l'existence du boson de Higgs, récemment annoncée au Cern. Pour faire progresser l'étude expérimentale dans le domaine des hautes énergies, de lourds engagements financiers sont nécessaires. Loin paraît le temps des laboratoires en chambre. En comparaison, la physique théorique paraît presque gratuite. Il n'y a à peu près que des salaires à payer ! Et des dizaines de grands cerveaux sont à l'œuvre, à travers le monde, pour établir la « théorie des cordes » ou des « super-cordes » comme *la* théorie du tout. C'est en y pensant que j'ai ouvert ce soir la discussion sur les éventuelles limites absolues à la connaissance objective. Quand l'Homme pourra-t-il dire qu'il « connaît » tout ce qu'il peut « connaître » ? Et cette question a-t-elle un sens ? Quoi qu'il en soit, comment ne pas s'émerveiller de la capacité déjà manifestée par le cerveau humain de communier à ce point avec un Univers où, pourtant, les données immédiates de la conscience (l'espace, le temps, la matière...) se dissolvent à ce point, laissant les mathématiques comme seul garde-fou, du moins dans l'ordre de la connaissance objective. Au niveau spirituel, c'est autre chose. Le père F. me demande si je suis « optimiste ». Beaucoup, en effet, sont pris de vertige devant l'univers tel qu'il se laisse dévoiler, et plus encore devant un horizon de connaissance qui continue de reculer, en attendant, peut-être, de se heurter à un mur infranchissable. Autrefois, Jean Ullmo, m'ayant écouté disserter sur les dimensions galactiques et spéculer sur la place de l'homme dans cette infinitude, m'avait invité à m'éloigner des tableaux qui écrasent tout et nous réduisent à l'insignifiance. Une quarantaine d'années après, je continue pourtant de me ranger du côté des autres, de ceux qui s'émerveillent au contraire de ce que le monde naturel soit tellement surnaturel que le surnaturel en devient presque naturel. De sorte, peut-être, que l'écart entre « physique » et « métaphysique » n'est pas si grand qu'on le croit... J'ajoute que, dans ma vie intérieure, je n'éprouve aucune difficulté à changer fréquemment d'échelle, ainsi, ces jours-ci, à m'intéresser de près à un personnage historique comme Joseph Fouché (d'où découlent des réflexions à caractère universel), à la géographie de la France ou, tout simplement, à mes proches !

13 août 2012

Je suis un peu l'actualité, en réalité de très loin sauf pour les Jeux olympiques de Londres. J'aime admirer les exploits sportifs à cause de ce qu'ils représentent en fait de caractère, de travail d'équipe (notion de *coach*) et d'organisation (aspect spectacle), mais le phénomène m'intéresse aussi sur les plans politique, sociologique (*panem et circenses*), et bien sûr économique (sans négliger l'aspect peu reluisant de la corruption – à quoi faut-il s'attendre de ce point de vue pour les J.O. de 2016 au Brésil ?).

19 décembre 2012

La « fin du monde », après-demain (!). Beaucoup de gens sont au moins légèrement ébranlés par la célèbre prédiction issue du calendrier maya. Ce qui est intéressant du point de vue astrologique, c'est que la configuration planétaire très particulière d'après-demain peut annoncer un « changement de cycle ». Fin *du* monde *versus* fin *d'un* monde.

23 décembre 2012

Promenade seul. Je pense à l'éternelle folie destructrice des hommes. Aujourd'hui, c'est la ruine de la ville d'Alep, en Syrie, qui me pousse à cette réflexion, hélas banale. L'Homme est peut-être encore davantage destructeur que constructeur. Lu, dans le dernier numéro de *La Recherche*, un commentaire à propos de l'échec de la conférence de Doha sur le climat. Je repense à la fin de mon discours de Bucarest sur le sens de l'Histoire[1]. Je spéculais alors sur un état du monde quand l'Homme n'aurait plus qu'à se distraire, à philosopher, ou mieux encore à développer sa dimension spirituelle. Je sous-estimais sa folie et les conséquences des tragédies naturelles. Ce sujet nous ramène au thème du début d'un nouveau cycle de très grande ampleur. Sur un tout autre plan, je pense aux grands hommes méconnus et à ceux, comme Maurice Allais, que l'attribution d'une distinction aussi grande que le prix Nobel n'a pas vraiment tirés de l'extrême marginalité. Ne sont-ils pas là, les véritables héros de l'aventure humaine? car ils sont libres ou peuvent l'être. Les stars de toute nature, pas seulement les acteurs, sont prisonniers de leur rôle. Vive la liberté. En écrivant ces lignes, j'essaie, en mon âme et conscience, d'être sincère.

26 décembre 2012

Le soir, après dîner, nous regardons une émission sur France 2 consacrée à Rudolf Noureev. La vie de ce danseur

1. « Le sens de l'Histoire », dans Thierry de Montbrial, *Il est nécessaire d'espérer pour entreprendre. Penseurs et bâtisseurs, op. cit.*

incomparable, né en 1939 et mort en 1993, recoupe plusieurs de mes thèmes : le talent poussé à l'extrême (ici dans un seul domaine), l'aberration soviétique et les abîmes de l'âme russe, la starisation et la faux. Et avec cela le destin, bien sûr. Dans l'émergence d'une star, il y a toujours croisement de nombreux facteurs, personnels et circonstanciels. Chez John Kennedy, par exemple, son âge, ses faits de guerre, sa beauté, l'histoire de sa famille, le charisme de sa femme, mais aussi l'éclosion de l'Amérique post-guerres mondiales, etc. Chez Noureev, l'enfant terrible super-doué qui demande l'asile politique dans un contexte romanesque (à l'époque de Kennedy, soit dit en passant !) et devient aussitôt un symbole de la Guerre froide… La faux, c'est en l'occurrence le sida. La première victime de cette maladie que j'ai directement connue fut Michel Guy, le ministre de la Culture de Giscard. Nous l'avions rencontré à l'époque et sa gentillesse autant que son talent nous avaient alors marqué.

27 décembre 2012

J'avance dans la lecture de *L'Enfance de Jésus*, le petit livre récemment publié par Benoît XVI comme une introduction à ses deux volumes sur *Jésus de Nazareth*. Lecture relativement facile à condition d'être ouvert à la spiritualité et donc au mystère, ce qui, j'en conviens, n'est pas le cas de tout le monde. En fait, l'intense agitation du monde moderne détourne les esprits de la transcendance. Cela, et les péchés de l'Église en tant qu'institution, me paraissent être les raisons fondamentales de la déchristianisation dans les pays riches. L'un des mérites de Joseph Ratzinger est de faire ressortir la remarquable cohérence des Écritures, l'Ancien et le Nouveau Testament. Tout se tient, comme un puzzle parfait. Mais on ne voit pas ce puzzle de la même manière, selon qu'on est à l'intérieur ou à l'extérieur de la foi. C'est le mystère de la conversion, ou plutôt de la grâce qui lui est associée. S'agissant des Évangiles, je note qu'il s'appuie plus particulièrement sur ceux de Matthieu et de Luc. La Grâce, ne serait-ce qu'à l'état homéopathique, permet d'entrer dans le mystère chrétien, lequel, certes, n'est sur aucun plan de tout repos.

28 décembre 2012

Je continue avec Ratzinger, au point que j'aurai beaucoup de mal à m'endormir! Les mathématiques et la théologie exercent sur moi des effets puissants.

5 janvier 2013

Excellentes lectures sur l'islam dans un livre intitulé *Hadith and Sunnah*, édité en Malaisie et acheté, je crois, à l'aéroport de Singapour, à l'occasion d'une escale vers l'Indonésie[1]. Ouvertures fort intéressantes pour une meilleure compréhension de l'islam.

Je relève – en les interprétant librement – quelques aspects qui m'ont frappé dans le chapitre intitulé « The Prophet as the examplar par excellence », signé par un professeur de la George Washington University d'origine

1. *Hadith and Sunnah. Ideals and Realities*, Islamic Book Trust, Kuala Lumpur, 1996 (Second Edition Revised, 2000).

iranienne et donc chiite, nommé Seyed Hossein Nasr. Selon l'islam, Mohammed est à la fois l'homme « primordial », l'homme universel et le dernier des prophètes au sens le plus fort du terme, c'est-à-dire fondateur d'une religion. Mais contrairement à Jésus, il n'est pas Dieu. Il n'est « que » le messager de Dieu, et ce en un triple sens. D'abord, il est celui à travers qui la parole divine s'est exprimée, mais dans une langue particulière, l'arabe. Ce point est essentiel, car la sonorité joue un rôle essentiel dans le Coran et ajoute à son caractère difficilement traduisible. De ce point de vue, traduire le Coran est encore plus difficile que traduire de la poésie. Ensuite, il est chargé d'une mission infiniment plus exigeante que celles qui échoient au commun des mortels. Il s'agit de faire connaître la Vérité au monde, et de mettre en place l'ordre social qui doit en résulter. Cet ordre est conçu comme une sorte d'équilibre des forces, un accomplissement harmonieux. Mais il n'y a pas de construction sans destruction. Sa mise en place passe inévitablement par la guerre, selon une conception qui fait penser à la notion chrétienne de « guerre juste ». L'essentiel, à cet égard, est de comprendre que l'organisation de la société est inhérente à l'islam. Au contraire du christianisme, l'islam s'intéresse en détail à la vie terrestre, alors que Jésus disait : « Mon royaume n'est pas de ce monde. » Ce qui n'a certes pas empêché le royaume de l'Église de se montrer longtemps infiniment terrestre. Mais au niveau des fondements, on ne le dira jamais assez, la notion de laïcité et son corollaire, la séparation de l'Église et de l'État, sont radicalement étrangers à l'islam. Ainsi, en Turquie, le kémalisme restera-t-il peut-être comme une parenthèse. Il ne s'agit pas seulement des pratiques quotidiennes de la vie en société (également ritualisées dans la religion juive), mais de la chose publique en général, c'est-à-dire la politique (comme aussi pour les juifs orthodoxes). Le Prophète est messager également dans un troisième sens. L'un de ses rôles est de donner l'exemple dans les aspects ordinaires de la vie, être le modèle que tout humain doit chercher à imiter. Cela n'est possible que parce que, contrairement au Christ, il n'est lui-même qu'un homme. Mais un homme qui (toujours du point de vue musulman) possède au plus haut point les qualités suprêmes : la piété, la combativité (contre toute forme de négation de la Vérité), la magnanimité. Selon une classification légèrement différente, Seyed Hossein Nasr parle aussi de sérénité (calme intérieur, amour de la Vérité), de force, et de noblesse ou générosité. La force est tendue vers l'intérieur de soi (le grand djihad, c'est-à-dire la lutte contre les démons intérieurs) et vers l'extérieur (le petit djihad). C'est naturellement le second point que soulignent les observateurs étrangers à l'islam, lesquels, plus généralement, s'appuient sur une historiographie dans l'ensemble très éloignée de celle des croyants.

Dans la tradition islamique, l'exemplarité du Prophète s'exprime par le *Hadith*, c'est-à-dire les recueils de ses paroles, de son enseignement oral ; et la *Sunna*, c'est-à-dire la mémoire de son action. Les deux sont indissociables, car l'exemplarité ne peut résulter que de leur cohérence. Plus encore – les Occidentaux l'ignorent trop souvent –, le *Hadith* et la *Sunna* sont des compléments indispensables au Coran. Sans eux, et au moins pour les chiites sans leur prolongement dans les enseignements de certains imams, le Livre sacré resterait largement impénétrable. De ce point de vue, un parallèle avec le christianisme (les Évangiles, les

Épîtres, mais aussi les œuvres des Pères de l'Église, particulièrement chères aux orthodoxes) est possible. Comme toute cette littérature est elle-même sujette à commentaires et interprétations, on saisit mieux ce que Roger Arnaldez voulait dire au sujet de l'ouverture des textes apparemment les plus fermés.

L'auteur sur lequel je m'appuie ici observe – là encore je traduis dans mon langage – qu'en tant que système, l'islam est difficile à saisir pour les Occidentaux convaincus qu'au moins dans la sphère publique « la Raison » a supplanté la Religion. Cela dit, avec les rois-prophètes, David ou Salomon, et naturellement avec Abraham, la Bible donne des exemples très proches de la conception islamique. L'hindouisme aussi, avec des figures comme Rama ou Krishna. Un autre centre d'intérêt du texte cité, et non le moindre, est également de montrer en quel sens, pour les musulmans, toutes les religions ont été des étapes vers *la* religion ; et en quoi les références que tel prophète a pu faire à tel autre ont procédé d'un lien direct avec Dieu, et non d'une recherche documentaire au sens contemporain du terme.

J'arrête là mon commentaire sur l'un des textes les plus intelligents qu'il m'a été donné de lire sur l'islam. D'un côté, il suggère bien sa remarquable cohérence systémique, comme celle des autres grandes religions de l'humanité. Or rien n'est plus difficile que de pénétrer dans un système complexe et d'en percevoir l'unité sous-jacente, pour qui n'a pas la chance de la saisir d'un coup par une de ces fulgurances, de ces conversions, dont j'ai déjà parlé dans ce journal. À quoi il faut ajouter que, particulièrement pour les grandes religions, la connaissance progresse par paliers, selon un processus de maturation qui peut s'étendre sur toute la vie, à mon sens bien décrit par Abellio. La connaissance n'est jamais facile, et la communication sur ces choses encore moins. C'est pourquoi le dialogue des religions – et plus généralement le dialogue des cultures ou des civilisations – est si problématique, au-delà des échanges de banalités. Derrière l'idée de choc des civilisations, il y a la réalité du choc des systèmes sous-jacents. Parmi eux, il y a le système occidental de la Raison pure issu du siècle des Lumières, système dans lequel les héritiers de Voltaire voient l'avenir de l'humanité, mais qui, sans doute pour l'immense majorité des humains actuellement vivants, reste une anomalie historique.

10 janvier 2013

Une heure dans mon bureau avec Dominique Moïsi. Suite à mes réflexions de Noël, nous commençons en parlant des rapports entre Dieu et ses ouailles, chez les juifs et chez les chrétiens. Point de départ : que peut-être ce rapport, si l'on ne croit pas à la survie de l'individu, sous une forme ou une autre ? Dominique ne répond pas à cette question, mais assure que, chez les juifs, le rapport dont je parle est très fort.

11 février 2013

Soudain tombe la nouvelle de la démission de Benoît XVI, effective à la fin du mois. À Pâques, nous aurons un nouveau pape. Je suis ému. Peut-être n'a-t-il pas voulu reproduire la tragédie de Jean-Paul II. Deux situations, deux réponses. Et sans doute, dans le regard des hommes, des jugements opposés. On le blâmera ou on l'admirera. En tout cas, un changement majeur dans la pratique de la papauté. C'est que, de nos jours, le rythme de la papauté s'est accéléré, comme celui de toutes les unités actives. À presque quatre-vingt-six ans, ce grand intellectuel est d'autant plus fatigué qu'il aura dû, pendant son règne, affronter des types d'orages pour lesquels il n'était nullement préparé. Du moins est-il, dans un genre certes bien différent de son prédécesseur, un grand homme de foi et, au sens le plus fondamental du terme, un « gentilhomme ». Il pourra vivre le reste de ses jours au milieu de ses livres et avec ses prières.

Une fois n'est pas coutume, regardé le journal télévisé dans mon bureau, à cause de Benoît XVI. Et je reprends la lecture du *Jésus de Nazareth* de Joseph Ratzinger…

15 février 2013

Ce matin, dans *Le Figaro*, lu un papier sur un discours de Benoît XVI, hier, dans lequel il parle assez librement du « vrai » Vatican II, qu'il oppose au Vatican II « virtuel », celui orchestré par les médias dans un paradigme politique et non pas spirituel – sous la lumière de l'Esprit-Saint. Je me demande, en réfléchissant à sa décision de démissionner, s'il n'a pas envie d'utiliser le temps qui lui reste, sinon pour écrire ses mémoires, du moins pour réfléchir en toute sérénité à l'avenir de l'Église, avec peut-être l'intention de livrer le jour venu un ultime message, même s'il reste physiquement caché aux yeux du monde. Mais je me trompe peut-être.

20 février 2013

Parcouru le dernier livre de Caroline Pigozzi, *Le Vatican indiscret*. Je dois le reconnaître : tout ce qui concerne le Saint-Siège retient mon attention. Je pense à mon ami Laurent Stefanini[1] qui, lui, est fasciné. Mais comment être complaisant face au hiatus entre la vie de ce singulier microcosme et celle du Christ, ce Jésus de Nazareth dont le pape sortant parle si bien !

21 février 2013

Méditations sur ce que j'appelle la troisième mémoire. L'oubli n'est pas forcément un critère. Je ne suis pas le seul à ne pas avoir de souvenir conscient de mes trois premières années, sans parler de ma vie dans le ventre de ma mère. Et pourtant, tout ce temps-là a contribué à me déterminer. Alors, n'y a-t-il pas d'autres formes de mémoire enfouies, d'autres formes d'héritage, que certains attacheront à des vies antérieures ou d'autres à la communion des saints ?

23 février 2013

Aujourd'hui, j'investis dans mon Journal et avance dans le livre de Benoît XVI, avec le sentiment assez exaltant de monter en compréhension sur des questions fondamentales. Un peu plus de quarante ans après mes cours de théologie au Centre pour l'intelligence de la foi du père jésuite

1. Diplomate, chef du protocole, correspondant de l'Institut.

Thomas. En 1971-1972, convaincu que je devais consacrer au moins une petite partie de mes capacités cérébrales à l'étude de la religion dans laquelle j'avais été élevé, je m'étais jeté à l'eau en entraînant au moins pour un bout du chemin MCh, laquelle avait d'ailleurs des bases beaucoup plus solides que les miennes. Plus généralement, je crois que l'étude rationnelle est l'une des voies d'accès à la spiritualité. Certainement pas la seule, ni la plus importante. Essentielle cependant pour un intellectuel.

24 février 2013

En feuilletant les gazettes, je tombe sur l'interview d'une jeune auteure originaire d'un pays musulman qui décrète péremptoirement que « Dieu est une absurdité », qu'elle est passée de l'agnosticisme à l'athéisme, etc. Comme tant d'autres, elle confond Dieu et ses fonctionnaires. *That is the question.*

25 février 2013

Quelques réflexions de ces derniers jours que je note en vrac.

1) Vu hier soir au journal télévisé un reportage sur la question de savoir si l'on doit encore apprendre à écrire. On s'interroge sur les effets de l'informatique sur le cerveau, et donc sur l'évolution. C'est une question que je soulevais il y a douze ans dans mon intervention devant la Société française de philosophie sur *l'informatique et la pensée*[1]. Plus

1. *Op. cit.*, voir note 1, p. 132.

généralement, ceux pour qui l'homme actuel marque la fin de l'évolution ont vraisemblablement tort. C'est surtout à travers la biologie et la médecine que l'homme s'apprête à participer à sa propre évolution, pour le meilleur ou pour le pire.

2) Un cardinal irlandais, accusé de pédophilie, ne se présentera pas au conclave. Encore une affaire misérable. Mais les commentateurs, dans leur ignorance des choses de la foi, sont à côté de la plaque, notamment quand ils dénoncent l'absence de « démocratie » dans l'Église. Comme si l'interprétation ou encore l'annonce des évangiles était une question de démocratie.

1er mars 2013

Je songe aux gens qui rejettent l'idée de Dieu sur la base du spectacle affligeant donné par certaines institutions religieuses avec leurs jeux de pouvoir. Je continue de croire qu'il peut suffire d'une petite graine pour engendrer dans l'âme apparemment la plus fermée un processus de révélation.

3 mars 2013

Je tombe, dans ma bibliothèque, sur l'ouvrage d'André Frossard, *Dieu en questions*. Comme pour tant d'autres de mes livres, je savais qu'un jour j'ouvrirais celui-ci. Je lis ce qu'il écrit sur la conversion soudaine : saint Paul, Paul Claudel ou... André Frossard et sans doute beaucoup d'autres, autour de nous, mais peu nombreux sont ceux qui en parlent et a fortiori qui, comme Frossard, en font un métier. Les deux voies d'accès à la Vérité sont le lent progrès continu – le mouvement hélicoïdal, « suivre sa pente en montant » – et la bifurcation. On retrouve là, transposé, l'un de mes thèmes de prédilection de toujours : réforme *versus* révolution. Je fais aussi le rapprochement avec un autre de mes sujets favoris : le caractère soudain, fulgurant de la compréhension des réalités systémiques. Pareille « conversion » est le plus souvent l'aboutissement d'un long travail souterrain. Avec la lecture du livre de Benoît XVI, j'ai parfois le sentiment de vivre quelque chose comme ça. Au point que, en regard des livres de mathématiques qui m'entourent, il me semble à l'instant mieux saisir le choix de Pascal : approfondir la foi plutôt que la science.

4 mars 2013

Poursuite de mes réflexions autour du christianisme. Les meilleurs chrétiens ne sont pas forcément chrétiens ! Voir les paraboles du bon Samaritain et de la Samaritaine.

6 mars 2013

Un des points qui retiennent le plus mon attention dans le livre de Benoît XVI est la question sous-jacente du temps et de la mémoire. Importance pour les trois monothéismes de la prophétie et de l'eschatologie. Les deux nous entraînent en dehors de l'espace-temps des hommes. La cosmologie bouddhiste ou hindouiste ouvre aussi la perspective de la sortie de l'espace-temps ordinaire.

13 mars 2013

De Washington, j'entends le cardinal Tauran, protodiacre, annoncer : «*Habemus papam.*» Il s'agit du cardinal Bergoglio de Buenos Aires, un jésuite qui prend le nom de François, à cause de saint François d'Assise. C'est tout un programme. Les premiers gestes du nouveau pontife sont saisissants de simplicité et de vérité. L'Esprit-Saint semble avoir agi sur le conclave.

14 mars 2013

Je lis et j'écoute sur le «pape François», car ainsi veut-il qu'on l'appelle, et en effet cela sonne tout autrement que François Ier. Une partie de la gauche l'attaque au motif qu'il aurait été complaisant avec le pouvoir militaire quand il était le supérieur provincial des jésuites en Argentine. Si l'on fait courir des bruits de cette nature, c'est qu'il a des ennemis. Et s'il a des ennemis, c'est qu'il «brosse le bateau», comme disait, à Berkeley, un autre jésuite de nos amis d'alors, le père Eugène Poirier, un Canadien. Et d'ailleurs, aujourd'hui même, le pape François n'a-t-il pas dit que l'Église devait se purifier, sous peine de devenir une ONG caritative (et encore!). Comment va-t-il s'y prendre pour que cette Église retrouve le chemin du Christ?

19 mars 2013

Saint Joseph! C'est donc aussi la fête du pape émérite... Je passe un petit moment devant la télé à regarder la messe d'intronisation du pape François. Comment ne pas penser que le troisième des monolithes isomorphes que j'avais identifiés dans les années quatre-vingt (après IBM et le PCUS) pourrait s'effondrer ? Le nouveau pape fait un sans-faute, mais saura-t-il nettoyer les Curies d'Augias (!). Son homélie part de l'idée que Joseph a *protégé* Marie et même Jésus. Il appartient à chaque homme, autant qu'il le peut, de protéger les créatures de Dieu, et cela commence par soi-même. Protéger, ce peut être un acte matériel. C'est surtout un acte spirituel. Je suis en totale résonance avec ce discours, comme avec l'éloge de la bonté et de la tendresse, nullement incompatibles avec la fermeté. Pour ce qui concerne le Saint-Père, on est ramené à la question précédente : sa fermeté sera-t-elle payante ?

29 mars 2013

Ce soir, je lis dans *Le Monde* un article sur les décisions, actions et homélies du pape François au cours des derniers jours. Stupéfiant. C'est une révolution (non violente !).

31 mars 2013

Pâques. Journée principalement consacrée « à Dieu ». Achevé la lecture du premier volume de *Jésus de Nazareth* de Joseph Ratzinger (j'avais commencé par le dernier, sur l'enfance de Jésus). Mon enthousiasme est intact et j'attaquerai bientôt le deuxième tome, celui qui va de la Transfiguration à la Résurrection. Parcouru aussi un petit volume du nouveau pape, tout juste sorti des presses, reprenant des « exercices spirituels donnés à ses frères évêques » (d'Espagne) par le cardinal Bergoglio en 2006, « à la manière de saint Ignace de Loyola». Une mine. Regardé en partie sur France 2 la messe célébrée en plusieurs langues à Vevey, au bord du lac Léman. Liturgie larmoyante. J'essaie de m'abstraire de cet aspect, mais MCh ne le supporte pas et je la comprends. Quel contraste avec la bénédiction *Urbi et orbi* du pape François qui suit! Je suis touché, également, par le cardinal Jean-Louis Tauran, qui se tient à la droite du Saint-Père. Pour des raisons de santé, il a dû renoncer à la carrière encore plus brillante à laquelle il semblait destiné au sein de la Curie. J'imagine que l'épreuve lui a été infligée par Dieu pour le ramener à l'essentiel et, en le voyant, j'ai l'intuition que le but est atteint. Nous regardons l'émission qui suit, dans laquelle quatre cardinaux évoquent le dernier conclave. Un Canadien, un Slovène, un Belge et, justement, Jean-Louis Tauran. Sans doute ont-ils été autorisés, puisqu'ils sont en principe soumis au secret. Ce qui ressort de cette émission est magnifique. Le travail de l'Esprit-Saint est presque palpable. On cherchait un «homme de gouvernement», pas n'importe lequel, et on l'a trouvé. Émouvant, le témoignage de Jean-Louis Tauran, qui laisse clairement entendre qu'au début du conclave, il ne pensait nullement à Bergoglio. Le choix s'est progressivement imposé, et l'on comprend même que ce «prince de l'Église» s'y est rallié, et qu'il semble admettre que la Curie a besoin d'une réforme profonde. D'une manière générale, ce qui me frappe, c'est que les quatre cardinaux ne se cachent pas d'avoir été bouleversés par ce qui s'est passé pendant ces quelque quarante-huit heures dans l'enceinte de la chapelle Sixtine. Pour ma part, je n'ai jamais eu de difficultés avec le concept de Trinité, en particulier avec le Saint-Esprit. Le Saint-Esprit «qui a parlé par les prophètes», mais aussi par tant d'hommes ou de femmes, de tout temps et en tous lieux, connus ou inconnus, notamment mais non exclusivement à l'intérieur et autour des « grandes » ou même des « petites » religions. Avant et après que « le Verbe », c'est-à-dire le souffle (le Qi du tao), « se fasse chair » et qu'il ait « habité parmi nous ». Pour ce qui concerne l'évêque de Rome, je ne doute pas que les démarches apparemment inverses de Jean-Paul II, aller jusqu'au bout de son chemin de croix sans renoncer à sa charge, et de Benoît XVI, démissionner alors qu'il était encore essentiellement en bonne santé, procèdent de l'Esprit-Saint. Comme, il y a quelques jours, l'élection de Jorge-Mario Bergoglio. Une fois de plus, je ne m'étonne pas des erreurs de prévision commises par les commentateurs de l'extérieur. L'un des cardinaux de l'émission dit que certains des prétendus *papabile* le plus souvent cités par la presse ont eu zéro voix. Je n'en suis nullement surpris. Jadis, René Rémond, qui professait sa foi, m'avait frappé par l'absence du Saint-Esprit dans ses analyses vaticanesques. Il traitait de la même manière l'élection d'un président du Conseil de la Troisième République et celle d'un pape. Je l'ai noté à l'époque. Reste que la conversion de l'Église ne va pas s'accomplir en un jour, ni même en quelques années ou décennies. Lorsque je réfléchis à l'avenir de la chrétienté sur le très long terme, il m'arrive d'imaginer un immense chantier théologique, le véritable « dialogue des religions », à travers lequel l'unité de la Révélation ressortirait de la synthèse des grands textes spirituels qui nous ont été légués par l'Histoire. J'espère que, chemin faisant, la future armée des théologiens s'attaquera plus explicitement au problème du grand drame qui a « précédé » la Création (il faudrait toujours des guillemets pour les images spatio-temporelles). Car le Mal ne saurait sortir de Dieu, et puisqu'il existe, il faut bien en déduire que

Dieu, s'il est « parfait », n'est cependant pas « tout-puissant ». Peut-être les textes védiques ou bouddhiques et d'autres ont-ils à nous éclairer sur cette question fondamentale, mieux que le livre de la Genèse ou les histoires d'anges déchus. Si l'on admet que Dieu n'est pas tout-puissant et que la Création s'inscrit dans un cadre cosmique, au-delà de notre univers (espace-temps) sensible, cadre qui pour cette raison échappe au commun des mortels mais peut-être pas à quelques élus capables de « flashes », si donc on admet cela, tout devient à la fois plus clair et plus difficile. À l'idée de la toute-puissance de Dieu doit peut-être se substituer celle d'un Dieu potentiellement vainqueur du Mal. « Le Verbe » ne s'est pas manifesté seulement dans les textes judéo-chrétiens (a fortiori dans ceux considérés par l'Église comme « canoniques »). Ce travail d'unification spirituelle, en avant-garde de la véritable « mondialisation », travail que j'imagine un prolongement des intuitions de Teilhard, prendra peut-être des siècles et, pour l'accomplir, il faudra surmonter d'immenses obstacles, à commencer par les préjugés et l'adhérence des traditions spirituelles à l'ethnocentrisme. Car, où que ce soit sur la planète, nous restons loin de faire la part des choses entre Dieu et César, au point que l'on s'entretue toujours au nom de Dieu, ce qui, en retour, écarte bien des hommes de bonne volonté de la recherche spirituelle. Pour essentiel qu'il soit – tant il est vrai, comme y insiste constamment Benoît XVI, que foi et rationalité ne doivent pas être pensées en opposition –, ce travail ne vaudra qu'accompagné de témoins crédibles du Verbe, ceux d'hier, d'aujourd'hui et de demain, chrétiens ou non, et même esprits tournés vers les religions ou non. Au cœur de ces témoignages, il y a l'Amour : « À présent, nous voyons dans un miroir et de façon confuse, mais alors ce sera face à face. À présent, ma connaissance est limitée, alors je connaîtrai comme je suis connu. Maintenant donc ces trois-là demeurent, la Foi, l'Espérance et l'Amour, mais l'Amour est le plus grand» (1 Co. 13, 12-13).

1er avril 2013

Je reviens sur le triangle Beau-Vrai-Bon avec l'idée d' «accords» pour chacun des trois pôles et d' «harmonie» pour le tout. Avec l'objectif de monter en spirale jusqu'à une fusion de ces pôles, c'est-à-dire un stade où le Beau, le Vrai et le Bon ne font plus qu'un. L'harmonie, c'est l'accord entre les accords.

Skype avec Mcsh[1]. Celle-ci continue de mener sa vie de demi-ermite. Vaguement choquée, elle nous parle d'une amie musulmane qui lui a envoyé à la figure que le Christ avait simulé la mort sur la croix. «C'est ce qu'ils pensent tous», dit Marie-Claude, qui en même temps se sent mal armée pour argumenter et parler de la résurrection. Pour les musulmans, Jésus n'est qu'un prophète parmi d'autres. Certainement pas le «fils de Dieu» (au sens fort... après avoir lu Ratzinger, je sais mieux combien cette locution est riche d'interprétations).

Dîner à quatre avec Marc et Marie de Smedt au Mas Tourteron. Pour Marc, comparé au bouddhisme ou à d'autres expériences (zen par exemple), le christianisme est la religion du mal-être. Ce n'est pas lui qui le dit. Mais je pense qu'il

1. Marie-Claude de Saint-Hilaire, collaboratrice de l'auteur entre 1975 et 2008, au Quai d'Orsay puis à l'Ifri, vit en Égypte depuis sa retraite.

le pense. Et il faut bien reconnaître que l'enseignement des Évangiles est facilement douloureux et qu'il peut engendrer culpabilité et mélancolie. C'est pourquoi j'espère un dépassement de la théologie, comme je l'ai écrit hier, qui intégrerait la vocation au bien-être dès cette Terre, à laquelle d'autres traditions spirituelles sont sensibles.

6 avril 2013

Quelques lectures, notamment la biographie d'Henri Poincaré de Jeremy Gray, que j'ai trouvée récemment à Harvard. Les travaux de Poincaré me fascinent depuis toujours, et je m'arrête particulièrement aujourd'hui sur les recherches inspirées par les anneaux de Saturne. Ce qui est remarquable sur un plan épistémologique, c'est que les phénomènes naturels, même identifiés de façon grossière, peuvent conduire à des recherches profondes et fécondes. Je poursuis par ailleurs mes réflexions spirituelles. Parmi les aspects que je devrai développer un jour ou l'autre au sujet des Évangiles, il y a cette extraordinaire combinaison entre une exigence surhumaine (suivre le Christ…) et l'immense compassion qui se manifeste si fréquemment dans les textes.

7 avril 2013

Nous allons à pied, en tout début d'après-midi, jusqu'au cinéma Lincoln, près des Champs-Élysées, pour voir *Sugar Man*, un documentaire tout à fait extraordinaire que MCh avait vu par accident et qu'elle a voulu revoir avec moi. À travers une histoire très singulière d'un chanteur méconnu, une magnifique leçon de vie : il ne faut jamais désespérer de la reconnaissance ; et l'on peut être heureux sans la reconnaissance. Cette question de la reconnaissance véritable m'intéresse évidemment depuis longtemps. Elle a taraudé par exemple Maurice Allais, et même l'attribution du prix Nobel n'a pas suffi à appeler suffisamment de gens à s'intéresser en profondeur à son œuvre. Mais qu'importe. Lorsque l'on sème, la germination peut intervenir au moment le plus inattendu, et ce sera peut-être le cas pour Allais, comme pour d'autres.

25 avril 2013

Une heure et demie avec SL, qui poursuit la discussion sur mon style de management. Toujours un peu systématique, elle décrète que « derrière tout désir il y a une peur », et par exemple qu'il y a une peur derrière le désir de plaire, etc. Soit. Le nirvana, ou le paradis terrestre, est un monde hors de notre espace-temps, où aussi bien les désirs que les peurs sont abolis.

11 mai 2013

J'avance dans la lecture du dernier volume de *Jésus de Nazareth*, qui traite des questions les plus difficiles de la foi. Mon intérêt n'a pas baissé, au contraire. Et comment ne pas comprendre que le souci de Benoît XVI est, littéralement, la survie du christianisme.

13 mai 2013

Je passe à l'Académie, pour écouter Jean-Louis Bourlanges parler de l'Europe. Éloquent et inspirant, malgré des considérations historiques sans doute un peu approximatives. L'ancien député européen est agrégé de lettres, et non pas d'histoire. Je retiens que, pour lui, « le génome de la construction européenne » apparaît dans la déclaration de Robert Schuman du 9 mai 1950. Il souligne le contraste entre la vision européenne charnelle de Schuman et celle, abstraite et universelle, de Monnet. L'Europe du premier a vocation à rester circonscrite, celle du second à s'étendre à toute la planète. Cette remarque m'inspire une comparaison avec le judaïsme et le christianisme dans l'histoire du salut : un même Dieu, mais un peuple élu qui a vocation à le rester dans le premier cas, une aspiration à la « vraie » mondialisation (l'enseignement de l'Évangile « à toutes les nations ») dans le second.

15 mai 2013

Monaco. Installation à l'hôtel Hermitage, où je me sens bien. Ce soir, je préside une conférence du cardinal Paul Poupard sur « Les défis de l'Église au troisième millénaire ». Sa conférence ne m'apprend rien, mais elle est bien torchée et plaît au public (un peu plus clairsemé que d'habitude). Je mentionne tout de même cette remarque de Bernanos, à propos de la liberté : « Je suis libre, mais la liberté pour quoi faire ? » Au passage, il égratigne Sartre qui, selon lui, est totalement oublié aujourd'hui. Sur un autre plan, il fait une description impressionnante des persécutions (au sens large du terme) dont les chrétiens sont victimes dans le monde contemporain. Ma présence, ce soir, est particulièrement utile, en raison de l'absence d'Enrico Braggiotti, souffrant. J'ouvre la discussion qui suit la conférence en soulevant trois points : 1) la religion chrétienne est difficile ; 2) l'Église institutionnelle (par opposition à l'Église en tant que communauté des croyants) s'est largement discréditée dans l'Histoire (je cite le dossier Galilée, dont il s'est occupé pendant plus de dix ans !) ; 3) elle donne souvent le mauvais exemple (affaires d'argent, pédophilie, mensonges, insuffisante attention aux « damnés de la terre »...). L'orateur glisse trop rapidement sur les points 2 et 3. Sur le premier point, il soutient qu'en fin de compte, l'espérance qui habite le chrétien est celle de l'amour, et ce message-là est simple. Certes, le Credo est difficile, mais il faut le concevoir comme une construction « défensive » face à toutes les attaques des deux ou trois premiers siècles. Il faut donc toujours revenir à l'essentiel, qui est « le mystère », et au fait que science et foi appartiennent à deux ordres différents, pour parler comme Pascal. De nos jours, l'idéologie dominante est toujours que « les lumières de la raison doivent chasser les ténèbres de la foi ». Pour illustrer « l'amour », le cardinal cite une anecdote à l'époque de Jean XXIII. Un jour, un jeune prêtre africain qui venait d'être sacré évêque se montra paniqué devant le Souverain Pontife, craignant de ne pas être à la hauteur de ses nouvelles responsabilités. Le bon pape Jean lui dit simplement ceci : « Mon petit frère, rappelle-toi qu'il y a un Père dans le ciel et un vieux frère sur cette terre qui t'aiment. »

Dîner fort enlevé, ensuite, auquel évidemment j'apporte mon grain de sel sinon de piment. Très en verve, notre invité se répand en anecdotes vaticanes et se lamente de se voir plus d'une fois « franchir la ligne jaune » ! Je retiens que Paul VI, déjà, avait prévu l'hypothèse d'une démission. Si Benoît XVI est passé à l'acte, c'est après avoir reçu trois signaux : 1) l'agonie de Jean-Paul II, qui ne fut plus en mesure de diriger l'Église ; 2) une chute dans sa salle de bains pendant son voyage, je crois, à Mexico ; 3) sa visite à Fidel Castro, dont le gâtisme l'a profondément marqué... À la fin du repas, après la bénédiction, afin de terminer sur une note conviviale et naturelle, je raconte « l'histoire juive la plus courte ». La première version de cette blague est : « Dieu soit loué » (en location !). La deuxième : « Amen » (Amènes !). Ravi, le prélat fait semblant de se voiler la face et lâche un sonore *Mamma mia*...

18 mai 2013

Après dîner, nous regardons *Le Guépard* en DVD, à cause de notre récent voyage en Sicile. Quelques scènes ont été tournées au château de Donnafugata que nous avons visité, mais en réalité l'action – le débarquement de Garibaldi et ses suites – se déroule à Palerme et dans son voisinage immédiat. C'est vers le début du film (et sans doute du livre, il faudra que j'aille voir), que Tancrède (Alain Delon) dit à son oncle le prince don Fabrizio Salina (Burt Lancaster) la phrase célèbre : « Il faut que tout change pour que rien ne change. » Vers la fin, Salina lui fait écho avec cette variante : « Il faut que quelque chose change pour que rien ne change. » Je me demande si Giuseppe Tomasi di Lampedusa, l'auteur de l'œuvre originale, avait lu Tocqueville (*L'Ancien Régime et la Révolution*). Salina apparaît comme un homme au cœur noble et néanmoins habile, puisqu'il sait composer avec le nouveau régime et favoriser la fortune de son neveu bien-aimé. Mais il n'est pas « jeune » au sens de McArthur : il ne parvient pas à se détacher d'un passé que pourtant il sait révolu, tout en considérant la Sicile comme indécrottable. C'est pourquoi, aux guépards comme lui, succéderont des chacals, dont le père de la belle Angelica (Claudia Cardinale) et peut-être même le beau et ambitieux Tancrède, à qui elle est promise moyennant une dot considérable, donnent un avant-goût. Le film se referme avec une interminable scène de fête. L'effet certainement voulu par le génial Visconti est atteint : toute fête qui n'a point d'objet et n'est pas ramassée dans le temps débouche sur une agonie. En l'occurrence – du moins le pressent-on –, celle du prince Salina. Le film de Visconti a exactement cinquante ans. Depuis lors, le monde dans son ensemble s'est davantage transformé que celui de Salina. Puissions-nous rester « jeunes ».

19 mai 2013

Deux jolies citations extraites des sélections hebdomadaires de Béchir Ben Yahmed dans *Jeune Afrique* : « N'interrompez jamais un ennemi qui est en train de commettre une erreur » (Napoléon). Et : « Un mariage heureux est une longue conversation qui semble toujours trop brève » (Maurois). La première est une évidence, du point de vue de la pensée stratégique. La seconde s'applique bien davantage à l'amitié et à l'amour au sens large qu'au mariage proprement dit. En fait de mariage réussi, Maurois ne fut d'ailleurs pas le plus doué.

24 mai 2013

Lu dans *Le Figaro* de ce jour que le pape François s'en est pris vivement aux évêques d'Italie et à la manière dont ils conduisent leur tâche pastorale. Pour nourrir sa charge, il part de la question de Jésus à Pierre : « M'aimes-tu ? » J'imagine que l'évêque de Rome, comme il se définit, connaît mieux que quiconque les raisons des succès des Églises évangéliques en Amérique latine, en Russie ou ailleurs : elles sont structurées pour être près du peuple, près des « pauvres ». Je pense plus généralement à l'organisation des Églises protestantes, avec des pasteurs comme John Maxwell, l'auteur de best-sellers sur le *leadership* dont j'ai plusieurs fois parlé dans mon Journal. Les pauvres ne sont pas seulement ceux qui manquent de ressources matérielles. Je suis certain, par exemple, qu'un homme comme X., qui vit seul et n'est certes pas dépourvu de moyens, serait plus heureux s'il faisait partie d'une communauté réellement accueillante (je pense aussi aux loges maçonniques ou aux cellules du Parti au temps de l'espérance communiste, ces transpositions athées de l'espérance chrétienne). Ce n'est pas seulement la Curie mais toute l'organisation de l'Église qui doit être repensée.

25 mai 2013

Ma conversation du matin avec MCh poursuit mes réflexions à partir des derniers propos du pape, dont je parlais hier. La voie pour une mondialisation au bénéfice de l'Évangile sera longue, longue. Nous discutons aussi du bouleversement actuel, qui est mondial, de la famille en tant qu'organisation de base des sociétés humaines. Certains phénomènes sont plus ou moins cycliques, comme le regard sur l'homosexualité voire même la structure de la famille. Ce qui change tout, c'est l'interaction avec la science (procréation médicalement assistée, gestation pour autrui, etc.). Impossible de prévoir sur quoi cela débouchera à l'échelle de quelques décennies. Je crains que toutes ces évolutions majoritairement regardées comme des progrès par les héritiers du siècle des Lumières ne favorisent le fondamentalisme religieux – d'abord dans le monde musulman – et n'encouragent dans un pays comme la Russie ceux qui, nous considérant comme décadents, rejettent de plus en plus l'occidentalisme. C'est là sans doute que s'annonce le vrai choc des civilisations ou plutôt des cultures...

2 juin 2013

J'approche de la fin de *Jésus de Nazareth*. Mon excitation à cette lecture n'a pas diminué. Plaisir intellectuel de retrouver, à partir de saint Thomas d'Aquin [volume « De l'entrée à Jérusalem à la Résurrection[1] », p. 220 et suivantes de l'édition originale], une approche de la notion de vérité où je retrouve l'intuition, telle que je l'exprime dans le triangle « le beau – le vrai – le bon »... En fin de compte, ne peut-on pas dire qu'une vie est réussie quand elle tend à la découverte et à l'incarnation de la Vérité ? Et cette Vérité inclut le beau et le bon... Poussée à l'extrême, du point de vue théologique, l'idée de saint Thomas est que Dieu est « lui-même la souveraine et première vérité ». Les autres « vérités » en découlent. Encore faut-il que Dieu soit reconnaissable. Pour les chrétiens, il devient reconnaissable en Jésus-Christ. Du coup, cela me ramène à un autre de mes refrains : *toutes les idées humaines* ne sont-elles pas que des *découvertes*, répé-

1. Éd. du Rocher, groupe Parole et silence.

titions ou cheminement en spirale ascendante, en aucun cas des inventions ? Et puisque j'écris cela à propos du livre du pape émérite, comment ne pas citer, par rapprochement, cette perle de Blaise Pascal, trouvée hier dans le prologue de l'ouvrage de Philippe Sellier sur la Bible[1] : « L'unique objet de l'Écriture est la charité. Dieu diversifie ainsi cet unique précepte de charité pour satisfaire notre curiosité, qui toujours recherche la diversité, par cette diversité qui nous mène toujours à notre unique nécessaire. Car "une seule chose est nécessaire" et nous aimons la diversité. Et Dieu satisfait à l'un et à l'autre par ces diversités qui mènent à ce seul nécessaire. » La charité, c'est-à-dire l'amour...

10 juin 2013

J'offre un déjeuner pour la délégation de l'Académie roumaine que nous recevons aujourd'hui à l'Académie des sciences morales et politiques, à mon initiative. La séance franco-roumaine se passe au mieux. Eugen Simion fait une bonne communication sur le sujet que je lui avais suggéré : « Le modèle culturel français en Europe nous survivra-t-il ? » Après son intervention, j'apporte moi-même un « témoignage » en développant quatre points : 1) Il faut voyager pour connaître le monde et rencontrer les gens chez eux. À ce sujet, Bernard Bourgeois nous rappelle que Kant, ce grand sédentaire, enseigna aussi la géographie. Le philosophe de Königsberg était un grand adepte des voyages, virtuels dans son cas ! Seuls les voyages permettent de lutter efficacement contre les clichés. J'ai typiquement au

1. Philippe Sellier, *La Bible*, Le Seuil, 2007.

moins un de mes confrères en tête, mais, sans surprise, ce confrère est aujourd'hui absent. 2) Je parle ensuite de notre club « Penser l'Europe » à Bucarest, en mettant en valeur la composition de ses membres, dont la richesse tient à ce qu'ils sont en majorité originaires de l'Europe centrale ou des Balkans. 3) Je parle enfin de l'influence de la France, qui incontestablement décroît, mais des germes demeurent, qui pourront encore donner du fruit à des moments imprévisibles. Je raconte à cet égard l'expérience de mon voyage en Azerbaïdjan en 2004, et du moment pour moi inoubliable où, dans un lieu reculé, j'étais présenté comme le premier voyageur français depuis Alexandre Dumas ! 4) J'ajoute enfin quelques mots sur l'intérêt du dialogue inter-académique pour promouvoir la « culture européenne ». À ma suite, le secrétaire perpétuel de l'Académie royale de littérature de Belgique, Jacques de Decker, intervient à son tour d'une manière tout à fait agréable. La discussion qui suit est assez riche.

Le soir, je me rends à la résidence de Bogdan Mazuru, l'ambassadeur de Roumanie. Gabriel de Broglie et moi sommes les seuls Français, les autres convives étant les membres de l'Académie roumaine. Ambiance fort sympathique. L'archevêque de Bucarest, Mgr Robu, me raconte une très belle anecdote. Alors qu'il était l'encore jeune évêque de Bucarest, il s'est réveillé une nuit avec une vision très précise du Christ. Il voyait un petit bout de la croix, mais surtout le Christ le regardait. Pour Mgr Robu, ce moment fut une expérience unique de bonheur parfait. L'espace-temps était aboli. Ainsi se représente-t-il, depuis, la notion de paradis et de vie éternelle. Il y aura évidemment toujours des débats sur ce genre d'expérience. À la différence des paradis artificiels, la béatitude d'Ioan Robu n'appelle pas de contrecoup…

23 juillet 2013

Je ne savais pas que X avait dans ses ascendants des personnes dotées du sixième sens et au-delà qui, par le mystère d'une transmission au moins partielle, lui ont permis au sens propre de lire dans le marc du café ou de tirer les cartes, et ainsi par trois fois de pré-voir la mort imminente de proches, au point de ne plus vouloir depuis toucher à cela. Et moi de méditer sur toutes ces techniques de prévision, qui se rejoignent. Avec le marc de café, les cartes, le tarot ou naturellement le *Yi Jing*, le tirage *est unique*. On n'est pas dans le registre des probabilités. Je reviendrai sur ce sujet le moment venu. Quant à l'interprétation des figures du marc de café (ou les craquelures des carapaces de tortues à l'origine du *Yi Jing*), elles me renvoient à la topologie algébrique : ramener à un problème fini l'infinité a priori des figures possibles.

24 août 2013

Citation de Jean-Paul Sartre, dans *Les Mots*, relevée dans un catalogue de libraire : « J'ai commencé ma vie comme je la finirai sans doute : au milieu des livres. Dans le bureau de mon grand-père, il y en avait partout. Défense était faite de les faire épousseter sauf une fois l'an, avant la rentrée d'octobre. Je ne savais pas encore lire que, déjà, je les révérais, ces pierres levées : droites ou penchées, serrées comme des briques sur les rayons de la bibliothèque ou noblement espacées en allées de menhirs, je sentais que la prospérité de notre famille en dépendait. » Ma propre histoire n'est pas comparable, mais je sens un air de famille. Je me demande parfois ce qu'il en sera de nos descendants : les bibliothèques du milieu du XXIe siècle seront-elles toutes électroniques et surtout quelle *forme* prendront-elles, tant il est vrai que dans le monde virtuel les combinaisons concevables sont illimitées ?

Achevé le livre de Benoît XVI sur Jésus. Est-ce pour des raisons tenant à mon propre état intérieur, toujours est-il que je le trouve trop rapide et moins puissant sur la Résurrection. Mais j'apprécie ce qu'il écrit à propos du « temps intermédiaire » (avant le retour du Christ), qui n'est pas « vide ». Ainsi parle-t-il de l'*adventus medius*, la « venue intermédiaire », selon une expression de saint Bernard. Et de citer des figures comme François et Dominique (XIIe-XIIIe siècles), Thérèse d'Avila, Jean de la Croix, Ignace de Loyola, François-Xavier (XVIe siècle), lesquels « portent avec eux de nouvelles irruptions du Seigneur dans l'histoire confuse de leur siècle qui allait à la dérive en s'éloignant de lui ». L'auteur ajoute un peu plus loin : « Et pourquoi ne pas lui demander [au Seigneur] de nous donner aussi aujourd'hui de nouveaux témoins de sa présence, dans lesquels lui-même s'approche de nous ? » Cette interrogation se relie évidemment à la demande du Notre-Père : « Que ton Règne vienne ! » (*Jésus de Nazareth. De l'entrée à Jérusalem à la résurrection*, p. 328-329 de l'édition originale en français). C'est-à-dire : « Que ton Règne vienne dans nos cœurs. » En réfléchissant à tout cela, comment ne pas penser au pape François ? Benoît XVI aurait récemment confié à un visiteur avoir démissionné à la suite d'une « expérience mystique » au cours de laquelle Dieu lui aurait demandé d'accomplir ce geste, dont il se féliciterait chaque jour depuis lors en voyant son successeur à l'œuvre. Celui-ci n'est pas en reste à son égard. Au cours d'une conversation avec des journalistes dans l'avion qui le ramenait de Rio le lundi 29 juillet, le pape François a tenu ce propos émouvant : « Il y a quelque chose qui qualifie mon rapport avec Benoît XVI. Je l'aime et je l'ai toujours aimé. Pour moi, c'est un homme de Dieu, un homme humble, un homme qui prie. J'ai été tellement heureux quand c'est lui qui a été élu pape. Quand il a donné sa démission, j'ai pensé : "C'est un grand, un homme de Dieu, un homme de prière." Il habite au Vatican, et certains me disent : "Mais comment peut-on faire cela ! Deux papes au Vatican ! Il ne t'encombre pas ? Il ne fait pas la révolution contre toi ?" Mais c'est comme si on avait son grand-père à la maison. Le grand-père sage, il est vénéré, il est aimé, il est écouté. Lui est un homme d'une grande prudence. Il ne se mêle pas. Je lui ai dit tant de fois : "Mais, Sainteté, recevez, faites votre vie, venez avec nous." C'est un peu comme mon papa. Je peux aller le voir si j'avais une difficulté, une chose que je ne comprendrais pas. »

Et puisque je suis dans ces sujets, comment ne pas relever cette nuit du mois d'août où j'ai réveillé MCh parce que je ne parvenais pas à reconstituer la liste des « péchés capitaux » (il me manquait la colère et l'avarice), ce qui, par association d'idées, m'a conduit à une méditation sur les trois vertus théologales, inséparables et pourtant bien distinctes. Forte de sa formation à Sainte-Marie, MCh insiste sur la distinction, à ses yeux très claire, entre la Foi et l'Espérance, et – elle dont la foi est chancelante – me renvoie à la belle notion de « petite espérance » introduite par Péguy. Le lendemain matin, je me précipite sur l'édition de la Pléiade et me plonge dans le poème (long, très long, trop long) intitulé *Le Porche du Mystère de la deuxième vertu.* « La Foi, ça ne m'étonne pas », dit Dieu. « La Charité, ça ne m'étonne pas »... « Mais l'Espérance, voilà ce qui m'étonne / Moi-même / Ça, c'est étonnant »... « L'Espérance, écrit Péguy, est une vertu surnaturelle par laquelle nous attendons de Dieu, avec confiance, Sa Grâce en ce monde et la gloire éternelle dans l'autre » (p. 537). Il y a l'Espérance, avec un E majuscule, et « la petite espérance », celle de tous les jours...

Comme toujours, je vagabonde dans ma bibliothèque. En cela, je suis un bon disciple de Montaigne. Disciple et pas disciple, en fait, puisque ce type de vagabondage est dans ma nature, et je n'ai nul besoin d'un maître en la matière. S'agissant des lectures les plus soutenues, je m'attaque d'abord à *Physics and Technology for Future Presidents*[1], un gros volume destiné à des gens susceptibles d'exercer de hautes responsabilités dans la société et qui, pour cela, sont supposés avoir besoin d'un minimum de connaissances scientifiques ou techniques. Remarquablement fait. Dans ces domaines comme dans d'autres, il y a bien des approches possibles : du généraliste, du philosophe, du théoricien, de l'expérimentateur, de l'ingénieur, du technicien... Ces approches se chevauchent plus ou moins, mais sur quelque sujet que ce soit, nul homme ne peut prétendre à la vision complète. A fortiori sur l'ensemble des sujets. Quand je réfléchis à cela, je repense au *Monsieur Teste* de Paul Valéry, au « théorème de la partition de l'unité » qui intervient notamment dans la théorie mathématique de

1. Richard A. Muller, *Physics and Technology for Future Presidents*, Princeton University Press, 2010.

la mesure, mais aussi à une version possible de la communion des saints. J'ai déjà écrit là-dessus. Je lis également, avec un grand plaisir, le best-seller de James Gleick intitulé *The Information*, publié en 2011[1]. Une synthèse cohérente d'un ensemble de questions qui m'intéressent depuis toujours.

Sur un mode plus léger, j'ai savouré le petit livre d'Antoine Compagnon, *Un été avec Montaigne*[2], dont l'originalité tient à ce qu'il commente des extraits qui ne sont pas ceux que l'on trouve partout. Quand j'évoque Montaigne, je parle comme tout le monde de son heureuse combinaison d'épicurisme et de stoïcisme, mais peut-être pas suffisamment de son « scepticisme ». Est-ce d'ailleurs le mot juste ? D'un côté, et contrairement bien sûr à Pascal, il est manifeste qu'il ne veut pas se faire des nœuds au cerveau en se risquant à baguenauder à l'excès au-delà de l'échelle humaine, mais je crois surtout qu'il n'en ressent guère le besoin. Montaigne est ainsi, du moins je l'imagine, parce que sa nature ne connaît pas le tourment métaphysique et que le problème de la Grâce ne le touche point. Sans doute, par anachronisme, dirait-on aujourd'hui qu'il fut agnostique, quoiqu'il restât suffisamment prudent dans son expression pour avoir bénéficié d'un *nihil obstat*. Je vois aussi une autre raison à sa distance : la période de sa vie est celle des guerres de Religion, lesquelles, bien que plus politiques que religieuses, sont plutôt un remède à la religion. Hélas, notre monde contemporain n'en a pas fini avec les guerres de Religion et l'utilisation politique des diverses confessions, au contraire… Sur un autre plan, par quelque bout que je l'aborde, mon degré

1. Pantheon Books.
2. Éditions des Équateurs.

de sympathie pour l'auteur des *Essais* est en balance : d'un côté, il semble assez bien en ligne avec les quatre vertus cardinales (la prudence, la justice, la force et la tempérance), tout au moins dans leur interprétation que l'on retrouve dans toutes les sagesses ; de l'autre, il dégage dans son livre une impression d'égoïsme. Son transport pour La Boétie est largement virtuel, puisque le partenaire en coup de foudre est mort dans sa prime jeunesse. Mais justement, la Charité ou l'Amour est une vertu théologale, la troisième dans l'ordre habituel, et la première pour saint Paul qui pourtant ne plaisantait pas avec la Foi et l'Espérance…

Cet été, je me rapproche aussi un tout petit peu de Paul Claudel. À l'occasion de sa visite de candidature à l'Académie des sciences morales et politiques, j'avais fait part au recteur Gérald Antoine de mes réticences à l'égard de son héros, dont l'écriture pompeuse ne m'avait pas séduit et dont les contradictions n'étaient pas de celles qui me touchent. Il m'avait alors offert un exemplaire de sa biographie du diplomate-écrivain, avec cette dédicace : « Pour Monsieur Thierry de Montbrial, en ne désespérant pas de le "convertir" à Claudel ! » Et en effet, cet été, j'éprouve un début d'intérêt pour cet homme dont Gérald Antoine écrit que les rencontres ont été « marquées par le sceau de la passion et du drame, avec Dieu, avec la Femme, avec la Création en son entier », rencontres « qui font de lui un homme un et multiple : "Dieu au cœur", mais "le Diable au corps". Violemment catholique et follement païen. Grand classique au-delà des plus modernes. Homme d'ordre intolérant, mais anarchiste invétéré. Ivre de la poésie la plus lyrique et nourri de l'économie la plus épicière ». Et puis, c'est toute l'époque de la vie de Claudel, ses rencontres précisément, le climat intellectuel et moral dans lequel il baignait, qui peuvent aujourd'hui m'intéresser davantage. Il y a jusqu'à son style auquel je suis devenu un peu plus ouvert, peut-être depuis qu'à l'occasion de notre voyage en Sicile, j'ai redécouvert les charmes du théâtre grec…

Je consacre une bonne semaine à reprendre mon texte de 2011 pour la Pléiade roumaine, que j'intitule maintenant, provisoirement, *Vagabondages autour de Proust.* Mon apport de cette année se situe dans l'ordre de la physique (relativité et quanta) et, comme je suis suffisamment fou pour me lancer dans pareilles entreprises, je ressens plus que jamais de l'empathie pour ceux qui sont pris de frayeur devant les deux infinis. C'est quasi charnel. Comme aussi et malgré tout je n'ai pas dit mes derniers mots dans ces explorations insensées, je me réserve sans doute d'autres moments de vertige. Je compte bien, en effet, explorer davantage les aspects de l'espace, du temps et de la mémoire du point de vue de la psychologie, voire de la psychiatrie. Avec ces aventures, comment ne pas ressentir encore plus fort, au plus profond de mon être, la dialectique de la puissance et de la fragilité humaine, chère au professeur Hamburger[1] qui, peu avant de mourir, m'avait honoré de son amitié à l'époque de mon élection à l'Académie des sciences morales et politiques. Fragilité physique certes, mais aussi et plus encore psychique. Plus et mieux que jamais, je ressens ce que le génie, exprimé ou resté enfoui et indicible, présent à l'intérieur de chaque être humain, peut impliquer de désordre et de souffrance. Souffrance, angoisses… Pour revenir à mon texte, mon idée est

1. Jean Hamburger (1909-1992). Ce grand néphrologue a publié en 1972 un petit livre, intitulé *La Puissance et la Fragilité*, Flammarion.

de le développer ainsi, sans m'empresser d'écrire le mot Fin, quitte à publier telle ou telle version intermédiaire. Cela dit, cette année également, je ressens plus que jamais combien je n'aurais pu, sans danger pour mon équilibre, me consacrer entièrement à une carrière intellectuelle ou spéculative. Certaines de mes cordes vibrent trop. Réciproquement, bien sûr, je ne cesserai probablement jamais de vouloir aller au-delà du champ des préoccupations raisonnables, contrairement à Montaigne. Les prescriptions ordinaires de la sagesse ne valent que pour ceux qui y sont prédisposés, pour des raisons innées et/ou acquises. Pour les autres, mais aussi pour ceux qui souffrent vraiment dans leur chair ou dans leur tête, c'est plus compliqué. En écrivant ces lignes, j'éprouve le désir de me plonger dans les *Lettres* de la marquise de Sévigné et les écrivains de la nature. C'est le meilleur antidote aux maux courants des voyageurs extraterrestres…

31 août 2013

Lumière encore mordante mais déjà délavée de fin d'été. Je me laisse aller dans mes rangements, mes livres, mes pensées. Visite à Marc de Smedt en fin de journée. Il me parle de « l'anthropocène », nom donné par le chimiste prix Nobel Paul Crutzen (spécialiste de la couche d'ozone) à l'ère « géologique » nouvelle (peu importe que le terme soit impropre) qui s'ouvre, selon lui, succédant « à la zone de confort et de stabilité que fut l'holocène pendant onze mille cinq cents ans ». Tout cela largement dû à l'explosion surexponentielle de la population de la planète et de la technologie. Tous les graphiques que l'on avance à l'appui des dérèglements anthropiques du système

Terre sont évidemment corrélés entre eux. Il faut se rappeler cette caractéristique de la fonction exponentielle : sa valeur à un instant donné est égale à la somme de toutes ses valeurs antérieures. La période que nous vivons ne peut évidemment constituer qu'un moment unique dans l'histoire de l'Humanité. Sans précédent, bien sûr. Mais aussi sans suite, dans la mesure où la croissance exponentielle (a fortiori surexponentielle !) est intenable dans la durée. « La singularité est proche. » C'est le titre d'un livre impressionnant du prospectiviste Ray Kurzweil publié en 2005 (*The Singularity is Near*[1]). L'auteur entend par là l'avènement d'une ère nouvelle, non pas au sens de Crutzen mais pour signifier un nouveau point de départ de l'aventure humaine, où nous allons transcender nos limitations biologiques et démultiplier notre intelligence par association avec les machines. En ce sens, de nouvelles trajectoires exponentielles devraient s'ouvrir pour de nouvelles grandeurs. Excitant et effrayant. J'aimerais ouvrir un œil vers 2200 ou même 2100 pour voir ce qu'il en sera...

30 septembre 2013

Je quitte le palais de l'Institut un peu avant la fin de la séance et tombe sur François Gros, un peu courbé par les ans, et Yves Agid, également membre de l'Académie des sciences. Il se trouve que je viens d'acheter le livre qu'il vient de publier sur le subconscient humain[2].

1. Publié par Viking (Penguin Group), 2005.
2. *L'Homme subconscient. Le cerveau et ses erreurs*, Éditions Robert Laffont, 2013.

5 octobre 2013

Nous dissertons quelques minutes sur le problème de la définition de la conscience. Il semble emballé par celle de Marcel Gauchet : « La conscience serait le témoin qui pense. » Il se contente de peu. Il est cependant suffisamment conscient (!) de la difficulté pour avoir directement centré son ouvrage sur le « subconscient ». Et de fait, la question de la conscience au sens fondamental pourrait être reformulée : pourquoi l'homme n'est-il pas que subconscient ?

5 octobre 2013

Bucarest. Notre conversation [avec Mgr Robu] se poursuit dans diverses directions en passant par la fin du *Jésus de Nazareth* de Benoît XVI. J'avais observé la brièveté et même la sécheresse des passages relatifs à la résurrection du Christ. L'auteur renonce manifestement à toute analyse historique ou même théologique. Comme s'il avait un peu bâclé la fin de sa copie. « J'ai fait la même observation, me dit Mgr Robu, et j'ai repris les Évangiles et les Actes des Apôtres… C'est pareil. » C'est que, là, il ne s'agit plus de délivrer un enseignement. Il y a l'énoncé brut du fait, et le reste est question de foi et donc de grâce. C'est du moins ainsi que je résume ce que je comprends.

6 octobre 2013

À noter une petite phrase du pape François à Assise le 4 octobre : « L'Église ne grandit pas avec le prosélytisme, mais grâce à *l'attrait du témoignage.* » C'est tout ce que je pense, depuis bien des décennies.

12 octobre 2013

J'achète les *Cinq méditations sur la mort* de François Cheng[1]. Je me plonge aussitôt dedans et y trouve, superbement exprimées, beaucoup d'idées avec lesquelles je vibre. Quelques fulgurances. Sa discussion de la trilogie corps-esprit-âme est lumineuse. L'idée de l'âme « présente depuis toujours dans la tradition occidentale, mais qui se perd aujourd'hui, exprime un effort instinctif pour dépasser le dualisme instauré par le couple corps-esprit en introduisant ce troisième élément qui permet à l'homme de communier sans entrave avec l'âme de l'univers » (p. 71). On dit souvent que la pensée chinoise n'a pas d'équivalent. Cheng observe au contraire qu'elle a toujours « préféré la démarche ternaire pour expliciter la constitution et le fonctionnement de la vie humaine. On se rappelle que le taoïsme, basé sur l'idée du Souffle, met en avant l'interaction entre le Yin, le Yang et le Vide médian, tandis que le confucianisme se fonde sur la relation interdépendante du Ciel, de la Terre et de l'Homme. Aussi, d'après la tradition chinoise, tout être humain est constitué de trois composantes : le *Jing*, le "sperme", le *Qi*, le "souffle", et le *Shen*, le "divin". Sans qu'il y ait une exacte équivalence terme à terme, on peut en gros rapprocher le *Jing* du corps, le *Qi* de l'esprit et le *Shen* de l'âme » (p. 71-72). Étant donné notre communion d'esprit (c'est le mot juste), je ne suis pas surpris de trouver dans ce livre la citation de Proust sur la mort de Bergotte que j'ai commentée dans mon avant-propos de l'édition roumaine de *La Recherche du temps perdu* il y a deux ans.

1. Éd. Albin Michel.

25 novembre 2013

Genève. Passage rapide à la librairie Payot. J'y trouve notamment un ouvrage de Hans Küng, paru en 2011, qui avait échappé à mon attention. Le grand théologien allemand se demande comment l'Église catholique pourrait guérir de la grave maladie qui la ronge et que les pontificats de Jean-Paul II et de Benoît XVI ont selon lui paradoxalement aggravée. Pour autant que je puisse m'en rendre compte aussi rapidement, on dirait que le pape François a entendu le vieil interlocuteur de son prédécesseur.

21 décembre 2013

Cinéma ce soir : *Les garçons et Guillaume à table !*, un film autobiographique de Guillaume Gallienne, un comédien-français fort talentueux dont l'histoire illustre l'une des faces de l'homosexualité masculine (la relation avec la mère), au point que l'auteur a été accusé d'homophobie par certains... Il est devenu difficile dans la France contemporaine de s'exprimer librement...

6 janvier 2014

Déjeuner quai de Conti. Conversation avec Mireille Delmas-Marty[1] sur le dialogue des cultures comme sujet

1. Mireille Delmas-Marty a été titulaire au Collège de France d'une chaire intitulée « Études juridiques comparatives et internationalisation du droit ».

éventuel pour la WPC. Nous partageons l'idée essentielle qu'en tout domaine il faut approfondir une voie pour mieux comprendre le tout. C'est vrai pour les cultures, pour les langues, pour les religions, etc. Dans le domaine des religions, c'est ce que le Dalaï Lama n'a cessé de répéter. Toute la difficulté est dans la mise en œuvre d'un tel dialogue, pour ne pas tomber dans les bons sentiments et la banalité.

J'interroge mon confrère Jean Mesnard à propos des idées pascaliennes sur les concepts radicalement indéfinissables, c'est-à-dire ceux qu'on ne peut saisir que par intuition (comme, à mon avis, essentiellement le temps et la conscience), et sur la notion d'ordre entre les systèmes de pensée rationnelle. Il s'agit du fait que ces systèmes sont inintégrables dans un tout. Autrement dit, il faut sortir pour passer de l'un à l'autre. Ainsi, en théorie économique, contrairement à ce que j'imaginais à l'époque de ma thèse à Berkeley, je crois aujourd'hui qu'il est vain de chercher à fusionner la micro- et la macroéconomie en un tout systémiquement cohérent. Et cela vaut pour les sciences de la nature ou pour la philosophie. Aucune théorie du tout n'enfermera jamais la connaissance. Le célèbre concept d'incomplétude élaboré par Gödel dans le cadre de la logique mathématique est universel. Toute cette formulation est mienne et n'engage pas Mesnard, *encore moins* Pascal !

13 janvier 2014

Domus Sanctae Marthae. Je sais qu'à quelques mètres de moi, le Saint-Père s'est levé une heure plus tôt et qu'il doit être en train de méditer. Je descends vers six heures trente et, vérification faite de mon identité, me voilà admis dans la chapelle pour sa messe du matin. Le pape François a donc, si j'ose dire, mis la main sur la chapelle de la Domus Sanctae Marthae. Pendant un quart d'heure environ, je pourrais me croire le seul invité en dehors d'un vieux cardinal et de quelques prêtres. Bientôt, cependant, une trentaine de personnes nous rejoignent. D'où sortent-elles ? *Non lo so.* En tout cas, elles ont été triées sur le volet.

À sept heures précises, le pape François fait son apparition. J'ai l'impression de le connaître depuis toujours, et même son pas trop lourd ne m'est pas une surprise. Il va donc célébrer la messe devant nous comme le ferait un curé de quartier. Avec même une homélie, en italien. Hélas, je ne peux pas tout comprendre, mais j'observe ses mimiques à la fois ouvertes et sévères. J'imagine qu'il « brosse le bateau », selon l'expression d'un autre jésuite, le bon père Poirier que nous rencontrions fréquemment à Berkeley en 1967-1968. Une pensée pour Eugène, car tel était son prénom. Le cher homme avait un penchant pour l'alcool et pour les femmes, en tout cas pour MCh, mais nous l'aimions bien. Je doute qu'il soit encore en vie, mais qui sait. Le pape ne distribue pas lui-même la communion, pendant laquelle il se recueille sur une grande chaise de chanoine. Quand il y est assis, on aperçoit ses vieilles chaussures usées. À sept heures quarante-cinq, la messe est dite. On nous invite à rester assis. Il revient bientôt, débarrassé de ses vêtements liturgiques, et va s'asseoir sur une chaise à côté des travées. Là, il demeure en méditation pendant une dizaine de minutes. Tout cela est impressionnant, mais sans doute pas autant que les scènes d'immersion divine

– pour parler comme le cardinal Tauran – auxquelles le souvenir de Jean-Paul II reste attaché.

Après ce moment intense, le pape va se poster à la sortie de la chapelle pour saluer chacun d'entre nous. Je suis apparemment le seul étranger (en dehors des Argentins !), et constate qu'il ne parle que très peu le français (encore moins l'anglais). Nous échangeons tout de même quelques mots sur la réunion d'aujourd'hui. Je le remercie de ce qu'il est et de ce qu'il fait, puis, comme j'imagine à chacun de ses interlocuteurs, il me demande de prier pour lui. Je le retrouve quelques minutes après dans la salle à manger, où il y a d'un côté les gens de passage comme moi, de l'autre les résidents avec, dans un coin isolé, une table toute simple. Je l'y vois en conversation animée avec trois personnes que je ne situe pas, probablement des laïcs. Et comme dans la vie le dérisoire côtoie souvent l'important, je me demande comment il fait pour ne pas tacher sa soutane ! De mon côté, je prends mon café (avec un morceau de pain que je trouve non sans mal) en compagnie de Miguel Moratinos[1] et de Pierre Morel[2]. À la table d'à côté, Jeffrey Sachs[3]. À huit heures quarante-cinq, nous nous retrouvons tous, avec l'archevêque Marcelo Sanchez Sorondo[4], Mohamed-el Baradei[5], etc., dans un petit bus qui nous conduit à travers

1. Ancien ministre espagnol des Affaires étrangères.

2. Diplomate français, il travailla avec l'auteur quand celui-ci dirigeait le Centre d'analyse et de prévision du ministère français des Affaires étrangères, au début des années soixante-dix.

3. Économiste américain de grande notoriété.

4. Secrétaire perpétuel des Académies pontificales des sciences et des sciences sociales.

5. Prix Nobel de la paix en 2005.

les merveilleux jardins du Vatican à la Casa Pio IX où sont installées les Académies. Une pensée pour Benoît XVI, puisque nous passons à quelques mètres de lui. La journée de travail est tout entière consacrée à la Syrie, en présence du cardinal Tauran – qui a personnellement choisi chacun des participants. Parmi eux, Moratinos, El-Baradei et Jeffrey Sachs dont j'ai déjà parlé, Joseph Maïla[1] et Romano Prodi[2] que je revois avec plaisir, ainsi que l'évêque chaldéen d'Alep, Mgr Audo. Ce dernier partage actuellement les épreuves des habitants de la ville martyre et en parle avec une sobriété et une sérénité impressionnantes. De manière générale, tous les prêtres que j'aurai rencontrés lors de ce séjour m'auront fait la meilleure impression. L'objectif du séminaire d'aujourd'hui est de conseiller le pape François, à propos de la tragédie syrienne. Le cardinal Tauran m'a demandé de tirer les conclusions de la journée. Des travaux d'une grande qualité, avec beaucoup de réalisme. Comme je ne cesse de le répéter à qui veut bien l'entendre, le réalisme n'a rien à voir avec le cynisme. En l'occurrence c'est tout le contraire. Retour tardif à Paris. Ce soir, j'ai quelque raison d'être fatigué, mais je suis profondément heureux de ce déplacement.

28 janvier 2014

Matinée à l'Institut, pour une séance exceptionnelle en l'honneur du patriarche Bartholomée Ier, à l'occasion du

1. Ancien recteur de l'Institut catholique de Paris.
2. Ancien président du Conseil italien (2006-2008), ancien président de la Commission européenne (1998-2004).

1700e anniversaire de l'édit de Milan[1] sur le thème de « la liberté religieuse ». J'ai beaucoup de joie à le revoir[2], et réciproquement semble-t-il. Il m'embrasse chaleureusement. Sa communication est profonde. Nous sommes quatre à intervenir après lui. C'est lui qui a demandé à ce que je parle aujourd'hui. Les autres orateurs sont John Scheid, le successeur de Paul Veyne au Collège de France, qui parle de l'édit de Milan du point de vue historique. Mon confrère, le juriste Pierre Delvolvé, traite des aspects juridiques de la question. J'interviens ensuite sur les aspects politiques. Mgr Dagens, le représentant de l'Académie française, clôt la séance. Quand celle-ci est terminée, le patriarche fait un geste vers moi et me dit avec sa bienveillance coutumière : « Je sais que vous aimez les cravates »... et il m'en offre une. Je suis touché par ce geste inattendu. Au cours de mon exposé, j'avais mis l'accent sur la manipulation politique des religions, notamment à notre époque dans le contexte de l'islam, et évoqué le lien entre religion et identité, illustré par exemple par le comportement des juifs non croyants et cependant pratiquants. Le grand rabbin aux armées Haïm Korsia[3], manifestement populaire ici, approuve mon analyse et me

1. L'édit de Milan (313) fut rendu possible par la victoire de Constantin contre Maxence l'année précédente, et marqua la reconnaissance du christianisme comme religion d'État. Il s'agit donc d'un événement majeur dans l'histoire universelle. Le patriarcat de Constantinople a traversé dix-sept siècles d'histoire sans discontinuité.

2. Le patriarche Bartholomée Ier est un participant régulier de la *World Policy Conference*.

3. Le grand rabbin Korsia a été élu grand rabbin de France le 22 juin 2014.

raconte la jolie « histoire juive » que voici : deux rabbins passent une longue soirée à disserter sur la question de l'existence de Dieu, et concluent finalement que Dieu n'existe pas ; avant de se séparer, ils conviennent cependant de dire leurs prières…

21 février 2014

Après le dîner, nous regardons en DVD *Les Liaisons dangereuses*, le film de Stephen Frears d'il y a environ un quart de siècle, avec d'immenses acteurs comme Glenn Close (la marquise de Merteuil) et John Malkovich (le vicomte de Valmont). Plus près du texte de Choderlos de Laclos que la pièce que nous avions vue avec les filles, et admirablement tourné. Cette œuvre est peut-être la meilleure introduction au thème universel de la perversité, lequel hélas se décline de tant de manières. Ici, la souffrance morale. Ailleurs, la douleur physique. Satan fait en sorte que les pervers jouissent de la souffrance qu'ils infligent à leurs victimes, sans états d'âme et sans remords. Le vrai pervers ne peut s'émouvoir que des éventuelles blessures qu'il subit en boomerang, ce qui est le cas à la fin du roman de Choderlos de Laclos. Mais il est très difficile à piéger, et Mme de Merteuil ne l'est en l'occurrence que par la révélation de ses lettres. Je me souviens qu'il y a quelques années, on m'avait mis en garde : lorsqu'un pervers sévit dans un groupe (une entreprise, par exemple), son action maléfique opère comme un virus qui, in fine, peut anéantir le groupe tout entier. Je rapproche cela d'un livre récent de Marie-France Hirigoyen sur le « harcèlement moral », sous titré « La violence perverse au quotidien »[1], ouvrage dans lequel on trouve des portraits-types de pervers, dont au moins un aurait pu correspondre à un grand chef d'entreprise que j'ai connu. Car un pervers peut aussi être génial, et en tout cas stratège à plusieurs niveaux. Le militaire Choderlos de Laclos expose d'ailleurs en stratège les manœuvres de la marquise, dont le vicomte est l'exécutant. JPL m'a raconté un jour l'histoire vraie d'une femme, détenue dans un camp de concentration. Parfois, le soir, des gardiens avinés faisaient irruption dans les baraques et abattaient quelques prisonnières sans autre raison que leur propre avilissement. Ce soir-là, la femme se trouva ainsi face à un groupe de tueurs et, avisant l'un d'eux qui ne l'avait pas encore aperçue, sut que c'était pour elle. Le reste se déroula en quelques secondes. Le tueur la vit, la mit en joue, elle planta son regard dans le sien, il retourna son arme sur sa tempe et se suicida. Les yeux de cette femme l'avaient foudroyé et fait prendre conscience de son néant. Du moins cet homme-là n'était pas un pervers. C'est la perversité qui est le mal absolu.

26 mars 2014

Dîner à l'Élysée. À ma table, le mathématicien Cédric Villani, que je revois avec plaisir. Il connaît bien l'histoire des sciences et sa curiosité est étendue. Je relève que, selon lui, il resterait encore à découvrir dans un examen approfondi des papiers d'Évariste Galois[2]. J'ajoute : comme à

1. Éditions La Découverte et Syros, 1998.
2. Génie mathématique (théorie des groupes) et grande figure du romantisme (1811-1832).

l'évidence dans ceux d'Alexandre Grothendieck[1], auquel le numéro d'avril de *La Recherche* consacre de nombreux articles. Comme encore me semble-t-il, dans un autre genre, les écrits de Maurice Allais et de tant d'autres. J'y ai souvent pensé en me plongeant occasionnellement dans les écrits originaux de personnalités éminentes, notamment en économie. Toujours le thème de la bouteille à la mer. En écrivant ces lignes, je pense aussi à la psychologie de la création, et à l'activité mentale au sens le plus profond du terme d'individus comme Perelman[2] ou surtout Grothendieck (qu'y a-t-il dans ces milliers de pages, de par sa volonté interdites de lecteurs ?), comparables seulement à celle des artistes, poètes, peintres, etc., les plus connectés aux mondes inaccessibles aux sens du commun des mortels. D'une manière générale, je pense que les œuvres complètes d'un homme ou d'une femme exceptionnel sont comme une mine à ciel ouvert, chargée de pépites toujours à découvrir. À l'aire des *big data*, la métaphore mérite approfondissement. À la suite d'un grand homme, il peut y avoir du travail pour plusieurs professeurs au Collège de France.

MCh m'apprend la mort de François de Rose, dimanche dernier je crois. Sans doute l'homme le plus élégant, dans le sens social le plus profond du terme, que nous ayons jamais rencontré[3].

---

1. Mathématicien français contemporain (1928-2014), qui a révolutionné la « géométrie algébrique ». Personnalité originale, il a brusquement abandonné la science pour mener une vie d'ermite.

2. Mathématicien russe, lui aussi très original, qui a résolu la célèbre « conjecture de Riemann » en 2003.

3. François de Rose (1911-2014). Diplomate. Il s'illustra notamment dans les affaires scientifiques et les questions stratégiques. Il joua

27 avril 2014

Canonisation des papes Jean XXIII et Jean-Paul II. La cérémonie est magnifique. Je ne peux m'empêcher de penser, en regardant les deux papes vivants – Benoît XVI l'émérite, et François son successeur comme évêque de Rome (c'est le titre qu'il met en avant) –, que j'ai probablement vu juste, le jour de la mort de Jean-Paul II, en pressentant la réalisation de la prophétie de saint Malachie. Je veux dire que dorénavant les papes ne seront plus ce qu'ils étaient. En tout cas l'Esprit-Saint continue de bien fonctionner à travers François. En tenant à canoniser ensemble ses deux prédécesseurs et en les traitant à égalité, il a aussi voulu montrer, si j'ose dire, que l'Église avait autre chose en tête que la *com*. Beaucoup de recueillement ce matin, et une extraordinaire démonstration de la puissance spirituelle de l'Église romaine, en intensité et en étendue. Dans son homélie, le pape est superbe quand il dit que le sens des plaies du Christ, ce n'est pas de nous convaincre de l'existence de Dieu, mais du fait qu'Il nous aime...

2 mai 2014

Mercredi soir, nous regardons en DVD *Blow-Up*, un des grands films d'Antonioni qui date, je crois, de 1967. C'est l'histoire d'un photographe de mode qui, sans le

---

un rôle important dans le rapprochement franco-américain au début du septennat de Valéry Giscard d'Estaing.

savoir, prend des clichés d'une scène de crime. Ou du moins le croit-il. À la fin, on comprend que lui-même ne sait plus ce qu'il a vraiment vécu. Cela me renvoie évidemment à mon voyage au mont Sinaï de 1965. Avec cela, des images magnifiques et d'excellents acteurs. Jeudi 1er mai, nous allons à Banon, dans les Alpes de Haute-Provence, par le chemin des écoliers, le but de la promenade étant la célèbre librairie Le Bleuet. Elle n'est pas à la hauteur de sa réputation, mais on peut y faire des trouvailles. Pour ma part, je suis heureux de tomber sur le recueil *La Pensée hellénique des origines à Épicure* de Léon Robin[1], dont je connais déjà la somme sur la « théorie platonicienne des idées et des nombres d'après Aristote ». Tout cela ira nourrir mes « Vagabondages[2] », avec les ponts que j'y vois entre les pensées occidentale et orientale. Plaisir, aussi, de découvrir le *Montaigne* de Pierre Manent. L'auteur axe sa réflexion sur l'un de mes thèmes favoris, à savoir l'écart proprement humain entre la parole et l'action, source selon lui des révolutions du XVIe siècle : critique de l'institution catholique chez Calvin (domaine de la foi), voyage aux sources des ambitions terrestres chez Machiavel (domaine du pouvoir), recherche avec Montaigne de la façon de vivre le mieux possible pour la majorité des individus (domaine de la vie ordinaire, loin des extrêmes du côté du Ciel ou de la Terre). Parmi mes (autres) lectures,

1. PUF.
2. L'auteur appelle ainsi le développement de l'avant-propos qu'il a rédigé pour la traduction en roumain de *À la Recherche du temps perdu*, publiée sous les auspices de l'Académie roumaine en 2011.

quelques passages du *Pie XII* de Chélini[1]. Ce pape n'est-il pas le dernier à avoir traité les affaires de l'Église *principalement* en chef d'État ?

2 novembre 2014

Après avoir rendu ces fragments de mon Journal en vue de la présente publication, je songe à l'avenir de la mondialisation sur le très long terme, c'est-à-dire au-delà des aspects qui dominent la vie politique au jour le jour tels que l'emploi, le chômage, la concurrence économique, les inégalités, les migrations, etc. Au-delà même des questions dont débattent les *think tanks* qui s'inscrivent dans la perspective de l'émergence d'une société civile mondiale[2]. Par « au-delà », j'entends que, l'homme ne vivant pas seulement du pain, les communautés et même les sociétés s'organisent autour d'un socle de croyances et de pratiques dont la dimension spirituelle ressort toujours dans les temps difficiles. C'est pourquoi hélas on s'est toujours battu au nom de Dieu. Par réaction, les Lumières ont voulu se passer de Dieu. Dans l'expérience actuelle de l'islamisme radical, ce qui est pathétique, c'est le dévoiement de la religion du côté de leaders politiques qui manipulent les peuples et fondent leur pouvoir sur la haine, face auxquels retentit le silence des

1. Fayard.

2. Voir Thierry de Montbrial, « Qu'est-ce qu'un *think tank* ? », Communication à l'Académie des sciences morales et politiques, le 28 février 2011, www.thierrydemontbrial.com, et Thierry de Montbrial, Thomas Gomart, « *Think tanks* à la française », *Le Débat*, n° 181, sept.-oct. 2014.

leaders spirituels, apeurés. La méconnaissance des religions, qui s'étend dans l'Occident de plus en plus tenté par la facilité d'un syncrétisme superficiel, favorise les raidissements ethniques ou nationalistes et contribue à la déstabilisation d'ensemble. Les sociétés occidentales, mal à l'aise avec leur passé et donc avec leur identité, ne savent littéralement plus à quel saint se vouer et réagissent aléatoirement, donc par à-coups, aux chocs extérieurs. Elles courent ainsi le risque de commettre de graves erreurs collectives.

Rien ne permet pourtant de prévoir la disparition des grandes religions ni l'effacement de leurs rôles éminemment terrestres. Peut-être même au contraire. À des degrés divers, toutes parlent de paix, de justice ou de charité. Mais on voit des forces totalitaires continuer de progresser sous la bannière de l'islam. La réconciliation entre catholiques et orthodoxes paraît impossible. La paix israélo-palestinienne semble interdite. Les affrontements entre musulmans et hindouistes sont incessants, et j'en passe. Sans même parler de mondialisation, si le maintien d'un monde raisonnablement ouvert est aujourd'hui menacé, la responsabilité en incombe en partie aux institutions religieuses, trop souvent intolérantes, arc-boutées sur leurs richesses terrestres, incapables d'accorder leurs enseignements et leurs actes. Elles découragent ainsi tant d'esprits éclairés qui aspirent au divin. Pour toutes ces raisons, les États laïcs – démocratiques ou autoritaires – regardent les acteurs religieux comme des forces parmi d'autres, et pas nécessairement plus respectables que d'autres.

Épilogue

Le livre de la Genèse dit que le septième jour de la Création, Dieu se reposa. D'où la tradition du « jour du Seigneur » : le samedi chez les juifs, le dimanche chez les chrétiens, le vendredi chez les musulmans. Il ne s'agit pas du repos hebdomadaire ni de l'organisation du travail ou des loisirs. L'important, c'est que tout homme et toute communauté doivent s'extraire régulièrement de leur quotidien pour prendre du recul. On dispose d'un immense héritage spirituel dans lequel puiser, tant il est vrai, comme le dit l'Ecclésiaste, qu'il n'y a rien de nouveau sous le soleil. Rien, si ce n'est les modalités culturelles de l'expression. Il faut des passeurs. En respectant à la lettre les obligations et les rites de leurs religions, les adeptes les plus engagés des trois monothéismes organisent leur méditation dans le cadre d'une discipline consentie. D'autres trouvent leur voie en suivant des enseignements dans la tradition du Bouddha. Ces derniers font une place plus importante à la sagesse, à la conduite ordinaire de la vie, au rapport entre le corps et l'esprit. Un rapport situé dans une vision cosmologique transcendantale, ce en quoi le bouddhisme est une religion. Le sentiment transcendantal, on peut d'abord l'éprouver devant la beauté, et d'abord celle du cosmos et de la vie, dans les arts ou, pour certains, dans les mathématiques. On peut l'éprouver dans l'amour. Pour prendre du recul, point n'est besoin d'être un mystique dans le désert.

La tradition rationaliste de la morale athée, toute récente à l'échelle de l'aventure humaine, ne répond pas au besoin de beaucoup d'hommes de combler le vide ontologique. La psychanalyse et la psychiatrie, si utiles par ailleurs, n'y pourvoient pas non plus. La morale athée fait d'ailleurs peu de sens en dehors de quelques îlots au sein du monde occidental. Au nom d'un universalisme autoproclamé, elle postule l'équivalence rationnelle de tous les individus et en principe nie le groupe ou la communauté en tant que réalité intermédiaire nécessaire dans la quête du sens. Cette réalité, nul ne l'a mieux incarnée que le peuple juif dont – fait unique – l'identité est marquée aujourd'hui comme il y a près de trois mille ans par le rapport d'un peuple à son dieu. Un dieu qui est aussi présenté comme le Dieu unique et donc celui de tous les peuples. D'où la notion de « peuple élu ». Parfois, je me prends à imaginer un nouveau chapitre de la Bible, où un prophète bien vivant interpréterait l'histoire d'Israël depuis 1948. Depuis les temps modernes, en Europe, l'idée de nation a progressivement et peut-être provisoirement supplanté celle de peuple, et cohabite difficilement avec celles de groupe ou de communauté. Aujourd'hui, je vois dans la négation des peuples, des groupes ou des communautés comme sujets politiques une erreur anthropologique majeure, certes difficile à corriger. Quand mon maître Jean Ullmo, juif agnostique et non pratiquant mais aux antipodes du relativisme d'un Claude Lévi-Strauss, exaltait la

France, phare universel, il transposait l'histoire de la Révélation et voyait en notre pays la « nation élue » pour l'accomplissement de l'histoire des hommes. Élue par qui ? Par la Raison, Dieu étant devenu, pour paraphraser Newton parlant de la gravitation, une hypothèse inutile. La figure française de l'« intellectuel » se substitue à celle du prophète. Au XXe siècle, deux autres nations se sont placées sur un terrain semblable. La Russie soviétique a pensé un moment accomplir le programme inachevé de la Révolution française. Et toujours – pour combien de temps ? – la nation américaine, qui prend sa source dans les Lumières mais n'a jamais cessé d'entretenir un rapport complexe avec la religion.

La transition vers le troisième millénaire restera marquée dans les siècles à venir par la révolution des technologies de l'information et de la communication, supérieure en ampleur et en intensité aux précédents de l'invention de l'écriture et de l'imprimerie. En ampleur, car l'Internet a bouleversé directement tous les systèmes techniques et donc l'économie mondiale. La diffusion puis la convergence des télécommunications, de la télévision et de l'ordinateur ont ébranlé les cultures les plus enracinées et fait perdre leur équilibre aux entités collectives les moins préparées. En intensité, car la phase de transition aura été courte, une discontinuité dans l'optique de la longue durée. L'Internet a déjà apporté d'immenses bénéfices à l'humanité. Bien que toute tentative de prévision détaillée soit vaine, même à l'horizon d'une ou deux décennies, il est clair que cela continuera, dans tous les domaines de la vie quotidienne ou de la science et de la technologie – particulièrement la médecine. On peut affirmer aussi que l'homme continuera de faire l'apprenti sorcier, jouera avec la nature et sans doute avec sa propre évolution, tout cela au nom du progrès. L'accroissement vertigineux du bruit numérique qui se répand jusque dans le désert a tout pour égarer les faibles, personnes physiques ou morales. Au niveau individuel, la prise de recul devient de plus en plus difficile dans un environnement matérialiste où les transactions financières se font dans la microseconde. Au niveau collectif, le bruit finit par fracturer les peuples. Il pousse chacun à se mêler des affaires des autres de façon incohérente dans l'espace comme dans la durée. Ces « autres » que le plus souvent on ne connaît pas et qu'on croit respecter en leur imposant nos choix. En raison d'une supériorité matérielle encore réelle et de sa conviction de détenir aussi la supériorité morale, comme si les deux ne faisaient qu'un, l'ethnocentrisme occidental porte ainsi une lourde responsabilité, par exemple au Moyen-Orient. Une longue accumulation d'actions inconsidérées a généré des réactions non intentionnelles, comme l'islamisme politique ou le terrorisme, ces pathologies de la quête identitaire chez des peuples brisés. À un moindre degré, un risque de décomposition est manifeste en Europe même, en raison d'un élargissement de l'Union trop rapide par rapport à ses capacités d'adaptation et d'une immigration incontrôlée. Deux tendances favorisées par la civilisation de l'Internet. L'imbrication chaotique de groupes ou de communautés en mal d'identité ne peut qu'engendrer des drames. On peut prévoir des moments de folie, du sang et des larmes. Dans un contexte aussi turbulent, les stratégies ordinaires se désagrègent à peine mises en place, et les politiques étrangères se réduisent à des actions de circonstance. Il est temps de s'arrêter et d'éteindre les incendies qui ont éclaté un peu partout.

Parce qu'ils restent provisoirement les plus forts, les Occidentaux doivent méditer sur leur part de responsabilité dans les dérèglements du début du XXIe siècle. Ils peuvent encore, à condition de se remettre en cause sans renier leurs racines, redresser la marche du monde. À condition aussi de se mettre à l'écoute des autres cultures et de susciter le dialogue entre égaux, même dans l'ordre politique. Quand on a confiance en soi, on n'a pas peur de l'égalité. La perspective de ce petit livre sans prétention n'est pas la politique internationale, mais la dimension spirituelle au sens large. André Malraux aurait prophétisé que le nouveau siècle serait religieux. Mais pour qu'elles remplissent leur rôle dans la cité, les organisations religieuses doivent aussi faire leur examen de conscience, apprendre à intervenir dans la politique à un juste niveau et à coopérer entre elles sans jamais perdre de vue leur raison d'être, qui est le bien de tous les hommes. Que de travail en perspective ! Quoi de plus important, de ce point de vue, que la révolution en cours au sein de l'Église catholique romaine ? Je suis persuadé que l'islamisme politique est une maladie guérissable et donc temporaire d'une religion ouverte à l'extérieur à travers le soufisme et tant de témoignages individuels crédibles. Le judaïsme reste fascinant, car il donne l'illustration la plus parfaite de ce qu'est un peuple à travers les vicissitudes de l'histoire. Il met en lumière l'importance du contenu spirituel et des rites qui en découlent dans l'expression d'une identité collective. À travers la diaspora, il préfigure la forme de cosmopolitisme que pourrait revêtir une mondialisation réussie. Je crois aussi que la meilleure connaissance du bouddhisme en Occident et l'image qu'en donnent le Dalaï Lama et d'autres maîtres spirituels sont un enrichissement pour les trois monothéismes, ou plutôt pour *le* monothéisme, car juifs, chrétiens et musulmans vénèrent le même Dieu.

Je suis de ceux pour qui tout a un sens et qui sont sensibles au Mystère. Si le nouveau millénaire commence sous de moins bons auspices que le rêve néo-hégélien de la fin de l'Histoire, c'est peut-être parce qu'une crise était nécessaire pour rappeler à l'homme les fondements de sa condition. Sans doute fallait-il des signes forts au seuil d'un nouveau tsunami scientifique et technique d'où le meilleur et le pire pourraient sortir. Ces signes, il faut les reconnaître et les interpréter. Les voies pour y parvenir sont le silence, la méditation, le parler à propos, l'action avec sagesse et détermination, la persévérance.

24 décembre 2014.

Index sélectif des noms

Table

DU MÊME AUTEUR

Économie théorique, PUF, 1971.

Essais d'économie parétienne, Éd. du CNRS, 1974.

Le Désordre économique mondial, Calmann-Lévy, 1974. Traduction en espagnol et italien.

L'Énergie : le compte à rebours, J.-C. Lattès, 1978. Traduction en anglais et italien.

La Revanche de l'Histoire, Julliard, 1985.

La Science économique ou la stratégie des rapports de l'homme vis-à-vis des ressources rares : méthodes et modèles, PUF, 1988.

Que faire ? Les grandes manœuvres du monde, La Manufacture, 1990.

Mémoire du temps présent, Flammarion, 1996. Prix des Ambassadeurs 1996. Traduction en allemand, bulgare, polonais, roumain, russe.

Introduction à l'économie (avec E. Fauchart), Dunod, 1999, 4e édition, 2007.

Pour combattre les pensées uniques, Flammarion, 2000.

L'Action et le système du monde, PUF, 2002, 4e édition, collection « Quadrige », PUF, 2011. Traduction en roumain, russe, serbe, chinois, bulgare, polonais, anglais. Prix Georges Pompidou 2002.

La Guerre et la diversité du monde, Éd. de l'Aube, 2004.

Géographie politique, PUF, collection « Que Sais-je ? », 2006. Traduction en grec et bulgare.

Il est nécessaire d'espérer pour entreprendre. Penseurs et bâtisseurs, Éd. Les Syrtes, 2006.

Vingt ans qui bouleversèrent le monde, Dunod, 2008. Traduction en roumain et en bulgare.

Journal de Russie, Éditions du Rocher, 2012.

Journal de Roumanie, Éditions RAO, Bucarest, 2012. Édition bilingue en français et en roumain.

Composition : IGS-CP
Impression : CPI Bussière en février 2015
Éditions Albin Michel
22, rue Huyghens, 75014 Paris
www.albin-michel.fr

ISBN : 978-2-226-31612-7
N° d'édition : 21653/01 – N° d'impression : 2013751
Dépôt légal : mars 2015
Imprimé en France